日本医大式

脳卒中
ポケットマニュアル

第2版

日本医科大学 脳神経内科／脳卒中集中治療科
木村和美　西山康裕
編著

Pocket Manual for Stroke
@NMSNeurology 2nd Edition

医歯薬出版株式会社

This book is originally published in Japanese
under the title of:

NIHONIDAI-SHIKI NOSOTCHU POKETTO MANYUARU
(Pocket Manual for Stroke @NMSNeurology)

Editors:

KIMURA, Kazumi
  Graduate School Professor, Department of Neurological Science,
  Nippon Medical School Graduate School of Medicine
NISHIYAMA, Yasuhiro
  Associate Professor, Department of Neurology, Nippon Medical
  School

© 2018 1st ed.
© 2024 2nd ed.

ISHIYAKU PUBLISHERS, INC.
  7-10, Honkomagome 1 chome, Bunkyo-ku,
  Tokyo 113-8612, Japan

巻頭言

かつて脳卒中は我が国の3大死因の一つであったが，2012年から肺炎に次いで第4位となった．しかし，患者の高齢化が進むにつれ，例え救命し得ても，重度の身体機能障害，認知機能の低下を来たし，寝たきりの原因となることが多く，脳卒中は今なお極めて重要な疾患と言える．

本学では付属新病院建設に当たり，脳卒中集中治療科（SCU）の充実を図り，2015年8月より診療を開始した．集中治療科部長には「超急性期脳卒中患者の救急搬送及び急性期診療体制の構築に関する研究」の主任研究者を務め，かつ実践してこられた我が国における急性期脳卒中診療体制構築の第一人者である，木村和美・神経内科学大学院教授が就任した．木村和美大学院教授は本学においても，救急隊との連携による超急性期の脳卒中患者救急搬送，および受け入れ態勢の構築を急ピッチに進め，診療体制の充実を計った．

近年，神経放射線診断技術，急性期治療の進歩は目覚ましい．本学SCUにおいても，多くの脳梗塞患者に対し脳保護療法や血栓溶解療法，血管内治療等を積極的に導入し，良好な治療成績を積み重ねている．

しかし，今後ますます進む超高齢化に伴い，新時代に即した超急性期から慢性期に至る実践的で解り易い脳卒中の診断，治療のマニュアル書の必要性を感じていた．この度，研修医・専修医・コメディカル向けに木村和美大学院教授・西山康裕准教授の編集による「日本医大式　脳卒中ポケットマニュアル」を発行することになった．執筆者は木村和美大学院教授以下，日本医大脳神経内科の脳卒中専門医で，当脳神経内科で実践している脳卒中診療をもとに，超急性期患者来院時の診察，検査から治療までの過程，CTやMRI，SPECT画像，神経超音波の画像，慢性期治療のポイント等が解りやすく記載されている．

若手医師が脳卒中の超急性期から慢性期に至る実践的な診断と治療に活用できるものと期待している．

2024年1月

日本医科大学 名誉教授
赫　　彰郎

実践で役立つことにこだわったマニュアル書

　第1版が好評で，内容も新たに第2版を出版することになった．この数年で，脳梗塞の治療も変わっている．tPAや血管内治療は，どう治療していくのか？　血管内治療の適応拡大，心房細動を有する脳梗塞の再発予防に発症早期からDOACを使うのか？　抗血小板薬としてプラスグレルの登場などである．これらの内容を盛り込んだ第2版となっている．

　この20年で脳梗塞の治療は大きく変貌している．tPAや血管内治療の登場により，患者の転帰は大きく変わり，治療の目的が救命から社会復帰と変わった．特に，血管内治療の役割は大きい．当院では，年間tPAは80例，血管内治療も100例前後である．当院のデータによると，心原性脳塞栓症の死亡率は，10年前は約12％あったが，血管内治療の登場により今は3％である．脳卒中の医療体制も大きく変貌している．血栓回収療法を念頭においたELVO screenを用いた病院前救護体制，tPAや血管内治療の院内治療体制，早期リハビリテーション，栄養管理，回復期病院への転院システムなどある．2018年に脳卒中循環器病対策基本法が新たに制定され，国も脳卒中の予防，救急体制，研究，患者の社会復帰や就労支援，人材育成など力を入れている．

　このように大きく脳卒中の治療・診療体制は変貌しているが，脳卒中治療・診療に関連する実践に即した本を見渡すと，実践的で，かつ，いつも診療に携帯できるハンドブックは少ない．研修医や若い医師から，「実践に添った，即，現場で役に立つ脳卒中マニュアル本がほしい」と問われる．そこで，学生や研修医，専攻医，若い医師，当直医，看護師向けの，実践本を作成しようと思い立ったのが，このマニュアル本作成の始まりである．著者は，日本医大脳神経内科の現場の医師や看護師たちである．実践にあったマニュアル本が出来上がったと思う．ぜひ，当直や診療時に，ポケットに入れて参考にしてもらえれば幸いである．

　ところどころに，便利メモを設け，最近のエビデンスなど簡単に解説した．また，Q＆Aの項目を設け，日ごろの疑問にも分かりやすく回答している．この脳卒中マニュアル本が，脳卒中診療の一助となり，皆様のお役に立ち，多くの脳卒中患者の後遺症が軽減され社会復帰できれば，この上ない幸せである．

2024年1月

木 村 和 美

執筆者一覧

■ 編　集

木村和美（日本医科大学 大学院教授）
西山康裕（日本医科大学 准教授）

■ 執筆者

山崎峰雄（千葉北総病院 医学部教授）
永山　寛（付属病院 寄附講座教授）
仁藤智香子（日本医科大学 研究部共同研究施設 医学部教授）
西山康裕（付属病院 准教授）
青木淳哉（多摩永山病院 准教授）
松本典子（付属病院 寄附講座准教授）
長尾毅彦（武蔵小杉病院 臨床准教授）
山崎明子（武蔵小杉病院 認知症センター 部長）
下山　隆（付属病院 講師）
鈴木健太郎（付属病院 講師）
坂本悠記（付属病院 講師）
齊藤智成（付属病院 教育講師）
林　俊行（付属病院 教育講師）
金丸拓也（付属病院 講師）
酒巻雅典（武蔵小杉病院 寄附講座講師）
片野雄大（付属病院 助教）
西村拓哉（付属病院 助教）
沓名章仁（付属病院 助教）
高橋史郎（武蔵小杉病院 助教）
澤田和貴（多摩永山病院 助教）
畠　星羅（付属病院 助教）
西　佑治（付属病院 助教）
竹子優歩（付属病院 助教）
鈴木文昭（多摩永山病院 助教）
駒井侯太（付属病院 助教）

沼尾紳一郎（付属病院 助教）
本　　隆央（千葉北総病院 助教）
木村龍太郎（付属病院 助教）
吉村隼樹（付属病院 助教）
寺門万里子（付属病院 助教）
古寺紘人（付属病院 助教）
鈴木静香（武蔵小杉病院 執筆時）
髙橋瑞穂（日本医科大学脳神経内科 大学院生）
神谷達司（客員教授／神谷医院 院長）
石渡明子（付属病院 非常勤講師）
（以上，日本医科大学 脳神経内科）

片渕　泉（付属病院 看護部）
須田　智（埼玉医科大学国際医療センター 脳卒中内科 主任教授）
中上　徹（埼玉医科大学国際医療センター 脳卒中内科 講師）
三品雅洋（東京労災病院 脳神経内科 部長）
藤澤洋輔（東京労災病院 脳神経内科）
外間裕之（東京労災病院 脳神経内科）
高橋康大（東京労災病院 脳神経内科）
大久保誠二（NTT 東日本関東病院 脳血管内科 部長）
神谷雄己（NTT 東日本関東病院 脳血管内科 医長）
水越元気（新百合ヶ丘総合病院 脳神経内科 部長）
武井悠香子（新百合ヶ丘総合病院）
中嶋信人（北村山公立病院 神経内科 部長）
野村浩一（塩田病院 脳神経内科 部長）
大内崇弘（塩田病院 脳神経内科 医長）
佐藤貴洋（日吉台内科医院）
岨　康太（そわクリニック）
阿部　新（総合相模更生病院）
村賀香名子（令和あらかわ病院）
德元悠木（田尻ヶ丘病院 脳神経内科 医長）
（以上，日本医科大学 脳神経内科関連施設）

CONTENTS

総論

1 脳卒中初期診療―ホットラインが鳴ったら―

A 救急隊連絡から到着までに何をするか ……… 西山康裕 ● 002
Detection：脳卒中徴候の迅速な発見・通報 /
Dispatch：救急隊の出動と早急な対応 /
Delivery：適切な病院への搬送 / Door：救急外来における適切な判断

B 患者が到着してから初期評価まで ……… 鈴木文昭 ● 010
患者搬入時から各種画像検査までの初期評価 /
初期評価において押さえておくべき重要な点

C 一般身体所見の取り方 ……… 酒巻雅典 ● 015
意識障害 / 血圧と脈拍 / 体温 / 呼吸 / 皮膚 /
頸動脈，眼窩部，鼠径部の聴診

D 神経所見の取り方 ……… 山崎峰雄 ● 019
脳幹症状のみかた / 運動障害・運動失調・感覚障害のチェックリスト /
皮質症状のみかた

E NIHSS の取り方とポイント ……… 武井悠香子・青木淳哉 ● 026

F 脳梗塞と診断されたら
①血栓溶解療法 ……… 青木淳哉 ● 032
早く治療する / 投与時の Minimal check / チームとして役割分担 /
投与開始した後は

②血管内治療 ……… 鈴木健太郎 ● 041
血管内治療の適応 / 再開通までの時間短縮 / 最新の知見 /
最新のデバイス

③病型診断 ……… 金丸拓也 ● 047
病歴・診察による病型診断 / 頭部 MRI による病型診断

G 脳出血と診断されたら ……… 佐藤貴洋 ● 051
脳出血の画像所見 / 血圧を含めた全身管理 / フォローアップ

H くも膜下出血と診断されたら ……… 齊藤智成 ● 058
診断・検査 / 初期対応

I 一過性脳虚血発作と診断されたら ……… 中嶋信人 ● 063
TIA とは / TIA の分類 / TIA を疑うためには /
TIA を疑うためのポイント / TIA の入院適応 / TIA と診断したら /
非心原性 TIA の治療：抗血小板療法 /
心原性 TIA の治療：抗凝固療法 / TIA に対する外科的加療 /
TIA におけるリスク因子のコントロール

Pocket Manual for Stroke
@NMSNeurology 2nd Edition

2　院内発症　齊藤智成　074
早期発見 / 早期診断

3　SU 患者の看護　片渕　泉　079
脳卒中急性期の初期対応 / 脳卒中の疾患別看護 /
脳卒中の運動・認知機能障害に応じた看護 / 家族看護・退院支援

各 論

4　脳卒中急性期管理
血圧管理，呼吸管理など　下山　隆　093
脳梗塞急性期の血圧管理 / 脳出血急性期の血圧管理 /
脳卒中急性期の呼吸管理 / 脳卒中急性期の脈拍管理

5　脳梗塞の病型とその治療
A　心原性脳塞栓症　片野雄大　098
臨床症状 / 診断・検査 / 急性期治療

B　アテローム血栓性脳梗塞　大久保誠二　105
急性期血行再建療法 / 急性期治療 / 処方例 / 慢性期の血行再建術

C　ラクナ梗塞　野村浩一　111
古典的ラクナ症候群の徴候 /
急性期ラクナ梗塞に対する抗血小板療法 / 抗血小板薬の併用療法 /
脳保護療法 / 微小出血と脳出血のリスク

D　BAD（branch atheromatous disease）　阿部　新　119
「その他の脳梗塞」に含まれる疾患（BAD/ 大動脈原性脳塞栓症）

E　奇異性脳塞栓症　松本典子　123
奇異性脳塞栓症とは / 奇異性脳塞栓症の診断基準・頻度 /
診断のために必要な検査 / 経食道心エコー図検査 / 造影 CT/
奇異性脳塞栓症の治療

F　ESUS（塞栓源不明脳塞栓症）　西村拓哉　129
潜因性脳梗塞の原因としての心房細動の重要性 /ESUS の治療

G　脳動脈解離　神谷雄己　134
特徴 / 画像診断 / 治療

6 その他の脳血管障害

A 若年性脳梗塞の特徴　仁藤智香子● 137
若年性脳梗塞の原因疾患 /
50歳以下の脳卒中を疑った際の初療時のプロセス /
再発予防治療

B 脳卒中様の画像を呈する疾患　永山　寛● 141
血管障害 / 脱髄疾患 / 感染症・血管炎など / 内科疾患に伴う疾患 /
ミトコンドリア病 / 代謝性疾患 / その他

C 脳梗塞でなかったら（Stroke mimics）　藤澤洋輔● 159
頭部MRIで異常信号を認めない時 /
頭部MRIで異常信号を認める時

D 脳静脈洞血栓症の特徴　澤田和貴● 167
静脈洞血栓症とは / 原因 / 症状 / 診断 / 治療

E 骨髄増殖性腫瘍と脳血管障害　下山　隆● 172
真性多血症の血栓症治療 / 本態性血小板血症の血栓症治療 /
出血合併症

F Eagle症候群, Bow-Hunter症候群　坂本悠記● 175
Eagle症候群 / Bow-hunter症候群

G 可逆性脳血管攣縮症候群（RCVS）　畠　星羅● 178
原因 / 臨床症状・経過 / 診断 / 画像 / 治療

**H 遺伝性脳血管障害
（CADASIL, CARASIL, Fabry病）**　竹子優歩● 182
CADASIL / CARASIL / Fabry病

I CAT（cancer associated thrombosis）　鈴木文昭● 188
チェックポイント / 処方例

J 大動脈解離による脳梗塞　鈴木健太郎● 191
大動脈解離診断のポイント

K 脳血管障害と血管炎　下山　隆● 194
PCNSVの診断・治療・鑑別疾患

L もやもや病（ウィリス動脈輪閉塞症）　齊藤智成● 197
診断 / 検査 / 治療 / 類もやもや病に対する治療

M 感染性心内膜炎に伴う脳梗塞　坂本悠記● 202
IEに伴う脳梗塞の注意点

7 脳卒中急性期に行う各種検査

A 心電図検査・胸部X線検査 ……………………………………… 下山　隆● 206
心電図検査 / 胸部X線検査

B 血液学的検査 …………………………………………………… 林　俊行● 209
脳卒中の鑑別 / 超急性期脳梗塞診療 /
動脈硬化リスクのスクリーニング / 特殊な脳梗塞の原因 /
血栓症と塞栓症の鑑別

C CT検査 ………………………………………………………… 木村龍太郎● 213
CT検査の目的 / 脳梗塞の経時的変化とその所見 /
脳血管障害が否定された場合 / 読影のコツ

D MRI検査 ……………………………………………………… 沓名章仁● 217
シークエンス別の特長（DWI/MRA/FLAIR/T2*/T1WI/BPAS）

E 超音波検査 …………………………………………………… 松本典子● 223
頸部血管エコー / 経頭蓋超音波 / 経胸壁心エコー（TTE）/
経食道心エコー（TEE）/ 下肢静脈エコー

F 脳血管撮影 …………………………………………………… 木村龍太郎● 234
脳卒中における血管撮影例 / 脳梗塞における脳血管撮影読影のコツ

G SPECT検査 …………………………………………………… 三品雅洋● 240
血行力学的脳虚血の病態 / 血行力学的脳虚血の重症度 /
統計画像だけを見るな

8 脳卒中慢性期の治療選択

A 抗凝固薬 ……………………………………………………… 須田　智● 244
ワルファリン /DOAC/ 抜歯・内視鏡・手術などの際の対処法

B 抗血小板療法 ………………………………………………… 村賀香名子● 251
各抗血小板薬のエビデンス / 抗血小板薬の使い分け /
抗血小板薬の併用療法

C 高血圧 ………………………………………………………… 高橋史郎● 257
降圧の目標 / 治療薬選択のポイント

D 脂質異常症 …………………………………………………… 高橋康大● 261
脳卒中再発予防における脂質管理

E 糖尿病 ………………………………………………………… 水越元気● 263
チェックポイント

F 心房細動 ……………………………………………………… 長尾毅彦● 265
心房細動に関わるスコア / 抗凝固薬の選択 /
合併症を有する心房細動症例 / 循環器的管理

G 左心耳閉鎖術と卵円孔閉鎖術 ……………………………… 松本典子● 271
経皮的左心耳閉鎖術 / 経皮的卵円孔閉鎖術

9 脳卒中とてんかん ... 須田 智 ● 275
脳卒中後てんかんの診断/治療

10 脳卒中リハビリテーション
A 脳卒中後のリハビリテーション治療 ... 大内崇弘 ● 280
障害の程度の評価/障害に応じたリハビリの処方/
リハビリを行う上でのリスクや問題点の抽出・全身管理/
回復期リハビリテーション病院への情報提供

B 脳梗塞後の栄養の開始時期とその内容 ... 鈴木健太郎 ● 286
経管栄養投与方法について

11 Q and A
A 透析患者の急性期治療での注意点は？ ... 藤澤洋輔 ● 288
B 脳出血の既往がある脳梗塞患者に対する注意点は？ ... 岨 康太 ● 292
C 心房細動合併例に対する頸動脈狭窄例の抗凝固薬使用の注意点は？ ... 外間裕之 ● 295
D 冠動脈疾患合併例に対する心原性脳塞栓症の抗凝固薬使用の注意点は？ ... 鈴木静香 ● 296
E DOAC 内服中の血栓溶解療法と血管内治療を行う際の注意点は？ ... 西 佑治 ● 298
F 認知症患者が脳卒中を発症した際の注意点は？ ... 石渡明子 ● 302
G どのような脳梗塞・脳出血患者が急性期に外科治療となるのか？ ... 齊藤智成 ● 305
H 心臓内血栓があったときの対応は？ ... 德元悠木 ● 310
I CAS か CEA か ... 沼尾紳一郎 ● 313
J 無症候性脳梗塞を認めたときの対応 ... 駒井侯太 ● 316
K 脳アミロイド血管症に対する注意点は？ ... 古寺紘人 ● 318
L 妊婦の脳血管障害の特徴とその対応 ... 本 隆央 ● 320
M 島皮質に梗塞を認めたときの特徴 ... 沓名章仁 ● 322
N 抗血小板薬と抗凝固薬の使い分けに迷ったら？ ... 中上 徹 ● 325
O 血管性認知症の特徴とは？ ... 山崎明子 ● 327

■ COLUMN

① 脳卒中診療の面白さ..髙橋瑞穂● 330
② 脳卒中／循環器病対策基本法について
　　　　　　　　　　　　　　　　　　　　......................吉村隼樹・青木淳哉● 333
③ 脳卒中当直の心構え..寺門万里子● 335
④ 開業医における脳卒中診療..神谷達司● 338

付録　資料 編

- 資料 1　NIHSS (National Institute of Health Stroke Scale) / 341
- 資料 2　tPA 適応表／ 342
- 資料 3　tPA 換算表／ 344
- 資料 4　$ABCD^2$ スコアと 2 日以内の脳梗塞発症リスク／ 346
- 資料 5　脳卒中発症リスクと出血リスクの評価法／ 347
　　　　　（$CHADS_2$ スコア，CHA_2DS_2-VASc，HAS-BLED）
- 資料 6　深部静脈血栓症及び肺血栓塞栓症に対する DOAC の使用方法／ 348
- 資料 7　Fisher の CT 分類／ 348
- 資料 8　Hunt and Kosnik 分類／ 349
- 資料 9　Hunt and Hess 分類／ 349
- 資料 10　WFNS 分類／ 349
- 資料 11　頸部血管エコー　脳血管狭窄・閉塞診断基準／ 350
- 資料 12　せん妄とアルツハイマー型認知症の鑑別の要点／ 350
- 資料 13　日本リハビリテーション学会の中止基準／ 351
- 資料 14　Brunnstrom の運動検査による回復段階（Brs）／ 352

索　引..● 353

脳卒中
ポケットマニュアル
@NMSNeurology 2nd Edition

1. 脳卒中初期診療—ホットラインが鳴ったら——002
2. 院内発症 ——074
3. SU 患者の看護 ——079
4. 脳卒中急性期管理 ——093
5. 脳梗塞の病型とその治療 ——098
6. その他の脳血管障害 ——137
7. 脳卒中急性期に行う各種検査 ——206
8. 脳卒中慢性期の治療選択 ——244
9. 脳卒中とてんかん ——275
10. 脳卒中リハビリテーション ——280
11. Q and A ——288

COLUMN/330　　付録 資料編/341

1-A 【脳卒中初期診療——ホットラインが鳴ったら】
救急隊連絡から到着までに何をするか

●ここが POINT！

❶ 脳卒中の診療は救急隊から連絡を受けた時点から始まっている．

❷ 超急性期脳梗塞治療（経静脈的血栓溶解療法および血管内治療）は発症から治療開始まで「1分でも」早く行うことが転帰改善に直結することを理解する．

❸ 脳卒中患者を受け入れるために，放射線科，検査室との連携体制の強化，看護師の協力が必要であるが，そのためには自分たちに何が足りないかを調査する必要がある．

❹ 一旦，受け入れシステムができあがっても，より早く治療するためPDCAサイクル（☞便利メモ3）を回し続け，ブラッシュアップする必要がある．

❺ 脳卒中疑いの患者搬送の連絡を救急隊から受けたら，「発症・発見時間」「バイタルと脈の不整」に加え，「顔面を含む片麻痺の有無」「物品呼称」「共同偏倚（どちらに寄っているか）」「目の前に指4本を提示」をその場で救急隊に確認する．

はじめに

❶ 2005年10月にわが国で発症3時間以内の脳梗塞に対する組織プラスミノーゲンアクチベーター（recombinant tissue plasminogen activator：rt-PA）静注療法が保険認可され，その後2012年8月には発症4.5時間まで治療可能時間が拡大された．この間，次々とエビデンスが蓄積され，発症から治療開始までが早ければ早いほど転帰良好となることが明らかとなった．このことは「4.5時間以内に（いつでも）tPAを投与すればよいだろう」という医師の「常識」を大きく変えた．

❷ さらに，急性期機械的血栓回収療法の試験結果で再開通までの

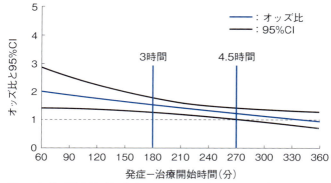

図1 経静脈的血栓溶解療法において,発症から時間が経つほど転帰良好患者(mRS0-1)の割合が減っていく

(Lees KR, et al. *Lancet*. 375:1695, 2010 より)

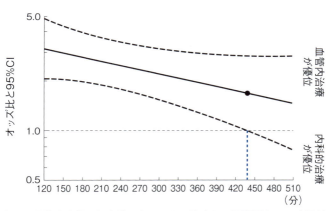

図2 血管内血栓回収療法においても,発症から再開通までの時間が3カ月後の転帰と関連する

(Saver JL, et al. *JAMA* 316:1279, 2016 より)

時間が短いほど予後良好であることが明らかとなったため,急性期脳梗塞治療はいよいよ時間との戦いの時代に突入した(図1,2).

❸救急車到着から治療開始までの時間を短くするために,本項で

は，救急隊から連絡を受けてから到着までに行うべきことを整理することで，到着後の連携が円滑に進むためのコツをまとめた．

病院前発見から病院到着までのプロセス

- 脳卒中診療において質の高い医療を遂行するには8つの「D」（☞便利メモ1）をスムーズに連結させることが大切である．
- この8つの「D」のうち，病院到着までは最初の4つが関与する（図3）．

Detection：脳卒中徴候の迅速な発見・通報

- 脳卒中初期診療において最も大切な段階であり，この段階抜きには急性期脳卒中診療が成立しない．このため，日本脳卒中協会ではマスメディアなどを利用して一般市民への啓発活動を行っている．
- また各地域においても市民公開講座などを積極的に開催し，啓発が行なわれているが，まだ十分とは言えない．

Dispatch：救急隊の出動と早急な対応

- この段階では医師ではなく救急隊が脳卒中であるかを判断するため，病院前脳卒中救護（Prehospital Stroke Life Support：PSLS）が導入された．
- 初期評価としてシンシナティ病院前脳卒中スケール（Cincinnati

便利メモ①

8つの「D」

本文中にある4つに，下記の4つを加えた8つの項目で成り立ち，これらを滞りなく連結させることが脳卒中の診断と治療の鍵となる．

- **Data**：救急室にて行う迅速検査（頭部画像や採血含む）
- **Decision**：各病院の脳卒中専門医の判断による治療方針の選択
- **Drug**：血栓溶解療法や経動脈的治療戦略
- **Disposition**：脳卒中ユニットや重症ケアユニットへの迅速な入室

（2010年AHAガイドラインに記載）

図3 脳卒中診療体制への取り組み

Detection

時短のために可能なこと
- テレビCM、市民講座などの啓発活動
- FAST*やCPSSなど脳卒中判断方法の啓発

*FAST（face, arm, speech, time）

Dispatch

"119"

救急隊に対する脳卒中診療体制の充実による初動時間短縮

Delivery

初期評価（A 気道、B 呼吸、C 循環）の判断短縮
CPSS、KPSSの判断短縮

救急隊に聞く！
- 発症時間の確認
- 名前、生年月日→IDの発行
- バイタルサインと脈の不整
- 眼球共同偏倚
- 物品呼称（ペン、腕時計）
- 目の前の4本の指を見せて何本見える？
- 病院到着時間と家族同乗の有無

Door

到着前準備！
- 電子カルテ準備
- 検査オーダー、ラベル発行
- クレアチニンキット、コアグチェックの準備
- MRI室、CT室への連絡
- 救急隊からの情報で脳主幹動脈閉塞が疑われれば、血管撮影室の状況確認

(☞総論1-B)

表 1　CPSS (Cincinnati Prehospital Stroke scale)

顔面のゆがみ（歯を見せるように笑ってもらう）
- 正常　顔の動きが左右対称
- 異常　片側の動きが対側と異なる

上肢の挙上（閉眼してもらい，両手をまっすぐの姿勢で10秒保つ）
- 正常　両側ともに問題なく挙上し，全く動かない
- 異常　片側が動かないか落ちてしまう

言語（言葉を話してもらう，原著では "you can't teach an old dog new tricks"）
- 正常　滞りなく正確に話ができる
- 異常　不明瞭な言葉，間違った言葉，話すことができない

Prehospital Stroke Scale：CPSS）が採用されることが多いが，これは顔面の歪み，上肢の麻痺および言語障害の3項目で評価する（表1）．これらの所見を一つでも有する場合は脳卒中の的中率は72％と言われており，専門機関へ搬送する決定を行う．

Delivery：適切な病院への搬送

- この段階で適切な専門機関へ連絡が取られ，病院は電話を受けた段階から脳卒中診療がいよいよ始まる．
- 我々がこの段階で救急隊に聞いている項目は主に以下の通り．

① 発症時間または最終未発症時間と発見時間
② バイタルサインと脈の不整
③ 顔面を含む片麻痺の有無と程度
④ 眼球共同偏倚の有無
⑤ 物品呼称（ペンや腕時計）
⑥ 目の前に指4本を提示して何本に見えるか
⑦ 家族の同乗の有無
⑧ 病院到着までの時間

→ ELVO screen（図4）（④⑤⑥）

- 特に⑥については，半側空間無視や失認などの皮質症状の有無をとらえることができ，血管内治療の準備に重要な情報を与えてくれる．例えば，3本（しか見えない）と言われた場合は，半側

> **便利メモ ②**
>
> 当科において，救急隊に聞いている項目のうち④〜⑥の3項目から脳主幹動脈閉塞（内頸動脈あるいは中大脳動脈M1閉塞）を判断する ELVO screen（Emergent Large-Vessel Occlusion）を行っている（図4）．感度86％，特異度は72％であるだけでなく，偽陰性が7％と極端に低く，スクリーニングとして非常に有用と考えている．

図4 ELVO screen
3つのうち1つでもあれば主幹動脈閉塞あり．感度86％，特異度72％，陰性的中率93％

空間無視を考える（☞便利メモ2）．

＜そのほか当院で時短のために工夫していること＞

❶救急隊から連絡を受けた時点で，名前と生年月日の情報にて新規患者であってもIDを発行する．これにより，救急搬送される前にあらかじめ種々の検査オーダーや検体ラベルの発行などが可能となる．

❷tPA血栓溶解療法や血管内治療の判断基準で律速段階となることが多いPT-INRや腎機能障害の程度の確認について，クレアチニンキット（Stat Sensor®）とコアグチェック（CoaguCheck®）の準備（図5）

❸看護師による採血スピッツと点滴ライン確保の準備．

❹tPA対応可能時間であれば，MRI室，CT室に予想される検査時間を伝え，対応可能かを確認する．前述した救急隊の情報にて意識障害，心房細動や皮質症状を有するなど血管内治療の可

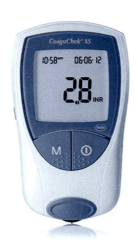 

図5 CoaguCheck（左）と StatSensor（右）
(Nova Biomedical 社の Web ページより)

> **便利メモ③**
>
> ### PDCA サイクル
> PDCA サイクルとは一般社会において，特に営業や製造現場でしばしば用いられる考え方で，目標設定と計画を効果的に結びつけるための方法である．脳卒中診療体制においても Plan（計画），Do（実行），Check（チェック），Action（行動）の各段階を検証することでサイクル全体の質の向上をもたらす．

能性がある場合は血管撮影室の使用状況をあらかじめ確認しておく．

❺受け入れシステムが一旦でき上がっても，より早く治療するために PDCA サイクルを回し続け，ブラッシュアップする必要がある（☞便利メモ3）．

Door：救急外来における適切な判断

以下，次項へ続く．リーダー医師を中心としてチーム医療を展開していく．

文 献

- Lees KR, et al. *Lancet* **375**：1695, 2010
- Saver JL, et al. *JAMA* **316**：1279, 2016
- Jauch EC, et al. *Circulation* **122**：S818, 2010
- Kothari RU, et al. *Ann Emerg Med* **33**：373, 1999
- Kimura K, et al. *Cerebrovasc Dis* **25**：189, 2008

（西山康裕）

1-B 患者が到着してから初期評価まで
【脳卒中初期診療——ホットラインが鳴ったら】

●ここがPOINT！
❶血行再建療法（tPA静注療法，血管内治療）の適応を考えながら，初期評価を適切かつ迅速に行う．
❷各自の役割分担を明確にし，声をかけあいながら情報を共有する．
❸初期評価では，急性胸部大動脈解離やStroke mimicsの鑑別が必要である．
❹脳卒中診療に携わる全てのスタッフが，患者到着から初期評価までの流れのシミュレーションを行うことが大切である．

はじめに
- 脳卒中診療においては，発症から治療開始までを1分でも早くすることが良好な転帰に繋がる．そのためには，患者搬入から診断に至るまでの時間を短くする必要がある．
- 本項では，患者搬入時から各種画像検査までの初期評価について述べる．当院ではリーダー医師，医師，看護師で役割分担して，一定の手順に従って初期評価を行っており（図1），患者搬入から画像検査までを10分以内を目安としている．下記に流れと注意点を列記する．

患者搬入時から各種画像検査までの初期評価
❶ストレッチャーへ移乗，着替え
　①救急隊にできるだけ軽装にしてもらうようにあらかじめ伝えておく．
　②衣服を脱がせ，患者衣に着替えさせる
　③MRI検査の禁忌となる手術痕（ペースメーカー等）の確認
　④着脱可能な義歯がある場合は外しておくとともに，添付式磁気治療薬（ピップエレキバンなど）があれば剥がしておく．

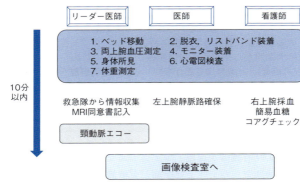

図1 当院での初期評価フローチャート

❷リーダー医師による救急隊からの情報収集
　①発症時刻または最終未発症確認時間
　②発症時の状況，症状
　③既往歴
　④内服薬
　⑤家族同乗，家族への連絡
　すでに，救急隊からの連絡時に①，②，⑤について聴取済みであるため，主に③，④の情報収集を行う．
❸バイタルサイン（意識レベル，血圧，脈拍，呼吸数，体温）の確認
　①血圧測定は両上肢から行い，左右差を確認
❹身体所見の確認
　①脳卒中以外に疑われる疾患はないか（☞各論6-C）
　②外傷，出血性病変はないか
❺12誘導心電図，体重測定
　①12誘導心電図で心房細動などの不整脈の確認および急性冠症候群の合併などの確認
　②ベッドに寝たまま，体重測定

> **便利メモ ①**
>
> **急性胸部大動脈解離と脳梗塞**
>
> 大動脈解離における脳虚血の合併頻度は 3～7% 程度である．上行大動脈から末梢側に進展することが多いため，右脳の症状（左片麻痺）が出現することが多い．急性大動脈解離を見逃さないため，胸背部痛の有無の確認，血圧の左右差を確認する．また右側の収縮期血圧が低い（<130 mmHg）症例が多い．疑わしい症例では，頸動脈エコーとともに最終的には造影 CT を行う．

❻右上肢より看護師が採血，コアグチェック（☞総論 1-A の図 5），簡易血糖測定．左上肢より医師が末梢静脈路の確保

- tPA 施行のために必須である血糖，血算に加えて，腎機能，肝機能，電解質，PT-INR，APTT を最低限検査する．静脈採血が困難な場合，医師が動脈採血を行う．

❼頸動脈エコー

①総頸動脈を中枢側から観察することで，急性大動脈解離の所見はないか（☞便利メモ①）

②総頸動脈や内頸動脈の狭窄や閉塞がないかの確認

あくまでも上記のスクリーニング目的であり，時間が許す範囲で行う．

❽画像検査室へ移動

- 上記❶～❼の合間，検査室への移動中にスタッフが NIHSS (National Institute of Health Stroke Scale) score（☞付録 資料 1）を用いて神経学的評価を行う．NIHSS は簡便で系統化されており短時間で患者の神経学的重症度を点数化でき，転帰予測にも役立つ．

初期評価において押さえておくべき重要な点

❶キーパーソンとの連絡手段の確保

- 独居，認知症などで発症に関する情報が得られない中で，時間との闘いに迫られる状況も稀ではない．救急隊，患者家族，発見者などからの情報およびインフォームドコンセントのため，キーパーソンとの連絡手段を確保．

❷既往歴の確認

> **便利メモ ②**
>
> **tPA と ACE 阻害薬**
>
> ACE 阻害薬の副作用には口舌血管性浮腫の副作用がある．ACE 阻害薬内服中に tPA 投与を行うと口舌血管性浮腫の出現頻度が高くなり，また重症化するという報告があるため，ACE 阻害薬内服歴がないか確認するとともに，tPA を投与する際は気管挿管の準備を行い，呼吸状態を注意深く観察する必要がある．

① tPA 静注療法の適応患者の場合は，チェックリスト（☞総論 1-F①の表1）の**禁忌**となる項目（非外傷性頭蓋内出血，1カ月以内の脳梗塞，3カ月以内の重篤な頭部脊髄の外傷あるいは手術，21日以内の消化管あるいは尿路出血，14日以内の大手術あるいは頭部以外の重篤な外傷，治療薬の過敏症）の既往歴をまず確認する．

② 心房細動などの不整脈や血管リスク因子の既往歴の有無は脳卒中の発症機序の推定に役立つ．

❸ **内服薬の確認**（☞便利メモ②）

- 抗血小板薬（アスピリン，クロピドグレル，シロスタゾール，プラスグレルなど），抗凝固薬（ワルファリン，ダビガトラン，リバーロキサバン，アピキサバン，エドキサバン）や血糖降下薬の服用の有無を確認．
- ダビガトラン，リバーロキサバン，アピキサバン，エドキサバンについては，最終内服時間まで確認する．

❹ **脳卒中様の症状を呈する疾患**（☞各論6-C）の除外

- Stroke mimics の頻度としては症候性てんかん，低血糖，ヒステリーや不安神経症などの精神科疾患が多いが，原因は多彩である（表2）．
- 初期評価時の脳卒中と Stroke mimics の鑑別因子として，①収縮期血圧 130 mmHg 以下，②NIHSS 5点以下，③糖尿病の既往あり，④不整脈の既往なし（特に心房細動）の4項目が挙げられるが，神経所見，身体所見，採血データ，画像所見から最終的に判断を行う．

表2 Stroke mimics を呈する疾患

代謝性・中毒性
低血糖，高血糖 　電解質異常 　肝性脳症
てんかん
精神疾患
失神
脳占拠性病変
脳腫瘍 　硬膜下血腫
片頭痛
薬物
前庭障害
末梢神経・脊髄障害
感染症

文 献

- Toyoda K, et al. *Stroke* **40**：3591, 2009
- 日本脳卒中学会．rt-PA（アルテプラーゼ）静注療法 適正治療指針 第三版（2019年3月）
- 日本循環器学会・他．大動脈瘤・大動脈解離診療ガイドライン（2011年改訂版）．p.9
- 渡部真志・他．脳卒中 **40**：1, 2018
- Engelter ST, et al. *J Neurol* 1167, 2005

（鈴木文昭）

memo

【脳卒中初期診療——ホットラインが鳴ったら】
一般身体所見の取り方　1-C

●ここがPOINT！
❶ まず，意識レベル，血圧，脈拍，体温，呼吸数を確認する．バイタルサインの確認は，最も重要である．
❷ 脳梗塞の患者で，発熱，皮疹，心雑音やCRP高値を認めるとき，感染性心内膜炎が疑われる．アルテプラーゼは原則として推奨されないため，発熱のある患者では，皮疹と心雑音に注意する．
❸ 頸動脈の雑音を聴取し，四肢末梢の脈拍触知を確認する．

はじめに

- 脳梗塞急性期の患者の身体診察にかける時間には限りがある．患者到着後10分以内に一般的初期評価を終え，45分以内に画像検査の読影を完了させ，1時間以内に治療の適応を判定し，アルテプラーゼ静注療法を開始する必要がある．胸部大動脈解離や感染性心内膜炎など，適応外や慎重投与となる疾患を念頭に置き，ポイントを絞った身体診察を行うことが必要である．
- バイタルサインの確認は最も重要であり，まず，意識レベル，血圧，脈拍，体温，呼吸を確認する．

意識障害

- 急性に意識障害と片麻痺が発症し搬送された患者では，脳卒中が疑われる．しかし，その2～3割は，脳卒中以外の疾患である．誤診される疾患としては，てんかん，低血糖，肝性脳症，脳炎，慢性硬膜下血腫，身体表現性の障害，失神発作，肺炎などの感染症がある（☞各論6-C）．
- 脳卒中以外の疾患を除外するには，意識障害の原因となる疾患を"アイウエオチップス"（AIUEOTIPS）で覚え（表1），対象となる疾患を鑑別するための身体診察を行うとよい．

血圧と脈拍

- 血圧は，両上肢で測定し，左右差がないか確認する．脈拍は，

表1 "AIUEOTIPS"(意識障害の鑑別疾患の覚え方)

A	alcoholism	急性アルコール中毒
		Wernicke脳症
I	insulin	低血糖
		糖尿病性ケトアシドーシス
		非ケトン性高浸透圧性昏睡
U	uremia	尿毒症
E	endocrine	甲状腺クリーゼ/粘液水腫
		副腎不全
	encephalopathy	肝性脳症
		高血圧性脳症
	electrolyte	電解質異常(Na, K, Ca, Mgの異常)
O	oxygen	低酸素血症
	opiate	麻薬中毒
	overdose	急性薬物中毒
T	trauma	脳挫傷
		急性/慢性硬膜下血腫
		急性硬膜外血腫
	temperature	低体温/熱中症
	tumor	脳腫瘍
I	infection	髄膜炎/脳炎/脳膿瘍
		肺炎/敗血症
P	psychiatric	精神疾患
	porphyria	ポルフィリン症
S	syncope	失神
	stroke	脳卒中
	SAH	くも膜下出血
	seizure	けいれん
	shock	ショック

脈拍数,リズムが規則的かどうか,脈圧の大きさ,欠損や血管の弾力をみる.

● 意識障害があり搬送された患者で,収縮期血圧が高い場合は,脳由来を原因とすることが多い.

- 胸部大動脈解離では，脳梗塞を合併することがあり（約5％），胸背部痛を認めないこともある（10～55％）．両上肢の20 mmHg以上の血圧差や脈拍欠損，左片麻痺は，大動脈解離の重要な手がかりとなる．しかし，血圧差や脈拍欠損の頻度は高くない（<20％）．少しでも大動脈解離を疑う場合は，アルテプラーゼ静注療法を始める前に，頸部血管エコー検査や胸部造影CT検査を行う必要がある．

体温
- 発熱は，感染性心内膜炎の最も頻度の高い症状であるが，亜急性心内膜炎では微熱にとどまることがあり，高齢者では認めないこともある．発熱がみられ，聴診で弁の逆流性雑音が聴取される場合は，感染性心内膜炎を疑い検索を進める．感染性心内膜炎は，アルテプラーゼ静注療法の慎重投与に該当する．

呼吸
- 以下の場合は，気管内挿管を検討する．

> ①GCS 8点以下，または，JCS Ⅱ-30以上の意識障害があり気道が確保できない．
> ②100％酸素 10/L以上の酸素吸入下で，SpO_2 が90％以下，または，PaO2が60 Torr以下の低酸素血症．
> ③$PaCO_2$ が60 Torr以上の高二酸化炭素血症．

皮膚
- 皮膚の斑状出血や点状出血は，最近の外傷や出血傾向を示唆する所見である．抗凝固薬を内服している可能性があり，血液検査を迅速に行い，PT-INRやaPTTが一定の範囲を超えていないことを確認する．
- また，点状出血は，感染性心内膜炎で頻度の高い所見であり，眼瞼結膜・頬部粘膜・四肢の微小血管の塞栓により生じる．
- 爪下線状出血，指頭部にみられる紫色または赤色の有痛性皮下結節（Osler結節），手掌と足底の無痛性小赤色斑（Janeway発疹）などの所見は有名ではあるが，感染性心内膜炎で必ず認めるわけではない．

頸動脈，眼窩部，鼠径部の聴診

- 聴診は大切である．胸部の聴診だけでなく，頸動脈，眼窩部，鼠径部の聴診を心がける．頸部の診察では，頸動脈や外頸静脈を観察する．頸動脈雑音は，聴診器のベル面を用いて聴取する．頸動脈血管雑音には，頸動脈狭窄の存在を疑う．

Pitfall

脳卒中と間違えられる疾患では，低血糖の頻度が多い．MRI 検査を行ったのち，血液検査の結果で低血糖が判明したことがあった．MRI の撮影のため患者をベットから移動したとき，シーツが汗でぐっしょり濡れていた．後に冷静に考えると，低血糖発作による交感神経緊張のための発汗と思われた．意識障害の患者では，常に低血糖を疑い血糖を測定すると良い．

便利メモ

頸動脈の血管雑音の発生起序は，乱流や相対的な血流増加により動脈壁が振動するためと考えられる．乱流では，炎症などによる動脈の狭窄の存在が疑われる．相対的な血流増加では，対側の内頸動脈の閉塞による側副血行路としての流量増加や甲状腺機能亢進症による心拍出量の増加などが原因となる．

文 献

- 日本脳卒中学会．静注血栓溶解（rt-PA）療法 適正治療指針 第三版．2019
- Harbison J, et al. *Stroke* **34**：71, 2003
- 日本内科学会．内科救急診療指針 **2016**：34, 2016
- Ikeda M, et al. *BMJ* **325**：800, 2002
- 日本循環器学会・他．大動脈瘤・大動脈解離診療ガイドライン 2011 年改訂版
- Park SW, et al. *Mayo Clin Proc* **79**：1252, 2004
- Bossone E, et al. *Am J Cardiol* **89**：851, 2002
- 日本循環器学会・他．感染性心内膜炎の予防と治療に関するガイドライン 2017 年改訂版

（酒巻雅典）

【脳卒中初期診療——ホットラインが鳴ったら】
神経所見の取り方 1-D

●ここが POINT！
❶ 脳卒中急性期が疑われる症例は初期評価として NIHSS を迅速に行う（☞総論 1-E，付録 資料 1）．
❷ NIHSS で点数化されていない神経症候にも注目し，とくに眼の症候については，瞳孔不同，対光反射の有無，眼位，眼球運動障害の有無とパターンを確認する．
❸ 皮質症状としての失語症と半側空間無視は NIHSS でも確認するが，とくに失語症が認められる場合は運動性，感覚性のみならず，超皮質性を含めた鑑別を行い，画像の局在診断との対応を考える．

脳幹症状のみかた

- NIHSS で確認する所見以外で，脳卒中診断に重要な脳神経所見のとり方をみていく．
❶ 眼の症候
- 眼裂の左右差，瞳孔径と対光反射，眼位（図 1），眼球運動を観察する．
  ・眼裂に左右差がある場合，動眼神経麻痺および Horner 症候群を疑う．
  ・瞳孔径の測定と対光反射は NIHSS ではチェックしないが，とくに意識障害がある場合は重要である．まず瞳孔の直径を測定し，3〜4 mm であれば正常と判断するが，重要なことは左右差がないかという点である．左右で 0.5 mm 程度以上の左右差がある場合，瞳孔不同があると表現する（図 2）．
- 瞳孔不同を呈する病態で重要なのは，動眼神経麻痺と Horner 症候群である．交感神経系の障害により瞳孔散大筋の麻痺を生じ，その結果，縮瞳がみられる．Horner 症候群では，縮瞳以外に同側顔面の発汗低下や眼裂狭小を伴っていることもあり，この点

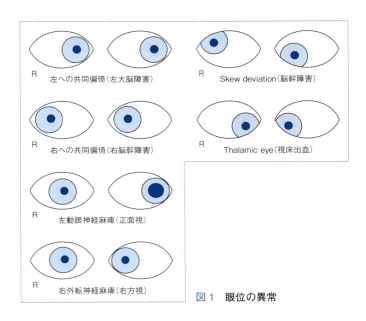

図1 眼位の異常

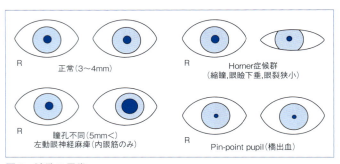

図2 瞳孔の異常

が診断上有用である.

- 両側とも高度の縮瞳を呈する場合(pinpoint pupil)は,橋出血などの脳幹病変やモルヒネなどの薬物中毒を疑う.

- 対光反射では必ず両側の瞳孔で反応を確認する．正常では光を入れた同側での縮瞳と反対側での縮瞳のいずれもが観察される．いずれかが障害されていれば，視神経-Edinger-Westphal核-動眼神経核-動眼神経の経路のどこかに障害が存在する．

＜眼位と眼球運動障害のチェックリスト＞

①注視麻痺
・病変側へ眼球偏倚→前頭葉の障害
・病変と反対側へ眼球偏倚→橋（傍正中橋網様体（paramedian pontine reticular formation：PPRF））の障害
②垂直方向の異常
・skew deviation（一側は上外方に偏倚し，反対側は下内方に偏倚する特異な眼位→脳幹障害）
③眼瞼下垂を認めず，反対側眼が外転時に片側性眼振を呈する場合→同側の橋内側縦束の障害（MLF（medial longitudinal fasciculus）症候群）

＜意識障害時の眼球運動のチェックリスト＞

①左右にゆっくり動くroving eye movement→大脳障害で起こる
②下方に偏倚後，直ちに正中位に復するocular bobbing→脳幹障害
③眼球頭位反射（oculocephalic reflex：OCR）：回旋方向と反対方向への眼球運動＝人形の目現象．人形の眼現象消失→中脳の障害

❷顔面麻痺
- 顔面麻痺はNIHSSでも確認するが，中枢性か末梢性かを考えながら診察することが重要である．顔面上部と下部で顔面神経の支配が異なることから両者で麻痺に差が生じてくる．すなわち，前額部のしわ寄せが可能であれば，中枢性顔面神経麻痺で，不可能であれば末梢性顔面神経麻痺と診断できる．上部顔面筋は両側

性支配であるため，このようなことが生じる．

❸球症状
- 舌咽・迷走・舌下神経の障害で，構音障害や嚥下障害が出現する（球症状）が，上位運動ニューロン障害としても出現する仮性球麻痺と臨床的に鑑別することが重要である．舌自体の動きや萎縮を挺舌させて観察する．片側に麻痺があると，舌はその方向（患側）を向く（舌下神経麻痺）．

運動障害のチェックリスト
① 上肢 Barré 徴候：軽い麻痺の場合，上肢全体が下垂せずに回内する．
② 第5指徴候：第5指がごく軽度外旋するのみ．
③ Babinski 徴候
④ Chaddock 徴候

運動失調のチェックリスト
① 指鼻（指）試験，膝踵試験
② Romberg 徴候：足をそろえて起立させ，閉眼することで大きく動揺する場合は陽性．開眼した状態でも動揺がみられる場合は陰性．

感覚障害のチェックリスト
- 延髄外側症候群（Wallenberg 症候群）：障害側と同側に顔面の温痛覚障害を，反対側に頸部以下の温痛覚障害をきたす．NIHSS の評価のみでは診断できない．

皮質症状のみかた
- 高次機能障害として頻度が高い症状には，失語症，半側空間無視，病態失認などがある．

❶半側空間無視
- 半側空間無視の大部分は左側でみられる．右利き患者で右半球病変，とくに右頭頂葉下部病変を生じた場合には高率に生じる．NIHSS でも評価するが，患者が食事時に右側にある食器にしか手をつけない，左側の食事は残してしまう場合に気づかれることも多い．

線分の中央にマークするように指示する．
①半側空間無視：片側への偏りあり（青）
②同名半盲：正常に施行（黒）

図3　線分二等分検査
（半側空間無視と同名半盲の違い）

- 線分二等分検査（図3），線分抹消検査や図形模写で評価する．臨床上注意を要する半側空間無視と類似する同名半盲は，線分二等分検査で鑑別可能である．すなわち，半側空間無視では2等分できないが，同名半盲では頸部を回旋することで，見えない部分を代償することが可能なため，正確に2等分できる．

❷病態失認

- 病態失認は「自分の病態に気がつかない」状態であり，盲目に対してあたかも見えているかのように振る舞うAnton症候群（皮質盲）や，左片麻痺に対する（Babinski型）病態失認が有名である．
- 後者は脳血管障害で頻度が高く，左片麻痺患者が麻痺の存在を否定する，または無関心を示す症状である．多くは急性期から亜急性期にみられる．患者が自ら麻痺を否定することはなく，被験者が質問や指示をすることではじめて明らかとなる．すなわち，患者に麻痺側の上下肢の動きが乏しいことを指摘しても受け入れず，その状態が持続する．評価尺度として，Bisiachの4段階（1986）が用いられることがある．

＜Bisiachの4段階＞

> 0＝疾患に対して通常の質問に対して，患者が自ら麻痺を話す（左片麻痺に対する病態失認（−））．
> 1＝損なわれた機能への特定の質問（例：左手でフォークを使えるか）に回答してはじめて麻痺を認める．
> 2＝通常の神経学的検査で指摘されてはじめて麻痺を認める．
> 3＝障害を認めることはない．

表 1 失語症の診断

	自発語	口語言語の理解	書字言語の理解	障害 復唱	音読	自発書字	書取	責任病巣
Broca 失語	非流暢	+	++	+	++	++	++	中心前回、左下前頭回
Wernicke 失語	流暢	++	++	+	++	++	++	左上側頭回、縁上回、角回
全失語	非流暢	++	++	+	++	++	++	広範な障害
伝導失語	流暢	+	+	+	++	++	++	左頭頂葉皮質下（縁上回・弓状束）
超皮質性運動失語	非流暢	+	+	正常	+	++	++	Broca 領域前方・上方、左前大脳動脈領域、Broca 失語の回復期
超皮質性感覚失語	流暢	++	++	反響言語（オウム返し）	++	++	++	左側頭-頭頂-後頭葉接合部領域
健忘失語	流暢	正常	正常	正常	+	+	+	Broca 領域、前頭葉皮質下、側頭葉頂領域など
純粋語聾	正常	++	正常	正常	正常	正常	++	左下前頭回、中心溝付近
純粋失読	正常	正常	++	++	++	正常	正常	後頭葉内側＋脳梁膨大部、後頭葉後下部
純粋失書	正常	正常	正常	正常	正常	++	++	中側頭回後部、角回、上頭頂小葉、中前頭回後部

++：高度障害、+：軽度障害

＜失語症の診断＞
- 必ず利き手を同行者から聴取する．失語症は自発語，口語言語の理解，復唱，自発書字，書字言語の理解，音読，書き取り，写字の8つのポイントから分類されるが，脳卒中診断でとくに重要なのは，NIHSSでも行われる自発語，口語言語の理解，書字言語の理解である（表1）．

①Broca失語：Broca野および周辺領域を含む領域の障害でみられ，自発語の障害と口語言語理解が良好であることが特徴である．

②Wernicke失語：Wernicke野に比較的限局した病巣で生じ，自発言語の障害は軽度であるが，口語言語理解が極めて不良であり，片麻痺を伴わない場合，認知症と誤診される場合もある．

③復唱がとくに不良である場合：超皮質性感覚失語や伝導失語を疑う．Broca野やWernicke野などの言語野が障害された脳梗塞亜急性期〜慢性期に出現した失語症の軽快・治癒過程でみられることもある．

（山崎峰雄）

> **memo**

1-E NIHSS の取り方とポイント

【脳卒中初期診療——ホットラインが鳴ったら】

●ここが POINT！

1. すべての項目で最重症として点数を合計すると 42 点であるが，四肢失調は確認された場合のみ加点するため，昏睡例では評価不能となり最重症の点数は 40 点となる（表 1）．
2. 検査は項目順に行う．検査済の項目に戻って評点を変えてはならない．
3. 患者が実際に遂行したことに基づいて評価し，推測してはならない．

1a	意識レベル	0：覚醒　2：繰り返しの刺激，強い刺激で覚醒 1：軽い刺激で覚醒　3：反射による動き以外は無反応

- 痛みなどの不快な刺激に対して反射的な姿勢以外の動きが全くみられない時のみ 3 点．
- 3 点の場合は以下すべての項目が最重症に決まるためこの時点で 40 点となる．

1b	意識レベル 質問（月, 年齢）	0：両方正答　2：両方正当できない 1：片方のみ正答

- 月と年齢を質問し，見当識と記憶を検査する．
- 気管挿管や口腔・気管の外傷など失語以外の原因で話すことができない時は 1 点とする．

1c	意識レベル 命令（目, 手）	0：両方正確に行う　2：両方正確にできない 1：片方のみ正確に行う

- 脱力のため動作を完全にはできなくとも，行おうとしていることが明らかであれば評価する．
- 検者の手を握るよう指示は，把握反射の要素も否定できないため，この検査では適当ではない．

2	最良の注視	0：正常　2：完全注視麻痺 1：部分的注視麻痺

- 随意的または眼球頭反射による水平眼球運動のみ評価する．
- 共同偏倚でも随意的または反射により眼球を動かすことができれば1点とする．
- 単一の末梢性脳神経Ⅲ Ⅳ Ⅵ麻痺も1点．眼球頭反射でも眼球が動かない場合は2点．

3	視野	0：視野欠損なし　2：完全半盲 1：部分的半盲　　3：両側性半盲（皮質盲含む全盲）

- 何らかの原因で全盲であれば3点．
- ここで視覚の左右同時刺激を行い，認知できるのが一側のみであれば，消去現象ありと考え，項目11で1点を加点する．

4	顔面麻痺	0：正常　　　　　2：部分的麻痺 1：軽度の麻痺　　3：完全麻痺

- 指示に従えない患者に対しては，痛みなどの不快な刺激に対する表情から左右差を観察し評価する．
- 鼻唇溝の平坦化・笑顔での顔面の不対称は1点，顔の下半分の完全麻痺は2点，顔全体の完全麻痺は3点．
- 1aの項目で3点の患者は，顔面の動きも生じないのでこの項目も3点となる．

5a	運動 左上肢	0：10秒保持可能　　3：重力に抗する動きがない 1：10秒以内に下垂　4：全く動かない 2：10秒以内に落下　UN：検査不能（理由：　　　）

5b	運動 右上肢	0：10秒保持可能　　3：重力に抗する動きがない 1：10秒以内に下垂　4：全く動かない 2：10秒以内に落下　UN：検査不能（理由：　　　）

- 1肢ずつ，手掌を下に向け，座位では90度，仰臥位では45度に挙上させてその肢位を10秒間保つように指示する．
- 麻痺が明らかでなければ左から，麻痺が明らかであれば健側から検査する．

6a	運動 左下肢	0：5秒保持可能　　3：重力に抗する動きがない 1：5秒以内に下垂　4：全く動かない 2：5秒以内に落下　UN：検査不能（理由：　　　）

| 6b | 運動
右下肢 | 0：5秒保持可能　　3：重力に抗する動きがない
1：5秒以内に下垂　　4：全く動かない
2：5秒以内に落下　　UN：検査不能（理由：　　） |

- 仰臥位で1肢ずつ，30度に挙上させその肢位を5秒保つよう指示する．

| 7 | 四肢失調 | 0：なし　　　　　　　2：2肢に存在
1：1肢にのみ存在　　UN：検査不能（理由：　　） |

- 1側の小脳失調の有無を指鼻指試験と膝踵試験で検査する．
- 1側で1点ではなく，1肢で1点となる点に注意．
- 検査を理解できない患者，麻痺のある患者は失調なしと評価する．
- 全盲の場合は上肢を伸展させ，鼻を触れさせて検査する．

| 8 | 感覚 | 0：正常　2：重度の障害，完全脱失
1：軽度から中等度の障害 |

- 感覚が重度あるいは完全に失われていることが明らかである場合のみ2点となる．
- つまり，昏迷や失語の場合は0点あるいは1点となる．
- ただし，両側性の感覚障害は2点，反応のない四肢麻痺患者は2点，1aが3点の昏睡患者は2点となる．

| 9 | 最良の言語 | 0：正常　　　　　　　　　　2：重度の失語
1：軽度から中等度の失語　　3：無言，全失語 |

- 絵のシート（図1）を見せて，そのなかで起こっていることを言わせる．
- 呼称シート（図2）に示す物の名前を言わせる．
- 文章シート（図3）に示す文章を読ませる．
- 言語の流暢性や理解力に何らかの障害があることは明らかだが，検者は絵シートや呼称シートの答えを理解できる場合は1点．
- すべてのコミュニケーションが断片的な言語表現で行われ，聞き手の推測がおおいに必要．また検者は絵シートや呼称シートの答えを理解できない場合は2点．
- 気管内挿管中に患者には書字を指示する．1aが3点の患者はこの項目も3点．

図1　絵のシート

図2　呼称シート

分かっています

地面に落ちる

仕事から家に帰った

食堂のテーブルのそば

昨夜ラジオで話しているのを聴きました

図3　文章シート

10	構音障害	0：正常　　　　　　　2：重度 1：軽度から中等度　UN：検査不能（理由：　　　）

- 患者へこの検査の理由を教えてはならない．
- 検者が理解できれば1点，理解できないほど不明瞭であれば2点となる．

11	消去現象と 注意障害	0：異常なし 1：軽度から中等度，あるいは1つの感覚に対する消去現象	2：著しい半側注意障害，あるいは2つ以上の感覚に関する消去現象

- 視覚的，触覚的，聴覚的に両側同時刺激を行い，両側共認識できるかどうかを検査する．
- ただし，両側同時刺激は，一側刺激に対して両側共認識可能であることが前提となる．
- 失語があっても両側に注意が向いていれば評価する．

文献

- 日本救急医学会・他．ISLSガイドブック2018．へるす出版，2018

（武井悠香子・青木淳哉）

memo

表1 NIHSS (National Institutes of Health Stroke Scale)

1a	意識レベル	0:覚醒 1:軽い刺激で覚醒	2:繰り返しの刺激,強い刺激で覚醒 3:反射による動き以外は無反応
1b	意識レベル 質問(今の月,年齢)	0:両方に正答 1:1つに正答	2:両方とも正答できない
1c	意識レベル 命令(目:開閉,手:握る・開く)	0:両方とも正確に行う 1:片方のみ正確に行う	2:両方とも正確に行えない
2	最良の注視	0:正常 1:部分的注視麻痺	2:完全注視麻痺
3	視野	0:視野欠損なし 1:部分的半盲	2:完全半盲 3:両側性半盲(皮質盲含む全盲)
4	顔面麻痺	0:正常 1:軽度の麻痺	2:部分的麻痺 3:完全麻痺
5a	運動 左上肢	0:10秒間保持可能 1:10秒以内に下垂 2:10秒以内に落下	3:重力に抗する動きがない 4:まったく動かない UN:検査不能 (理由:)
5b	運動 右上肢	0:10秒間保持可能 1:10秒以内に下垂 2:10秒以内に落下	3:重力に抗する動きがない 4:まったく動かない UN:検査不能 (理由:)
6a	運動 左下肢	0:5秒間保持可能 1:5秒以内に下垂 2:5秒以内に落下	3:重力に抗する動きがない 4:まったく動かない UN:検査不能 (理由:)
6b	運動 右下肢	0:5秒間保持可能 1:5秒以内に下垂 2:5秒以内に落下	3:重力に抗する動きがない 4:まったく動かない UN:検査不能 (理由:)
7	四肢失調	0:なし 1:1肢のみ存在	2:2肢に存在 UN:検査不能 (理由:)
8	感覚	0:正常 1:軽度から中等度の障害	2:重度の障害,完全脱失
9	最良の言語	0:正常 1:軽度から中等度の失語	2:重度の失語 3:無言,全失語
10	構音障害	0:正常 1:軽度から中等度	2:重度 UN:検査不能 (理由:)
11	消去現象と注意障害	0:異常なし 1:軽度から中等度,あるいは1つの感覚に関する消去現象	2:著しい半側注意障害,あるいは2つ以上の感覚に関する消去現象

合計: 点

1-F 【脳卒中初期診療——ホットラインが鳴ったら】
脳梗塞と診断されたら① 血栓溶解療法

●ここが POINT！
❶発症から4.5時間以内に治療開始できる患者に対して行う．
❷発症時刻が不明かつ虚血性変化がFLAIR画像で明瞭でない場合は，発症4.5時間以内の可能性が高く，適応を考慮する．
❸tPA量は0.6 mg/kg，はじめに投与量の10%を急速投与し，残りを1時間でシリンジポンプを用い，投与する．
❹投与開始から24時間は血圧を180/105 mmHg以下にコントロールする．
❺迅速キットを用いれば中央検査室の採血結果を待たずに開始できる．

早く治療する

- 発症後4.5時間以内でも，投与開始が早いほど転帰良好であり，時間経過とともに頭蓋内出血の危険性は上昇．目標は，患者到着から1時間以内のtPA療法開始．
- プラセボに対するtPAの転帰良好オッズ比は，発症後3時間以内で1.75，3〜4.5時間以内で1.26．

投与時の Minimal check

- 禁忌項目のないことを確認し，tPA（グルトパ®，アクチバシン®）を0.6 mg/kgを準備（tPA適応表；表1，換算表；表2）．tPAはシリンジポンプを用いて，投与量の10%を急速投与し，残りを1時間で投与．
- DOACの最終服用4時間以内である場合には凝固マーカーの値にかかわらず適応外．ダビガトランの場合はaPTTが前値の1.5倍超であるか，服用後4時間以内の場合，中和剤を使用後にtPAは投与考慮可．

＜投与中の血圧管理＞
- 投与開始時：
 降圧療法後も収縮期血圧 185 mmHg 以上，拡張期血圧 110 mmHg 以上の場合は禁忌．
- 開始〜24 時間：
 収縮期血圧 180 mmHg 以下，拡張期血圧 105 mmHg 以下にコントロール．
- 当院ではハーフニカルジピン，つまりニカルジピン（10 mg/A）1A ＋生理食塩水 10 mL で 20 mL としたものを，2 mL 急速静注し，その後 3〜20 mL/h で投与．

チームとして役割分担

- リーダー医師を決め，その医師の割り振りに従って，チームとして治療を実行．
- 当院では，リーダー医師は画像検査に行く際に，tPA の投与を前提に，付き添いの家族に文書を使って説明し同意を取得．画像検査の結果次第で投与しないこともあることや有効性およびリスクについても丁寧に説明（家族のいない，あるいは連絡が付かない患者については，適正治療指針に沿い倫理委員会の承認を受け，診療チームの医師の判断で投与する）．
- 血液検査は，血ガスとともに血糖・血小板・Cr 値を測定できる CelltacES®，ABL800® や PT-INR の迅速診断キット（Coagu-Check®）を用いると，より迅速な開始が可能（図 1）．

投与開始した後は

- 15 分ごとに神経診察．投与開始以降に頭痛・嘔気・嘔吐・急激な血圧変化など頭蓋内出血が疑われる際は，tPA はいったん中止し，頭部 CT を確認．
- 頭蓋内出血を認めた際は，収縮期血圧を 140 mmHg 以下に管理．気管内挿管を含めた呼吸管理を検討・実行．抗脳浮腫薬（マンニトール® またはグリセオール®）を投与．また，開頭血腫除去術や開頭減圧の適応を判断．

表1 tPA 適応表

(日本脳卒中学会. 静注血栓溶解(rt-PA)療法 適正治療指針 第三版. 2019年3月)

適応外(禁忌)	あり	なし
発症ないし発見から治療開始までの時間経過		
発症(時刻確定)または発見から 4.5 時間超	□	□
発見から 4.5 時間以内で DWI/FLAIR ミスマッチなし,または未評価	□	□
既往歴		
非外傷性頭蓋内出血	□	□
1ヵ月以内の脳梗塞(症状が短時間に消失している場合を含まない)	□	□
3ヵ月以内の重篤な頭部脊髄の外傷あるいは手術	□	□
21 日以内の消化管あるいは尿路出血	□	□
14 日以内の大手術あるいは頭部以外の重篤な外傷	□	□
治療薬の過敏症	□	□
臨床所見		
クモ膜下出血(疑)	□	□
急性大動脈解離の合併	□	□
出血の合併(頭蓋内,消化管,尿路,後腹膜,喀血)	□	□
収縮期血圧(降圧療法後も 185 mmHg 以上)	□	□
拡張期血圧(降圧療法後も 110 mmHg 以上)	□	□
重篤な肝障害	□	□
急性膵炎	□	□
感染性心内膜炎(診断が確定した患者)	□	□
血液所見(治療開始前に必ず血糖,血小板数を測定する)		
血糖異常(血糖補正後も<50 mg/dL,または>400 mg/dL)	□	□
血小板数 100,000/mm³ 以下(肝硬変,血液疾患の病歴がある患者)	□	□
※肝硬変,血液疾患の病歴がない患者では,血液検査結果の確認前に治療開始可能だが,100,000/mm³ 以下が判明した場合にすみやかに中止する		
血液所見:抗凝固療法中ないし凝固異常症において		
PT-INR>1.7	□	□
aPTT の延長(前値の 1.5 倍[目安として約 40 秒]を超える)	□	□
直接作用型経口抗凝固薬の最終服用後 4 時間以内	□	□
※ダビガトランの服用患者にイダルシズマブを用いて後に本療法を検討する場合は,上記所見は適応外項目とならない		
CT/MR 所見		
広汎な早期虚血性変化	□	□
圧排所見(正中構造偏位)	□	□

(表1 つづき)

慎重投与（適応の可否を慎重に検討する）	あり	なし
年齢 81歳以上	☐	☐
最終健常確認から4.5時間超かつ発見から4.5時間以内に治療開始可能でDWI/FLAIRミスマッチあり	☐	☐
既往歴		
10日以内の生検・外傷	☐	☐
10日以内の分娩・流早産	☐	☐
1ヵ月以上経過した脳梗塞（とくに糖尿病合併例）	☐	☐
蛋白製剤アレルギー	☐	☐
神経症候		
NIHSS値26以上	☐	☐
軽症	☐	☐
症候の急速な軽症化	☐	☐
痙攣（既往歴等からてんかんの可能性が高ければ適応外）	☐	☐
臨床所見		
脳動脈瘤・頭蓋内腫瘍・脳動静脈奇形・もやもや病	☐	☐
胸部大動脈瘤	☐	☐
消化管潰瘍・憩室炎，大腸炎	☐	☐
活動性結核	☐	☐
糖尿病性出血性網膜症・出血性眼症	☐	☐
血栓溶解薬，抗血栓薬投与中（とくに経口抗凝固薬投与中）	☐	☐
月経期間中	☐	☐
重篤な腎障害	☐	☐
コントロール不良の糖尿病	☐	☐

＜注意事項＞ 一項目でも「適応外」に該当すれば実施しない．

表2 tPA 換算表

(日本脳卒中学会. 静注血栓溶解 (rt-PA) 療法 適正治療指針 第三版. 2019年3月)

40〜51 kg

製剤：600万単位製剤 3本
　　　(または1,200万単位1本＋600万単位1本) を添付の溶解液 30 mL で溶解

体重 (kg)	総量 (mL)	急速静注 (mL)	持続静注 (mL)
40	**23.2**	**2.3**	**20.9**
41	23.8	2.4	21.4
42	24.4	2.4	22.0
43	24.9	2.5	22.4
44	25.5	2.6	22.9
45	**26.1**	**2.6**	**23.5**
46	26.7	2.7	24.0
47	27.3	2.7	24.6
48	27.8	2.8	25.0
49	28.4	2.8	25.6
50	**29.0**	**2.9**	**26.1**
51	29.6	3.0	26.6

52〜69 kg

製剤：2,400万単位製剤 1本
　　　(または1,200万単位2本) を添付の溶解液 40 mL で溶解

体重 (kg)	総量 (mL)	急速静注 (mL)	持続静注 (mL)
52	30.2	3.0	27.2
53	30.7	3.1	27.6
54	31.3	3.1	28.2
55	**31.9**	**3.2**	**28.7**
56	32.5	3.3	29.2
57	33.1	3.3	29.8
58	33.6	3.4	30.2
59	34.2	3.4	30.8
60	**34.8**	**3.5**	**31.3**
61	35.4	3.5	31.9
62	36.0	3.6	32.4
63	36.5	3.7	32.8
64	37.1	3.7	33.4
65	**37.7**	**3.8**	**33.9**
66	38.3	3.8	34.5
67	38.9	3.9	35.0
68	39.4	3.9	35.5
69	40.0	4.0	36.0

(表2 つづき)

70〜86 kg

製剤:2,400万単位製剤1本+600万単位1本
(または1,200万単位2本+600万単位1本)を添付の溶解液50 mLで溶解

体重 (kg)	総量 (mL)	急速静注 (mL)	持続静注 (mL)
70	**40.6**	**4.1**	**36.5**
71	41.2	4.1	37.1
72	41.8	4.2	37.6
73	42.3	4.2	38.1
74	42.9	4.3	38.6
75	**43.5**	**4.4**	**39.1**
76	44.1	4.4	39.7
77	44.7	4.5	40.2
78	45.2	4.5	40.7
79	45.8	4.6	41.2
80	**46.4**	**4.6**	**41.8**
81	47.0	4.7	42.3
82	47.6	4.8	42.8
83	48.1	4.8	43.3
84	48.7	4.9	43.8
85	**49.3**	**4.9**	**44.4**
86	49.9	5.0	44.9

87 kg〜

製剤:2,400万単位製剤1本+1,200万単位1本
(または2,400万単位1本+600万単位2本)を添付の溶解液60 mLで溶解

体重 (kg)	総量 (mL)	急速静注 (mL)	持続静注 (mL)
87	50.5	5.1	45.4
88	51.0	5.1	45.9
89	51.6	5.2	46.4
90	**52.2**	**5.2**	**47.0**
91	52.8	5.3	47.5
92	53.4	5.3	48.1
93	53.9	5.4	48.5
94	54.5	5.5	49.0
95	**55.1**	**5.5**	**49.6**
96	55.7	5.6	50.1
97	56.3	5.6	50.7
98	56.8	5.7	51.1
99	57.4	5.7	51.7
100〜	**58.0**	**5.8**	**52.2**

※各規格の添付溶解液

600万国際単位:10 mL
1,200万国際単位:20 mL
2,400万国際単位:40 mL

溶解後のアルテプラーゼ濃度は60万国際単位/mL=1,034 mg/mL

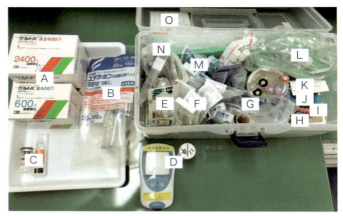

図1 tPAセット
　A：グルトパ®，B：エダラボン®，C：オメプラゾール®，D：コアグチェック（CoaguCheck®），E：生食シリンジ，F：点滴用留置針，G：翼状針，H：針，I：アルコール綿，J：駆血帯，K：ステプティ，L：酸素マスク，M：シリンジ，N：点滴固定用フィルム，O：一覧表

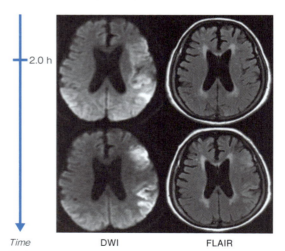

図2 DWI-FLAIR mismatch
　発症早期であるとDWIで信号変化があってもFLAIRでは信号変化は確認されない．

> **便利メモ**

大規模臨床試験 UpToDate・3本柱＋α

❶脳梗塞の約25%は発症時間がはっきりしない．
　発症時間が不明でもFLAIRで脳虚血の明瞭な信号変化がない場合（図2），発症後4.5時間以内と推定可能．WAKE-UPでは，FLAIRミスマッチ患者に対するtPA療法の安全性と有効性が示された．

❷tPAの量
　わが国ではtPA量は0.6 mg/kg．海外では多くの国が0.9 mg/kg．ENCHANTED trialでは，0.6 mg/kg量は安全性に関しては有意に優れ，有効性はほぼ非劣性．

❸tPAの限界
　①tPA療法の改善効果は神経重症度で違いがあり（表3），内頸動脈や中大脳動脈水平部の閉塞患者では，早期再開通率は10～20%に留まる．重症例にtPA療法を行う場合，より迅速な投与が必要．
　②tPA療法を"Skip"した機械的血栓回収療法は期待されたが，メタ解析では併用療法と比べ転帰良好は同等であったが，非劣性は示されなかった．

＋α：新たな血栓溶解薬
　アルテプラーゼに代わる血栓溶解薬であるテネクテプラーゼ（単回静注投与が可能）を用いた臨床研究が世界で実施．わが国ではT-FLAVORが進行中．

表3　NIHSSスコア別の転帰良好の頻度

	tPA群	プラセボ群
0-4点	69%	59%
5-10点	48%	43%
11-15点	25%	22%
16-21点	12%	8%
≧22点	7%	3%

転帰良好：modified Rankin Scale 0-1

文献

- 日本脳卒中学会．静注血栓溶解（rt-PA）療法 適正治療指針 第三版（2019年3月）
- NINDs rt-PA stroke Study Group. *N Engl J Med* **333**：1581, 1995
- Emberson J, et al. *Lancet* **384**：1929, 2014
- Thomalla G. *N Engl J Med* **379**：611, 2018

（青木淳哉）

【脳卒中初期診療―ホットラインが鳴ったら】
脳梗塞と診断されたら② 血管内治療　1-F

●ここがPOINT！
1. 前方循環の脳主幹動脈閉塞を伴う脳梗塞に対する血管内治療は，脳卒中ガイドラインでグレードAの有効性が確立された治療法である．
2. 梗塞範囲と閉塞血管のミスマッチがある症例では，発症24時間以内まで治療の有効性が示された．
3. 発症から再開通までの時間が短ければ短いほど，転帰改善が期待できる．
4. 機械的血栓回収治療ができない施設である場合，適応患者を発見した際は早急に治療ができる施設に転送すべきである．

はじめに

- 2014年に血管内治療の有用性を示す論文（MR CLEAN）がオランダから報告された．その後同様の報告が続き，HERMES collaborationとして統合解析が報告されている．発症から再開通までの時間短縮および高い再開通率を良好な転帰のポイントにあげており，施設ごとに時間短縮への取り組みが進んだ．
- 時間短縮に主眼が置かれる時期が続いたが，2017年にDAWN trial*が報告され，発症から6〜24時間であれば，ミスマッチがあれば血管内治療を行うことで転帰良好にできる可能性が示された．
- tPA静注療法の時代から続いたtime based selectionの時代から，脳の虚血状態を把握したうえで適応を判断するtissue based selectionの時代になることが予想され，初期治療を担う医師は専門外であっても適応判断に習熟する必要がある．
- 本項では血管内治療に必要な各プロセスに分けて解説し，その後最新の知見を記載する．

---

*DAWN trial（DWI or CTP Assessment with Clinical Mismatch in the Triage of Wake-Up and Late Presenting Strokes Undergoing Neurointervention with Trevo）

血管内治療の適応

❶時間に関して
- AHA/ASAガイドラインでは発症6時間以内の症例を，わが国では発症8時間以内の症例を推奨していた．しかし，DAWN trialと，それに続き報告されたDEFUSE3 trialの結果を受けて，梗塞体積，臨床症状及び閉塞血管の間にミスマッチがある症例では，発症24時間以内まで適応を検討すべきと治療指針が改定された．
- ミスマッチの判断基準として，米国ではRAPID systemとよばれる解析ソフトウェアが用いられているが，わが国では代替するものとして，①内頸動脈あるいは中大脳動脈M1閉塞例，②NIHSS 10点以上，③虚血コア25 mL以下（DWI-ASPECTS 7点以上に相当）を満たすものと指針に記載されている．
- 当院では閉塞血管と梗塞領域，あるいは神経徴候とのミスマッチを考えたうえで，内科的治療よりも血管内治療で改善の見込みが高いと判断した場合には，発症からの時間に関係なく治療適応と考えている．

❷閉塞部位に関して〜カテーテルを誘導できる血管すべてが対象〜
- 大規模試験で内科的治療と比較して血管内治療の有効性が示されているのは，今まで内頸動脈と中大脳動脈M1閉塞のみである．脳底動脈閉塞例に対しても有効性が示された．
- 中大脳動脈M2部の急性閉塞による脳梗塞については，HERMESによる統合解析において，機械的血栓回収療法が90日後のmRSスコアを改善する傾向が認められた（調整共通OR 1.77，95%CI 0.94-3.36）．しかしRCTでは有効性は示されていない．
- 閉塞血管がある＝治療というエビデンスは得られていないことに留意する必要があるが，当院では中大脳動脈M2，前大脳動脈，椎骨動脈，後大脳動脈P1でも治療の有益性があると考えられる症例では適応を考慮している．

❸梗塞体積に関して〜広範囲梗塞でも血管内治療が有効な症例は存在する〜

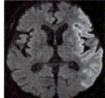
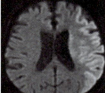
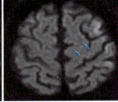
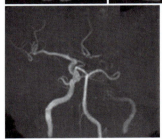

図1 低DWI-ASPECTSで良好な転帰を得た症例

DWI-ASPECTS 2点，左内頸動脈閉塞例であるが，血管内治療で完全再開通し，3カ月後には自立歩行可能となった．
※中心前回は免れている（矢印）

- 従来，AHA/ASAガイドラインではCT ASPECTS 6点以上が推奨されていた．一方で実臨床では梗塞範囲が広くても，再開通することで転帰改善する症例があるため，それだけで適応外にはすべきでないという考えがあった．
- 2022年以降，RESCUE-Japan LIMIT研究を含む6つの研究結果が報告され，そのうち5つで広範囲虚血病変を有する主幹脳動脈例に対する血管内治療の有効性が示された．RESCUE-Japan LIMIT研究は本邦で行われ，血管内治療を受けた広範囲脳梗塞患者100人中31人，内科的治療のみを受けた広範囲脳梗塞患者102人中13人が3カ月後にmRS 0-3（自立歩行）を獲得し，血管内治療を受けることで，2.4倍に増加することを報告した．
- 当院でも，今まで若年，発症早期，錐体路（とくに中心前回）を避けている症例（図1）で良好な転帰を得られる症例を経験している．今後は梗塞体積にかかわらず，治療を検討する時代が来るかもしれないが，「後遺症がなくなる」わけではないことに留意する必要がある．

再開通までの時間短縮

- 良好な結果を残すために時間短縮は非常に重要であり，発症-再開通時間を 30 分短縮することで転帰良好例が 10% 増えると報告されている（☞総論 1-A）．時間短縮のためには医師だけでなく，コメディカルも含めてパートごとにチームで見直すことが重要である．各パート別にポイントを記載する．

❶発症から来院
- 時間短縮への取り組みは来院前からはじまる．救急隊からの情報（発症時刻や ELVO screen ☞総論 1-A）から tPA 静注療法や血管内治療の可能性に関して心構えし，MRI 検査室や血管撮影室の調整を含め，チーム全体に伝えておくことが重要である．

❷来院から画像まで
- 皮質症候（共同偏倚，半側空間無視，失語）の有無を確認する．可能であれば，頸動脈超音波検査で閉塞の有無を判定することも有益であるが，慣れていない施設では時間を優先すべきである．

❸画像から血管内治療開始まで
- CTA あるいは MRA で閉塞血管を確認したら，閉塞血管から予測される虚血範囲がすでに脳梗塞（完全虚血）になっていないかを確認する．
- 判断に自信が持てなければあやふやにせず，上級医あるいは血管内治療を行っている施設の医師に確認するべきである．
- 治療決定から治療開始までには患者家族への説明及び同意取得，血管撮影室の準備，入室後の患者抑制など行うことは多岐にわたるため，日ごろからシミュレーションしておくことが重要である．

最新の知見

❶発症早期に機械的血栓回収術が可能な主幹動脈閉塞例に tPA 静注療法は必要か
　①SKIP 研究
　　当院を含む関東 23 施設で，発症 4.5 時間以内の tPA 静注療法適応かつ内頸動脈あるいは中大脳動脈 M1 閉塞例を対象に，血

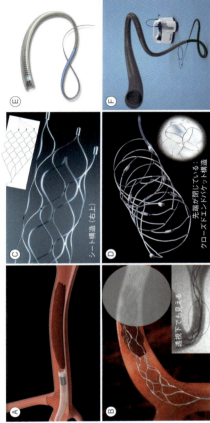

図2 血管内治療のデバイス
A:ペナンブラ,B:トレボ,C:ソリティア,
D:トロン,E:カタリスト,F:リアクト

管内治療単独療法 vs tPA 静注療法＋血管内治療の多施設共同ランダム化比較試験を行い,2021年 *JAMA* 誌に結果を報告した.転帰良好例は同等であったが,非劣性を示すことはできなかった.しかし,血管内治療単独群で有意に術後の頭蓋内出血

例が少ない結果であった．

②IRIS pooled analysis

　SKIP研究を含め，計6つの同様の研究が海外で行われた．この6つの研究の統合解析がIRIS pooled analysisとして2022年10月に*Lancet*誌で報告された．転帰良好（mRS 0-2）の割合は血管内治療単独群で49％に対し，tPA静注療法＋血管内治療群で51％であったが，統計学的な非劣性は示されなかった．今後はサブ解析が行われ，血管内治療単独療法はどのような患者に検討できるのか，明らかになることが期待される．

最新のデバイス

- 近年デバイスの進歩により，より大口径の吸引デバイスや，末梢血管へ安全にアプローチできる吸引デバイス，ステントトリバーが使用できるようになった．進歩の恩恵にあやかるためにも，"最新のデバイスを用いる"ことではなく，"最新のデバイスを理解して使いこなす"ことが重要である（図2）．

（鈴木健太郎）

memo

【脳卒中初期診療―ホットラインが鳴ったら】
脳梗塞と診断されたら③　病型診断　1-F

●ここが POINT！
❶ 治療方針の決定や抗血栓療法の選択のために，病因や病態生理に基づいた病型診断は重要である．
❷ 脳卒中の病型診断のためには，CT や MRI による画像情報は重要である．限られた時間での病歴聴取や神経症候で病型を想定するように心掛けなければならない．

病歴・診察による病型診断

- 神経疾患の診断は，問診や診察のみで診断ができることも多く，MRI 等の画像診断が発達した現在でも，詳細で正確な病歴聴取や神経学的所見の評価が重要である．しかし，脳卒中の救急現場では，時間が限られており，要点を絞って問診や診察を行う（表1）．
- 病歴聴取で大切なのは，発症時間，前駆症状や発症形式である．また，生活習慣病（高血圧，糖尿病，脂質異常症）や心疾患（冠動脈疾患・弁膜症・心房細動など）の既往歴や喫煙歴の聴取も行う．
- 初療室での診察では，検査を妨げて治療開始時間を遅らせることのないよう NIHSS score など必要最低限の評価に留め，場合によっては MRI 室までの移動時間を利用して診察を行うが，皮質症状や意識障害の有無は病型診断に重要である（図1）．以上の問診や診察で得られた情報をもとに病型を予想したうえで，画像診断へ向かう（表2）．

表1　外来初診時と脳卒中初療での診察の違い

	外来初診	脳卒中初療
問診	詳細で正確な現病歴，既往歴，家族歴の聴取	最終無事確認時間，発症形式，生活習慣病，心血管疾患や抗血栓薬の内服の既往など要点を絞った聴取
診察	詳細な神経学的所見の診察	NIHSS score など最低限の診察
検査	疾患ごと必要に応じて	エコー・採血・胸部 X 線・頭部 MRI

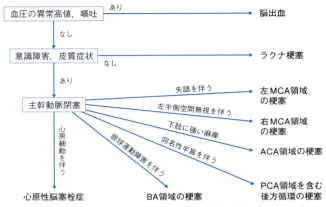

図1 片麻痺患者が搬送されてきたら，画像を撮る前に考えることは？
ACA：Anterior Cerebral Artery 前大脳動脈，BA：Basilar Artery 脳底動脈
MCA：Middle Cerebral Artery 中大脳動脈，PCA：Posterior Cerebral Artery 後大脳動脈

表2 脳梗塞病型の鑑別ポイント

	ラクナ梗塞	アテローム血栓性脳梗塞	心原性脳塞栓症
前駆症状	ほとんどない	TIA（微小塞栓性，血行力学性）	TIA（心原性）他臓器や四肢の塞栓症
発症状況			日中活動時や起床直後
起こり方	比較的緩徐，段階的，突発	緩徐，段階的な増悪，突発	突発完成
意識障害	ない	あまり強くない	しばしば重症
皮質症状	ない	あまり多くない	多い
共同偏倚	ない	見られることがある	しばしば見られる
他の症状	ラクナ症候群	程度は様々	重症が多いが急速改善あり
基礎疾患	高血圧，糖尿病	脂質異常症，糖尿病，高血圧	心疾患（心房細動，弁膜症等）
他臓器虚血	ない	下肢閉塞性動脈硬化症，虚血性心疾患	脳梗塞の発症と前後して見られることがある
BNP	ほぼ正常	軽度上昇	上昇
D-dimer	ほぼ正常	軽度上昇	上昇

頭部 MRI による病型診断

- 当院では，急性期脳卒中のために撮像条件を変更し，DWI，MRA，FLAIR，T2*WI を 11 分間程度で撮影している．
- 病型鑑別のために MRI で注目したいのが，病巣の部位（皮質 or 皮質下）や形状（境界明瞭 or まだら）と MRA による責任血管の閉塞・狭窄である．実際，アテローム血栓性脳梗塞の場合，梗塞巣の支配領域を灌流する脳主幹動脈に 50％以上の狭窄を認める場合に診断される（図2，表3）．
- また，分枝粥腫病（branch atheromatous disease：BAD）は，ラクナ梗塞と同様に穿通枝領域の脳梗塞ではあるが，穿通枝入口部から近位部にかけての血栓の進展による分枝閉塞を起こすため，神経徴候が増悪することが多い．DWI水平断ではラクナ梗塞と鑑別がつきにくいこともあり，冠状断などを追加することで，3次元的な梗塞巣の拡がりを確認することが診断の一助になる．

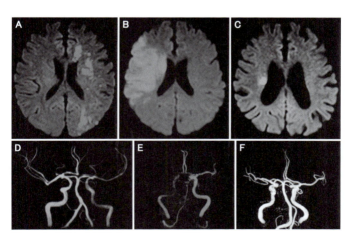

図2 各病型の典型的な MRI・MRA 所見
A，D：アテローム血栓性脳梗塞（左内頸動脈高度狭窄），B，E：心原性脳塞栓症（右内頸動脈先端部閉塞），C，F：ラクナ梗塞（右レンズ核線条体動脈領域の脳梗塞）
（A，B，C：拡散強調画像，D，E，F：MRA 画像）

表3 MRI画像の病型別特徴

	ラクナ梗塞	アテローム血栓性脳梗塞	心原性脳塞栓症
急性期			
DWI高信号域	皮質下 最大径15mm未満(軸位断)	境界域に多くまだら状 皮質は比較的保たれる	皮質を含む動脈支配の全域または一部,比較的均等
MRA主幹動脈	閉塞なし	高頻度に閉塞あり 支配血管の50%以上の狭窄	高頻度に閉塞あり
経時変化			
脳浮腫	なし	比較的少ない	高度にみられることが多い
再開通現象	──	少ない	数日〜2週で80%に起きる
出血性梗塞	ない	少ない	多い

文献

- 篠原幸人・他. 脳卒中 30：443, 2008
- Sutherland DE, et al. *Am J Hematol* 72：43, 2003
- Grau AJ, et al. *Stroke* 32：2559, 2001
- Kamouchi M, et al. *Stroke* 42：2788, 2011

(金丸拓也)

memo

【脳卒中初期診療──ホットラインが鳴ったら】
脳出血と診断されたら 1-G

●ここが POINT！
1. 急性期における血腫拡大は患者の臨床転帰を著しく低下させる．
2. 身体的ストレスは血圧上昇や脳圧上昇のリスク因子である．誘因と成り得る疼痛・嘔気等への対症療法も十分に行うこと．
3. 脳出血の部位・血腫量・脳ヘルニアの有無は血腫除去術の適応判断に重要である．

はじめに

- 急性期脳出血と診断された症例で重要なのが，血圧を含めた全身管理と治療方針の早期決定（手術適応の有無の判断）である．
- 急性期患者は脳卒中集中治療室（Stroke care unit：SCU）に入院させ，モニタ装着下で全身管理を行う．呼吸・循環状態が不安定な場合，早期に気管内挿管を行い，人工呼吸器管理とする．

脳出血の画像所見

1. 脳出血の画像検査は血腫の部位・形状の評価に有用な頭部CTが第一選択である．血腫量の評価としては，下記の公式で算出するのが一般的である．

血腫量 (mL)
＝血腫病変の最大縦径 (cm)×最大横径 (cm)×高さ＊(cm)×1/2

＊CT画像のスライス厚（cm）×スライス数で算出される．現在一般的なCT画像のスライス厚は5 mm（0.5 cm）が多いが，必ず画像確認の際にスライス厚の数値を確認しておく．

2. 脳出血の背景に何らかの基礎疾患の存在が疑われる場合，必要に応じた画像検査を追加して行う．

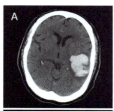

図1 脳血管アミロイドアンギオパチー(CAA)
A：左側頭葉皮質下に出血あり.
B：MRI T2*画像では脳皮質等に複数の微小出血(microbleeds)が散見された.

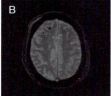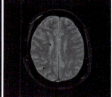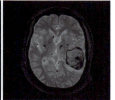

> 例）高齢者における脳皮質下出血　高血圧の既往なし
> 　　脳出血・認知症の既往あり

➡脳血管アミロイドアンギオパチー（CAA）の可能性あり，頭部MRIの追加を検討する.

※CAAは高血圧を有さない高齢者における脳皮質下出血・認知機能低下の原因として知られており，MRI（T2*画像）で"脳皮質下における微小出血の多発（後頭葉優位）"を認めやすい（図1）.

血圧を含めた全身管理

＜血圧管理＞

- 血圧高値は脳出血の最大のリスク因子であり，急性期における血腫拡大または新規出血の原因と成り得る.
- 発症後6時間以内の血腫拡大は患者の臨床転帰を有意に悪化させるため，降圧薬（カルシウム拮抗薬，硝酸薬等）による血圧管理をなるべく早期より開始する.
- 降圧後の大きな血圧変動も転帰不良と関連するため，安定した降圧状態（収縮期血圧140 mmHg未満が目標，下限は110 mmHg超）で7日間維持することを目指す.

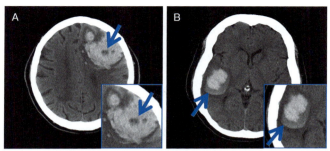

図2 CT画像上の血腫病変内の低吸収所見
A：単純CTにおいて血腫病変内に認められる低吸収域を"Swirl sign"（矢印）と呼ぶ．
B：帯状の低吸収域の場合，"Blend sign"（矢印）と呼ぶ．

> **便利メモ**
>
> **血腫拡大に関するイメージングマーカー**
>
> 近年では，「CT画像上の血腫病変内の低吸収所見」が注目されている．この低吸収域は血腫内の二次的出血を反映していると考えられており，同時に血腫拡大および患者の臨床転帰の不良との関連も指摘されている．
> ・Swirl sign（血腫病変内の低吸収域；図2A）
> ・Blend sign（血腫病変内の帯状の低吸収域；図2B）

＜対症療法＞

❶小脳出血や大出血例では頭痛・眩暈・嘔気・嘔吐等が目立つ場合も多く，これらの症状はストレスによる血圧・頭蓋内圧の上昇をもたらし，脳出血を悪化させる可能性がある．そのため，急性期の対症療法も十分行うことが望ましい．

①嘔気・嘔吐が著しい場合

> メトクロプラミド（プリンペラン®）10 mg　1A　側管から静注
> 眩暈を伴う場合，炭酸水素ナトリウム（メイロン®）7%　20 mL　1A静注も追加

②頭痛や高熱が目立つ場合
　ⓐ内服が可能である場合

> アセトアミノフェン錠（カロナール®）400〜1,000 mg　頓用
> 　　　　　　　　　　　　　　追加時は 6 時間以上空ける

　ⓑ内服不可である場合

> アセトアミノフェン（アセリオ®　300〜1,000 mg）
> 　　　15 分以上かけて点滴静注　追加時は 6 時間以上空ける
> アセトアミノフェン坐剤　400〜1,000 mg　頓用
> 　　　　　　　　　　　　　　追加時は 6 時間以上空ける

※何れの薬剤も使用後の急激な血圧低下が報告されており，特に高齢者では血圧値の変動に注意する．

❷頭蓋内病変に伴うストレス性の胃潰瘍の合併例も知られる（Cushing 潰瘍）．

当院では脳卒中患者の全例において，発症早期よりプロトンポンプ阻害薬（PPI）を投与する．

> オメプラゾール（20 mg，1A）＋生理食塩水 20 mL
> 　側管から静注　1 日 2 回

❸抗血栓薬（抗血小板薬・抗凝固薬）の内服がある場合，同剤の内服を中止する．

必要ならば，薬剤の種類に応じて中和薬の投与を行う．

①ワルファリンの場合

> ビタミン K 製剤（ケイツー N®，10 mg，2 mL）1〜2A
> 　単独ラインでゆっくりと緩徐に静注（生食 20 mL に希釈も可）

※投与から数時間後に PT-INR 再検を行う．
※PT-INR 1.3 未満を目標とし，目標内となるまでケイツー投与＋PT-INR 再検を繰り返す．

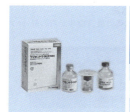

投与前の プロトロンビン 時間-国際標準比 (PT-INR)	投与量 (体重100 kg以下の 場合)	投与量 (体重100 kg超の場 合)
2~<4	25 IU/kg	2,500 IU
4~6	35 IU/kg	3,500 IU
>6	50 IU/kg	5,000 IU

図3 静注用ヒトプロトロンビン複合体製剤「ケイセントラR」
(2017年9月発売 CSLベーリング社より)

PT-INR 2.0以上の場合,以下の投与を検討してもよい(図3).

乾燥濃縮人プロトロンビン複合体製剤:
ケイセントラ®(500 IU or 1,000 IU) 点滴静注

※体重換算表(図3の右表)を基に投与量を決め,シリンジポンプを用いて150 mL/hの速度で持続投与する.必ず単独投与とし,投与中は他の点滴は止める.
※ケイツーN 2A+生食50 mLの点滴静注も単独ラインから緩徐に行う.
※使用には輸血(特定生物由来製剤)に関する説明及び同意取得が必要である.

②直接経口抗凝固薬(DOAC)の場合

抗トロンビン薬のダビガトラン(プラザキサ®)では,最終内服から24時間以内の脳出血例,腎機能障害を有する発症から48時間以内の脳出血例等において,血腫拡大による重症化のリスクが高い場合,特異的な中和製剤の投与が推奨される.

イダルシズマブ(プリズバインド®)静注液(2.5 g/V)2V
点滴静注 or 急速静注

※点滴静注の場合,1Vあたり5~10分かけて投与する.
※投与は単独ラインから行い,他の薬剤との混合は避ける.

表1　アンデキサネットアルファの投与方法
（抗凝固薬の種類，最終投与時の用量，抗凝固薬の最終投与からの経過時間別に記す）

抗凝固薬の種類	最終投与時の1回投与量	抗凝固薬の最終投与からの経過時間	
		8時間未満または不明	8時間以上
リバーロキサバン	2.5 mg	A法	A法
	10 mg, 15 mg, 不明	B法	
アピキサバン	2.5 mg, 5 mg	A法	
	10 mg, 不明	B法	
エドキサバン	15 mg, 30 mg, 60 mg, 不明	B法	

　直接作用型第Xa因子阻害薬であるリバーロキサバン（イグザレルト®），アピキサバン（エリキュース®），エドキサバン（リクシアナ®）に対する中和薬として，2022年5月にアンデキサネットアルファ（オンデキサ®）静注液が発売された．同剤の投与方法として以下の2パターンがあり，抗凝固薬の種類，最終投与時の1回用量，最終投与からの経過時間に応じて選択される．

> アンデキサネットアルファ（オンデキサ®）静注液（200 mg/V）
> **A法**：400 mg(2V)を30 mg/分の速度で静脈内投与した上で，480 mg(2.4V)を4 mg/分の速度で2時間静脈内投与する
> **B法**：800 mg(4V)を30 mg/分の速度で静脈内投与した上で，960 mg(4.8V)を8 mg/分の速度で2時間静脈内投与する

抗凝固薬の種類ごとに選択される投与方法を示す（表1）．

※本剤の投与には輸液ポンプまたはシリンジポンプを用い，蛋白結合性の低いインラインフィルター（0.2 μmまたは0.22 μm）を通して投与する．
※本剤は他の薬剤と混合しないように注意する．
※本剤は再出血例または出血持続例に対する有効性・安全性は確立されていないため，同症例に対しては他の止血処置も検討する．

フォローアップ

- 全身管理を行いつつ，神経診察及び画像検査によるフォローアップを行う．
- 当院では入院から約3～6時間後で頭部CTの再検を行い，急性期の血腫拡大および新規出血の有無を確認している．診察で神経症状の進行等があれば，画像検査の追加を検討する．

文 献

- Kim J, et al. *AJNR Am J Neuroradiol* **29**：520, 2008
- Li Q, et al. *Stroke* **46**：2119, 2015
- Qureshi AI, et al. *Circulation* **118**：176, 2008
- Delcourt C, et al. *Neurology* **79**：314, 2012

（佐藤貴洋）

memo

1-H くも膜下出血と診断されたら

【脳卒中初期診療——ホットラインが鳴ったら】

●ここがPOINT！

1. 典型的症状は「今まで経験したことがない突然の激しい頭痛」"worst headache of life"であり，SAH患者の約8割で認められる．
2. 2割程度の患者は軽微な頭痛で発症し，walk-in SAHであるため，注意が必要である．
3. 画像診断の第一選択は頭部単純CTである．診断がつかない場合，頭部MRIのFLAIR画像が有用である．
4. 頭部単純CTあるいはMRIでSAHの診断がつかない場合，腰椎穿刺を行う．その際，CTで頭蓋内圧亢進がないことを確認し，再出血の可能性を念頭に置き，十分麻酔し不必要な疼痛を与えないように留意する．
5. SAHと診断したら，可及的速やかに脳神経外科にコンサルトする．一般医療機関に搬入された場合には，専門施設に速やかに搬送する．
6. 脳神経外科コンサルトまで時間がかかる場合，再出血予防に努める．具体的には，安静を保ち，侵襲的な検査や処置は避けることが望ましい．

はじめに

- くも膜下出血（subarachnoid hemorrhage：SAH）とは，頭蓋内くも膜下腔への出血を表す総称である．SAHの原因疾患としては脳動脈瘤（特発性SAHの85％）や脳動静脈奇形，脳動脈解離などがある．SAH例は，約40％が転帰不良例である．転帰に相関するのは発症時の意識障害の程度であり，初療時の評価が重要である．発症後の転帰不良に関連する因子としては，再出血と遅発性脳血管攣縮が重要で，とくに再出血が転帰悪化に強く関連する．

診断・検査

❶臨床症状

- SAHの発症時の典型的症状は,「突然起こった今までに経験したことのない激しい頭痛」であり,SAH全体の約8割と言われている.突然の頭痛に加えて,比較的若年(50〜60歳)で,局所神経症候を認めない場合はSAHが強く疑われる.しかし,約2割の患者は軽微な頭痛で発症すると言われており,注意が必要である.診断の遅れが転帰不良につながるため,突発頭痛患者では常にSAHを疑う必要がある(☞便利メモ①).頭痛の存在,片側の突然の眼球運動障害・眼瞼下垂・瞳孔散大の出現は,動脈瘤破裂の前兆の可能性が高く,速やかに脳神経外科へコンサルトすべきである.

❷頭部CT・頭部MRI/MRA

- 頭部CTにて,くも膜下腔の高吸収域の検出が診断に適している(図1).SAHの頭部単純CTの感度は約93%,特異度100%と報告されているが,その感度は6時間以内100%,24時間以内90〜98%,3日後85%,7日後50%と低下することに注意が必要である.発症6時間以降は頭部CTでは診断できない可能性があることを忘れてはいけない.臨床症状から強くSAHが疑われ,

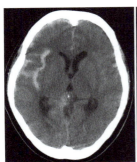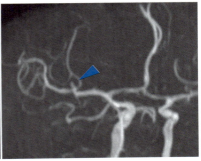

図1 右中大脳動脈瘤破裂によるSAH
左:頭部CTにて,右シルビウス裂に目立つSAHを認める.右:MRAにて,右中大脳動脈に動脈瘤(▶)を認める.

頭部 CT で診断できなかった場合，頭部 MRI の撮像を考慮する．その際は，FLAIR 画像や T2*強調像が有用であることがある．また，頭部 MRA は動脈瘤の局在を診断する上で低侵襲であり有用である（図 1）．

> **便利メモ ①**
> **SAH を疑うべき臨床診断基準**
> ①40 歳以上，②頸部もしくは項部硬直あり，③意識消失あり，④労作時の発症，⑤雷鳴頭痛，⑥頸部屈曲制限，の 6 項目全てに当てはまらない頭痛患者は，全例 SAH ではなかった．

> **Pitfall ①**
> SAH の診断の遅れにより脳血管攣縮による脳虚血症状（片麻痺，失語，不穏，痙攣など）を呈して患者が受診することもあるため，頭痛発作の既往の有無を慎重に問診することも重要である．

> **Pitfall ②**
> 脳内出血（とくに被殻出血）や脳室内出血，硬膜下血腫が主体で一部 SAH が混じっているような出血の中に脳動脈瘤破裂症例が存在することを認識する必要がある．

❸腰椎穿刺
- 臨床症状から強く SAH を疑ったが，頭部 CT で診断ができなかった場合，はじめに低侵襲である頭部 MRI の撮像を考慮する．しかし，MRI でも診断が確定できない症例では，腰椎穿刺を行い脳脊髄液の性状を確認することが推奨される．SAH 発症直後では血性，発症 3〜4 日後ではキサントクロミーを呈し，10 日〜4 週間で消退する．腰椎穿刺施行前には，頭部 CT で頭蓋内圧亢進の有無を確認する．また，腰椎穿刺は侵襲的検査と認識することが重要であり，穿刺に伴う疼痛が再出血の誘引となる可能性があることから，施行に際しては十分な鎮痛・鎮静を行うこと．

> **便利メモ ②**
>
> ### 再出血の危険因子
> ①重症（Hunt & Hess grade：IV or V），②大型動脈瘤（＞10 mm），③来院時収縮期血圧高値（＞160 mmHg），④脳室内出血，⑤高血糖，⑥1ヵ月以内の警告頭痛の存在

> **便利メモ ③**
>
> ### 降圧目標について
> AHA（American Heart Association）/ASA（American Stroke Association）ガイドラインでは，収縮期血圧160 mmHg未満が具体的な降圧目標として提案されているが，明確な基準は確立されていない．また，頭蓋内圧が上昇している場合の不用意な降圧は脳灌流圧の低下を招き，脳虚血の増悪を促す可能性もあり，過降圧にも注意が必要である．専門医に指示を仰ぐべきだが，収縮期血圧が160 mmHg以上であればニカルジピンなどで降圧を開始することは必要である．

> **便利メモ ④**
>
> ### 新薬情報について
> 「くも膜下出血術後の脳血管攣縮およびこれに伴う脳虚血症状」に対する薬剤として，ファスジル塩酸塩水和物，オザグレルナトリウムが使用されてきたが，新たに2022年4月よりエンドセリン受容体拮抗薬であるクラゾセンタンナトリウムが保険収載された．

初期対応

- SAHの初期治療の目的は再出血の予防（☞便利メモ②）と頭蓋内圧の管理および全身状態の改善である．SAHの再出血は，発症24時間以内に多く発生し，とくに発症早期が多いとされている．具体的には，24時間以内の再出血率は9〜17%で，そのうちの40〜87%は発症6時間以内に起こっていることが報告されている．このことからも，可能な限り早期に脳神経外科にコンサルトし，専門医による治療が行われることが必要である．安静を保ち，鎮痛，鎮静，降圧（☞便利メモ③），高浸透圧利尿薬の投与，心肺合併症に

注意した全身循環管理は適宜考慮する．

文 献
- Perry JJ, et al. *BMJ* **343**：d4277, 2011
- Connolly, et al. *Stroke* **43**：1711, 2012
- Starke RM, et al. *Neurocrit Care* **15**：241, 2011
- Perry JJ, et al. *JAMA* **310**：1248, 2013

（齊藤智成）

memo

【脳卒中初期診療――ホットラインが鳴ったら】
一過性脳虚血発作と診断されたら　1-I

●ここが POINT！

❶一過性脳虚血発作（transient ischemic attack：TIA）は，脳梗塞による不可逆的な身体障害を未然に抑止でき得る重要な警告発作であり，早期受診，早期治療が必要な緊急疾患．

❷ABCD^2 スコアは病態把握に有用であり，TIA を疑えば原則入院を推奨．4点以上は確実に入院適応．

❸ABCD^2 スコアでは，後方循環領域の症状を捉えられない場合もある．

❹実地臨床では TIA は主に非心原性 TIA と心原性 TIA に分類することが重要．

❺非心原性 TIA の治療＝抗血小板療法．

❻心原性 TIA の治療＝抗凝固療法．

❼発症機序を同定できなくとも TIA と診断したら速やかに抗血小板薬を投与．その後発症機序診断を行い，病態に応じた適切な治療へ移行．

❽ABCD^2 スコア4点以上のハイリスク TIA においては，急性期に限定した抗血小板薬2剤併用療法（アスピリン＋クロピドグレル）が有効．

❾症状が消失しているから軽症ではなく，TIA こそ細心の注意を払って診療にあたるべき疾患．

TIA とは

❶TIA は「局所脳または網膜の虚血に起因する神経機能障害の一過性のエピソードであり，急性梗塞の所見がないもの．神経機能障害のエピソードは，長くとも24時間以内に消失すること」と定義された．

❷一過性の神経機能障害であり，かつ画像所見がないことが診断上必須となり，明確に tissue-based definition に統一され．梗

塞巣のある TIA という概念は存在しないことになった.

❸TIA は,脳血管障害の一型ではあるが厳密には脳卒中には含まれない.

TIA の分類

- 実地臨床では,治療選択のため非心原性 TIA と心原性 TIA の2つに大別することが重要である(☞便利メモ①).

TIA を疑うためには

- 典型的な運動障害が出現すれば,TIA の診断は比較的容易であるが,実地臨床では診断に難渋することもしばしばある.

TIA を疑うためのポイント

- TIA を診断するには,「局所の脳血管閉塞に伴う脳虚血症状」を適切な問診や目撃情報から抽出することが重要(☞便利メモ②).
  ①問診により詳細に発作症状を把握する.
  ・発作時に生じた自覚的な症状を聞き出す
  ・目撃者がいれば,他覚的な症状を聞き出す

便利メモ ①

TIA 診療に関連して用いられる用語

- Crescendo TIA:短時間に症状が頻発する(発作周期の短縮,発作時間の延長.その後完成型脳梗塞になる危険が高い).
- Capsular warning syndrome(CWS):繰り返すレンズ核線条体動脈領域の脳虚血発作.皮質症状は呈さない.Crescendo TIA の一病型と考えられている.
- Acute cerebrovascular syndrome(ACVS):TIA と虚血性脳卒中を包括した概念
- Spectacular shrinking deficit(SSD):片側大脳半球症状が急速に改善する症例.自然再開通が示唆され心原性TIAを疑う.

便利メモ ②

Limb-shaking

TIA に特徴的で,内頸動脈閉塞,内頸動脈狭窄で生じる.limb-shaking を生じる患者は,生じない TIA あるいは軽症脳卒中と比較して,脳卒中の再発が多いとされている.

表 1 TIA の症状

TIA を疑う症状

①内頸動脈系（前方循環）
- 片麻痺症状：一側上下肢の運動障害．顔面の運動障害も伴えば脳由来の可能性は極めて高い．軽症に思える Clumsy hand のような巧緻性低下も重要な症状．
- 一過性黒内障：両眼視力が正常例での一眼の全部または部分的視力消失．
（内頸動脈分枝の眼動脈閉塞による症状）
- 視野異常：同名半盲，1/4 半盲（両眼同側視野の欠損）
- 感覚障害：一側上肢下肢感覚鈍麻またはしびれ．顔面の感覚障害も伴えば脳由来の可能性は極めて高い．患者は「腫れぼったい感じ」，「皮一枚被ったような感じ」と表現することがある．
- 言語障害：構音障害（呂律の障害），失語（喚語困難，言語理解の低下など）
- 不随意運動：limb-shaking（概ね 5 分以内），hemichorea-hemiballism など

②椎骨脳底動脈系（後方循環）
- 四肢，顔面の様々な組み合わせの運動障害（脱力，麻痺，巧緻運動障害）
- 一側または両側性の感覚障害（感覚脱失，感覚鈍麻，しびれ）
- 視野障害（脳血管のバリエーションによる前方循環，後方循環でも生じ得る）
- 失調，めまい，平衡障害，複視，嚥下障害，構音障害の組み合わせ

TIA に特徴的ではない症状

- 椎骨脳底動脈系の他の症状を伴わない意識障害
- 強直性間代性痙攣
- 閃輝性暗点
- 感覚障害のマーチ
- 回転性めまいのみ
- 浮動性めまいのみ
- 嚥下障害のみ
- 構音障害のみ
- 複視のみ
- 便尿失禁
- 意識レベルの変化に伴う視力障害
- 片頭痛に伴う局所神経症状
- 錯乱のみ
- 健忘のみ
- 脱力発作のみ

②聞き出した症状が，「突発した」「これまでにない神経症候」「少なくとも 3 分以上持続し速やかに改善」であり，閉塞血管が支配する脳領域の機能低下を反映した症状に合致するか，確認する（表 1）．

③高血圧症，脂質異常症，糖尿病，心房細動，喫煙歴など脳卒中危険因子を有しているか確認する．

<TIAの診断プロセス>

❶問診がすべて．いかに聞き取るかが重要．疑えば速やかに以下に進む．

❷診察所見
- 神経学的所見を十分に評価
- 脈拍の不整，高血圧の有無，血圧左右差，血管雑音評価，心雑音の評価など

❸検査：脳梗塞発症予防には，TIAの発症機序を明らかにし，非心原性 TIA と心原性 TIA に分類することが重要．
- 禁忌がないかぎりは，頭部 MRI（とくに DWI と MRA）を迅速に実施．CTA，血管造影検査，perfusion MRI や arterial spin labeling を用いた脳血流評価なども有用（☞ **各論 7-C，7-D，7-F**）．
- 血液検査（血算，生化学，血液凝固の他に，BNP，TSH・FT3・FT4，HDL-Cho・LDL-Cho・TG，HbA1c を入れておく）（☞ **各論 7-B**）
- 心電図，胸部 X 線（☞ **各論 7-A**）
- 頸動脈エコー，経胸壁・経食道心エコー，経頭蓋ドップラー，下肢静脈エコー（☞ **各論 7-E**）
- Holter 心電図，植込み型ループ式心電計など（☞ **各論 7-A**）

TIA の入院適応

- 本邦 TIA 研究班の提唱．

> ①発症 48 時間以内
> ②発症 7 日以内で下記のいずれかの場合
>   1) ABCD^2 スコア 4 点以上
>   2) 1 週間以内に TIA を繰り返す
>   3) 拡散強調画像（DWI）で新鮮梗塞巣を認める※
>   4) 塞栓源となる頸動脈・頭蓋内血管病変，心房細動を認める
> ※現在の定義では脳梗塞として扱うことになる．

表2 ABCD²スコアと2日以内の脳梗塞発症リスク

ABCD²スコア		
A	年齢（Age）	60歳以上＝1点
B	血圧（Blood pressure）	収縮期血圧140 mmHg以上または拡張期血圧90 mmHg以上＝1点
C	臨床症状（Clinical features）	片側の運動麻痺＝2点 麻痺を伴わない言語障害＝1点
D	持続時間（Duration）	60分以上＝2点 10〜59分＝1点
D	糖尿病（Diabetes）	糖尿病＝1点 合計7点

ABCD²スコアの点数による2日以内の脳梗塞発症リスク	
0〜3点	1.0%
4〜5点	4.1%
6〜7点	8.1%

（Johnston SC, et al. *Lancet* 369：283, 2007 より改変）

- ABCD²スコアは，TIAの発症時点でどの程度脳梗塞の発症リスクがあるかを知るための評価方法として用いられる（表2）（☞便利メモ③）．

便利メモ③

TIAとABCD²スコア

　TIAおよび軽度虚血性脳卒中の患者において，脳卒中を含む心血管イベントの発生率が，1年目で6.4%，2〜5年目でも6.4%であることが示され，また多変量解析の結果では，ABCD²スコア≧4点は，2〜5年目の脳卒中再発リスクの独立した予測因子であった．このことから，TIAおよび軽度虚血性脳卒中の患者は，長期にわたり脳卒中を含む心血管イベント発生のリスクが高く，より厳格で継続的な二次予防策が必要であることが示唆され，以前からハイリスクTIAとされていたABCD²スコア≧4点では，より注意が必要であることが明らかにされた（Amarenco P, et al. N Engl J Med 378：2182, 2018）．

TIAと診断したら

❶発症機序の分類を行う．発症機序により治療法が異なる．
　①非心原性 TIA = 抗血小板療法
　②心原性 TIA = 抗凝固療法
❷EXPRESS 試験や SOS-TIA 試験において，TIA 発作直後から治療することで，その後の脳梗塞発症を減少させることが明らかにされている．

・あらゆる医療機関で初療時に発症機序診断のための検査を隅々まで実施できるわけではない．TIA は緊急疾患であり，検査のために時間を浪費するのではなく，治療を優先することが肝要である．

・初療時に発症機序を確定できなければ，アスピリン 160〜300 mg/日の内服を開始し，その後は可及的速やかに発症機序を評価し，病態に合った治療へ移行する．

＜処方例＞

> アスピリン　200 mg 分 1

※発症機序が判明すれば，病態に合った治療へ移行（☞便利メモ④）．
※輸液管理は糖質の含まれない輸液製剤を選択する．

便利メモ ④

特殊な TIA の治療

・感染性心内膜炎による機序では抗生剤の投与
・心臓腫瘍による機序では外科的処置
・悪性腫瘍に関連した機序では原疾患の加療
・大動脈炎症候群のような血管炎ではステロイド治療

　TIA の治療は病態にあった治療が重要であり，常に発症機序の検討を行いながら加療にあたるべきである．

非心原性 TIA の治療:抗血小板療法

(☞各論 5-B, 5-C, 5-D, 8-B)

＜処方例＞

❶急性期治療

> アスピリン 200 mg 分1

※いつまでを急性期とするか明確な基準はない.発作がなければ,経験的に1〜2週間程度で慢性期治療に移行.

❷ハイリスク TIA(ABCD^{2}スコア≧4)急性期治療

> ・初期療法(10日〜21日間)
> アスピリン 200 mg 分1
>   ＋
> クロピドグレル(初日 300 mg 分1,2日以降 75 mg 分1)
> ・維持療法(初期療法後)
> クロピドグレル 75 mg 分1 またはアスピリン 100 mg 分1
> またはプラスグレル 3.75 mg 分1(体重 50 kg 以下では 2.5 mg 分1 を考慮)

● ハイリスク TIA:明確な定義はないが,ABCD^{2}スコア4点以上,Crescendo TIA,塞栓源となる頸動脈(50%狭窄以上)・頭蓋内血管病変を有する症例と考えてよい.血栓の不安定さが推察されるため,より強力な抗血栓効果を期待し2剤投与がよいと考えられる.

❸アスピリンが使用困難な症例(アスピリン喘息など)

● 抗血小板作用の発現が速いシロスタゾールやクロピドグレル 300 mg(初回)を用いる.点滴製剤であるオザグレルナトリウムを検討してもよい.

> シロスタゾール 200 mg 分2
> クロピドグレル(初日 300 mg 分1,2日目以降 75 mg 分1)
> オザグレル Na 80 mg＋生食 100 mL(1回2時間)朝・夕
> ※上記のいずれかを選択する.

❹急性期以降の抗血小板療法は,脳梗塞再発予防に準ずる.

> アスピリン 100 mg 分1
> クロピドグレル 75 mg 分1
> シロスタゾール 200 mg 分2
> プラスグレル 3.75 mg 分1(体重50 kg以下では2.5 mg 分1を考慮)
> ※上記のいずれかを選択する.

心原性TIAの治療:抗凝固療法 (☞各論 5-A, 8-A)

<処方例>

❶急性期治療

①可能なかぎりDOACを使用する.

> ダビガトラン 300 mg 分2(減量考慮該当例 220 mg 分2)
> リバーロキサバン 15 mg 分1(減量基準該当例 10 mg 分1)
> アピキサバン 10 mg 分2(減量基準該当例 5 mg 分2)
> エドキサバン 60 mg 分1(減量基準該当例 30 mg 分1)
> ※上記のいずれかを選択する.
> (腎機能等により減量の検討が必要である)☞各論 8-A

②DOAC禁忌例(高度腎機能障害など):ワルファリンを選択

> ワルファリン 分1(目標PT-INR 2.0〜3.0, 70歳以上 1.6〜2.6)
> (目標INRに延長するまで,ヘパリンあるいはアスピリン 100 mg 分1を併用)

❷慢性期治療

・脳梗塞再発予防に準ずる.慢性期においてもDOACを選択する.DOAC不適例はワルファリンを選択する.(☞Pitfall①, ②)

TIAに対する外科的加療 (☞各論 11-I)

❶TIA急性期:外科的加療の十分なエビデンスは現在のところ存在しない.

Pitfall ❶

　DOAC は非弁膜症性心房細動症例が適応であり，リウマチ性心疾患や拡張型心筋症などの器質的心疾患や機械人工弁症例に適応はない．このため，これらの疾患ではワルファリンが第一選択薬．
＜目標 PT-INR＞
・リウマチ性心疾患や拡張型心筋症などの器質的心疾患：2.0〜3.0 を維持する．
・機械人工弁：2.0〜3.0 以下にならないようにコントロール．

Pitfall ❷

　経口 FXa 阻害薬であるリバーロキサバン，アピキサバン，エドキサバンは，「深部静脈血栓症及び肺血栓塞栓症の治療と発症抑制」として保険適用を有しているが，「非弁膜症性心房細動における虚血性脳卒中と全身性塞栓症の発症抑制」としての適応とは，若干異なる部分があることに注意．
＜深部静脈血栓症および肺血栓塞栓症の治療＞
・リバーロキサバン　30 mg/日　分 2（3 週間），以降 15 mg/日　分 1
・アピキサバン　20 mg/日　分 2（7 日間），以降 10 mg/日　分 2
・エドキサバン　60 mg/日　分 1
＜減薬基準＞
・リバーロキサバン，アピキサバンでは存在しない（非弁膜症性心房細動とは異なる）
・エドキサバンは非弁膜症性心房細動と同様
＜投薬禁忌＞
・リバーロキサバン，アピキサバンともに Ccr 30 mL/min 未満（非弁膜症性心房細動とは異なる）
・エドキサバンでは Ccr 15 mL/min 未満（非弁膜症性心房細動と同様）

- 十分な抗血小板薬療法を行い，最良と思われる内科治療を継続しても TIA を繰り返す場合，病態を適切に把握し，患者背景を考慮しながら脳神経外科や血管内治療専門医へコンサルトする．

❷TIA 慢性期：
- TIA の原因として考えられる症候性頸動脈高度狭窄（≧50％）症例では，内科的治療に加えて頸動脈内膜剥離術や頸動脈ステント留置を行うことを考慮する．
- 頭蓋内動脈高度狭窄（70～99％）に対しては，強化された内科治療を優先し，ステント治療は勧められない．

TIA におけるリスク因子のコントロール

❶高血圧症を伴う TIA における急性期血圧管理に関する十分なエビデンスはない．米国脳卒中協会（ASA）の声明では，発症 24 時間を経て降圧療法を検討してよいとの記述があるが，目標値は明確ではない．JSH2019 では，慢性期において慢性期両側高度頸動脈狭窄または脳主幹動脈閉塞がない場合は 130/80 mmHg 未満を降圧目標とし，ある場合や未評価の場合は，140/90 mmHg 未満を目標としている．

❷脂質異常症を伴う TIA における急性期脂質管理に関する十分なエビデンスはない．スタチンや EPA は多面的作用を有することが知られており，脂質異常を伴う TIA においては，スタチンや EPA の脂質異常治療薬を急性期から投与してもよい．

❸糖尿病を伴う TIA における発症直後急性期の血糖管理に関する十分なエビデンスはない．糖尿病は，脳梗塞発症の独立した危険因子であり，低血糖に十分に留意した適切なコントロールが重要である．

まとめ

- TIA の診断は難しい．医師が発作を目撃するチャンスは少なく，十分な問診が鍵である．
- TIA と診断すれば，より適正な治療を行うために，速やかに発症機序を評価し，その病態に合った治療へ移行する．TIA は生涯的な後遺症を残す脳梗塞を未然に抑制できる可能性があり，その重要性を十分に理解し診療にあたる必要がある．

文 献

- Rothwell PM, et al. *Lancet* **370**：1432, 2007
- Lavallee PC et al. *Lancet Neurol* **6**：953, 2007
- 日本脳卒中学会．脳卒中治療ガイドライン 2021

（中嶋信人）

2 院内発症

●ここが POINT！
❶院内で発症する脳梗塞は，救急搬送症例よりも発見や診断，治療介入が遅く，転帰不良が多いと言われている．
❷経静脈的血栓溶解療法（IV tPA）は発見から 4.5 時間以内，血管内治療（endovascular therapy：EVT）は発症から 24 時間以内まで治療適応が拡大しており，院内発症こそ治療適応症例を見逃さないことが重要である．
❸医療安全の観点からも，院内教育・院内体制の整備と拡充が重要である．

はじめに

- 院内発症脳卒中は，全脳卒中の 10％前後を占めると言われているが，医療機関の規模や診療科によっても大きく異なることが推察される．また，救急搬送症例と比較し，発見や画像診断までの時間が遅く，治療介入が遅れるとの報告や，背景疾患の影響もあり，総じて転帰不良が多いと報告されている．
- 発見や診断が遅れることから tPA や EVT の機会を失うことも少なくないとされるが，医療安全の観点では，非常に重大な問題である．

早期発見

❶発見者は看護師

- 院内発症脳卒中の発見者は，多くが看護師であると多くの報告から明らかとなっている．当院の調査でも，発見者の 85％が看護師であった（図 1）．よって，早期発見のためには看護師が脳卒中を早期に疑う必要がある．そのための取り組みとして，看護師教育が重要となる．
- 当院でも，年 3 回の看護師向けの講習会を開催している．また，脳卒中認定看護師から FAST の重要性が講義され（図 2），普段

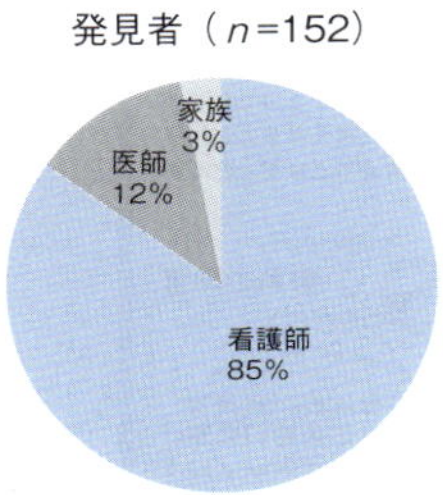

| 発見者 (n=152) | | 併存疾患 | n=152 例 |

併存疾患	n=152 例
高血圧	105 (69.1%)
心房細動	72 (47.4%)
脂質異常症	57 (37.5%)
担癌	50 (32.9%)
糖尿病	45 (29.6%)

発見者内訳:看護師 85%,医師 12%,家族 3%

図1 当院における院内発症脳卒中の特徴
左:院内発症脳卒中の発見者の 85%は看護師である.
右:院内発症脳卒中患者の併存疾患 TOP 5

脳卒中患者を看護していない部署に周知する重要な機会となる.

❷背景疾患として,循環器・消化器・担癌に注意
- 当院の調査から,紹介元の診療科は,循環器系(循環器内科・心臓血管外科)28%,消化器系(消化器内科・消化器外科)17%が多く,背景疾患としては,心房細動 47%,担癌 33%が重要となる(図1).関連のある病棟には,特に強く周知することと,入院時の心電図で心房細動を見落とさないように院内に広く周知することも重要である.

早期診断

❶発見後の action,院内体制の整備
- 院内の急変対応として,2005 年に,米国で Rapid Response System (RRS) の導入により院内心停止が 15%低下したと報告され,2015 年頃から我が国でも多くの医療機関で RRS が導入されるようになってきている(表1).
- 当院では 2019 年に RRS が導入され,2021 年に Medical Emergency Team (MET) が採用され,院内急変時に MET call が発動するようになっている.MET の構成員は救急医と循環器内科医であり,救命を目的としたチームにおいて,当然だが FAST の評価は後回しになることが多く,結果として脳卒中医への連絡が遅くなってしまう状況が増えた.

図2 院内ポスター
　院内での看護師教育の際に,脳卒中認定看護師より周知されている.

表1　RRSの対応チーム（当院では2021年よりMETが導入された）

MET (Medical Emergency Team)	医師主導のチーム：医師を1名以上含み,気管挿管などの二次救命処置をベッドサイドで開始できる.
RRT (Rapid Response Team)	医師を含まないチーム：医師を必須とせず,初期対応後に,院内トリアージや医師の招集を行う.
CCOT (Crinical Care Outreach Team)	集中ケア訓練を受けた看護師が主体のチーム：ICU退室患者や不安定な状態の入院患者の回診を行い,重症患者のスクリーニングを行う.

経過

09:50　後向きに転倒. 声かけに名前を繰り返すのみ.
10:01　MET call と同時に脳卒中ホットライン call あり.
11:02　MRI/MRA 撮像. 右 ICA 閉塞の診断.
11:32　アンギオ室入室し, 鼠径穿刺.
11:59　血栓回収.
12:01　右 ICA 再開通.

NIHSS score：13（発症時）→ 1（再開通後）

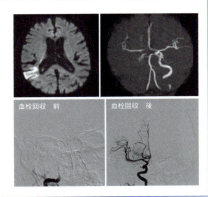

図3　当院での院内発症対応例
（85歳女性, リウマチ科入院中）
　脳神経内科医への連絡が早く, 診断が早かったため, その後の流れがスムーズであった. 画像までの時間は, 検査室の状況にも左右されるが, その後の血栓回収の可能性を予想しておけば, MRI後の流れはスムーズになる.

- 2023年4月より, MET call が発動すると同時に, 脳卒中ホットラインにも連絡が来るシステムへ変更し, 神経内科医が迅速に現場に駆けつけ, 脳主幹動脈閉塞が疑われる症状が無いかを瞬時に判断する体制に変更しており, 治療までの迅速な流れができてきている（図3）.

❷早期の血管評価が必要

- 眼球共同偏倚，失語，無視など，脳主幹動脈閉塞が疑われる症状を認めた際は，IV tPA や EVT の適応の可能性を考え，迅速に MRI/MRA や CT Angiography を撮像し，閉塞血管の有無の評価を行う必要がある．脳主幹動脈閉塞の早期発見には，当科で報告した ELVO screen（☞総論 1-A）が有用である．

Pitfall

- 院内発症例は，救急外来とは異なり，画像検査までの移動に時間がかかることが多いため，症状から必要な検査を考えなければ，大幅な時間ロスになる可能性がある．症状から脳主幹動脈閉塞が疑われた場合，血管評価のできる頭部 MRI/MRA か造影 CT Angiography を行うことを考える必要がある．
- 遅延パターン：RRS が初期対応し，頭部単純 CT 撮像後に病棟に戻り，出血がないから脳梗塞かもしれないという時点で脳卒中医にコール．

文献

- Akbik F, et al. *JAMA Neurol* 77：1486, 2020
- Dukes K, et al. *JAMA Intern Med* 179：1398, 2019

（齊藤智成）

memo

SU 患者の看護 3

●ここがPOINT！
1. 急性期脳卒中看護とは，バイタルサインの変動だけではなく，病態を踏まえリスク管理のもとアセスメントを行い，ケアを実践することである．
2. 迅速な初期対応が治療・転帰へ影響するため，多職種で協働し，スムーズな初期診療ができるようチーム医療を行う必要がある．
3. 患者・家族とコミュニケーションをとり，不安の緩和に努める．
4. 急性期から多職種と協働し，退院後の生活を見据え，患者の生活の再構築を目指す．

はじめに

- 当院のSU看護師は，主に救急車到着後の初期対応や，緊急血管内治療中の看護(カテ室業務)，薬剤，血管内治療後の看護を行っている．急性期脳梗塞患者に対するtPA静注療法や血管内治療は時間との闘いであり，多職種が協働し，シミュレーショントレーニングを定期的に行い，診療時間の短縮，安全な医療提供をはかっている．
- SU患者の看護では，画像所見や神経所見をアセスメントし，疾患に応じた対応をする必要がある．とくに，血管内治療後は，著明な症状の改善を認めることも多いが，術直後は症状が残存する場合もある．また，出血や頭蓋内圧亢進により生命の危機状況を招くこともあるため，異常の早期発見に努める必要がある．
- 突然の発症・治療となるため，患者や家族は不安を抱え，動揺していることが多く，精神的な援助も重要となる．また，脳卒中患者の多くは何らかの機能障害を生じることが多く，生活の再構築を余儀なくされることが多い．そのため，急性期治療の意義を

理解し，早期からリハビリテーションを行い，在宅へつなぐ視点をもちシームレスな看護ケア提供を行うことが重要である．

脳卒中急性期の初期対応 （図1）

❶搬入準備

- 救急隊からの患者情報を医師と共有し，リスク管理の視点を持ち準備を行う（図2）．→モニター，酸素マスク，エコー，吸引の準備，採血・血糖測定器，コアグチェックなど，物品や書類の準備を行う．
- 血栓溶解療法や血管内治療を考慮して，必ずベッドの0点を設定し，体重測定ができるようにする．

❷患者到着から治療開始まで

①ABCDEを迅速に評価し，周りのスタッフと重症度を共有する．この時点では，出血性脳卒中か，虚血性脳卒中かは判別ができていないため，不用意な降圧は避ける．大動脈解離を発症している場合，右側の血圧が低くなることが多いため，血圧は両上肢で測定し，左右差の有無を確認する．

②診察と並行して，脱衣の際には外傷がないかを確認し，出血性合併症を是正する．

③tPA静注療法の際，体重換算が必要となるため，画像検査へ搬送する前にかならず体重を測定する．また，ペースメーカーなどMRI検査の禁忌がないか確認し，入れ歯や貼り薬，補聴器，貴金属を外す．

④画像検査終了後，すぐに病室へ入室し，薬剤投与できるよう，ベッドサイドを整えるとともに，血管内治療を行うことを考慮して，表1に示す確認と準備を行う．当院では，初療から血管内治療へスムーズに移行できるように初療・カテカートを作成し使用している（図3）．

脳卒中の疾患別看護

❶脳梗塞

- 病型に応じた看護のポイントを表2に示す．
- 脳梗塞では，tPA静注療法や血管内治療を行うことがある．

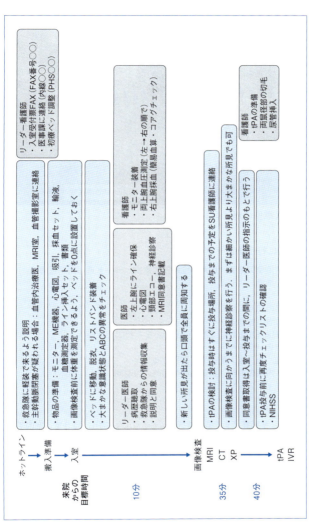

図1 ホットラインを受けてから治療までの流れ

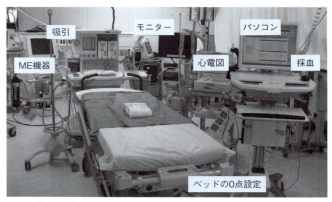

図2 搬入準備のポイント

表1 術前に行うチェックリスト

(1) 血管内治療同意書,tPA 静注療法同意書,ヨード造影剤同意書
(2) 患者の準備
   ①更衣
   ②鼠径部の切毛
   ③足背動脈の触知とマーキング
   ④血管確保(左上肢に 22 G 以上で,できれば 2 か所)
   ⑤尿道カテーテル挿入
(3) その他,カテ室入室までに確認すること
   ①既往・内服の有無(抗凝固薬の最終内服時間)
   ②アレルギーの有無
   ③採血データ
   ④血型・感染症の有無
(4) 家族に,手術終了まで必ず待機してもらうよう説明し,待合室に案内する.
(5) 血管撮影室の準備
   ①持続モニターや撮影装置の電源を立ち上げる
   ②血管内治療器具のセッティング
   ③常備薬品の確認

①tPA 静注療法時の看護

• 実施時は,禁忌事項はないかかならず確認し,入室時の体重換算をもとに薬剤(グルドパ)を準備し,医師とダブルチェックし,投与している.

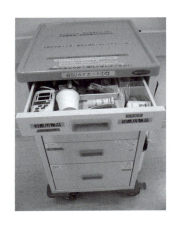

図3　カテカート

- バイタルサイン・NIHSSをガイドラインに沿い確認し，症状の変化・合併症の早期発見に努める．（必要物品・投与方法などに関しては，☞総論1-D，E，F①）

②血管内治療中の看護を表3に示す．

- 血行再建術後は，以下の①〜⑨の合併症に注意して観察する必要がある．

①過灌流　②脳血栓症　③出血合併症　④穿刺部仮性動脈瘤
⑤後腹膜出血　⑥腎機能障害　⑦下肢虚血　⑧低血圧　⑨血尿

- 穿刺部は，安静度拡大に伴い，再度出血をきたす可能性もあるため，安静度拡大時は，穿刺部も注意して観察する．
- 術後の安静の保持のため，患者の不安や苦痛を軽減できるようなケアも必要である．

<SU入室後の看護>

- 急性期の観察では，「呼吸・循環・意識・瞳孔・麻痺」の5項目を重点的に観察する．

①呼吸状態の変化

- 異常呼吸の有無や誤嚥・体位の制限による肺炎，低換気・過換気を起こさないよう，体位ドレナージや呼吸リハビリテーション

表2 脳梗塞看護のポイント

病型	症状	援助の視点
心原性脳塞栓症（☞便利メモ①）	片麻痺・皮質症状 重篤になることが多い	虚血巣が広範囲に及び脳ヘルニアを起こすことがあるため，呼吸状態を含め意識レベルの変化にも注意が必要
アテローム血栓性脳梗塞	片麻痺・反質症状・構音障害	血行力学性機序の場合は血圧低下により症状が進行する可能性もある．急性期は脳自動調節能が破綻しているため，血圧の変化，神経症状増悪の有無に注意が必要
ラクナ梗塞	運動障害が出現 繰り返すと認知症等の原因にもなる	神経脱落症状が軽度であった場合，脳梗塞になったという自覚が少ない患者も多いため，再発予防を含めた生活・服薬指導など患者教育が大切

> **便利メモ①**
>
> 発症時に不整脈がみられなくても，モニタリングを続けることで発作性心房細動をはじめとした不整脈が見つかり，心原性脳塞栓症の疑いといった早期に塞栓源の発見につながる可能性があるため，24時間観察している看護師の力の見せどころです．検査データや心電図モニタの変化にも気づけるようにしましょう！

を行う．

②循環動態の変化

- 基礎に心疾患を合併していることも多く，不整脈のモニタリングや輸液療法による心不全の観察を行う．
- 血圧変動による出血や脳血流量低下のリスクあり，医師の指示範囲内の血圧であるか観察する．
    ※血圧上昇は，さまざまな要因（身体抑制，不穏，腹腔内圧の上昇，疼痛など）で起こることもあるため，全身状態の評価も重要な看護ケアとなる．また血圧低下時は，血行動態の評価を行いながら，水分出納管理や薬剤調整を速やかに行う必要がある．

表3 血管内治療中の看護

	実施	注意点
1. 入室・準備	①心電図モニター，パルスオキシメーター，自動血圧計（測定は5分間隔）の装着 ②灌流ライン　③四肢抑制 ④鎮静剤投与 ⑤デバイスの開封	・入室後は多くの業務を速やかに同時進行で行うことが求められる．
2. バイタルサインの確認	血圧変動やSpO₂の低下などを経時的に確認して報告する	・血圧低下による脳血流量の低下 ・鎮静剤の使用・嘔吐などによるSpO₂低下 ・再開通後の血圧上昇による出血リスク ・CAS後の頸動脈洞反射により徐脈
3. 台移動時の周囲の確認	3DCT撮影時などは，機械が動くためライン管理を実施	酸素やライン類が巻き込まれる可能性がある
4. 治療中に起こる合併症の観察，鎮静剤や降圧薬などの準備	①血管破裂や血管閉塞・血栓閉塞症 ②造影剤アレルギーの有無 ③安静を保持できない可能性があるため，薬剤をすぐに取り出せるようにする	・意識レベルの変化，神経学的診察 ・全身の発疹・発赤の有無 ・バイタルサインを厳重に観察する． ・<u>体動が思わぬ合併症につながる可能性がある</u>
5. 時間の記録	①入室時間　②穿刺時間 ③tPA静注療法開始時間 ④ガイディング ⑤1PASS時　⑥再開通時間 ⑦止血の時間　⑧最終TICI	

③意識レベルの変化

・GCSやJCSを用いて判定する．見当識障害の有無だけではなく，<u>「反応が鈍い」「さっきまでと違い開眼までに時間がかかる」など，些細な変化を見逃さず，総合的に判断する．</u>

④瞳孔

・瞳孔不同や対光反射の消失は，脳ヘルニアなどの<u>重篤な脳幹障害の徴候として注意して観察</u>し，医師に報告する必要がある．

⑤麻痺の程度
- 片麻痺は頭蓋内圧亢進に伴う運動神経の圧迫により出現・増強する．MMTやNIHSSの四肢運動の項目で評価するが，バレー徴候やミンガッチーニ徴候なども評価し，軽い麻痺を見逃さないようにする．

⑥出血性梗塞
- 心原性脳塞栓症では，脳梗塞の範囲が広範囲で重篤であることが多く，出血性梗塞の危険性が高いため，抗凝固療法開始後は神経症候の増悪に注意が必要である．

⑦脳浮腫
- 通常発症後3～7日目にピークとなり，脳ヘルニアを来す可能性もあるため，とくに注意して観察を行う．

❷脳出血
- 看護のポイントを表4に示す．
- 高血圧性が約80％をしめており，出血の拡大予防のための血圧管理が重要である．

❸くも膜下出血
- 看護のポイントを表5に示す．
- 動脈瘤破裂による出血がほとんどで，再破裂を予防するための根治術に至るまでは鎮静・鎮痛と血圧管理を行う．
- 血腫による圧迫や脳室穿破などにより急性水頭症を生じ，脳ヘルニアを起こしやすい．ドレナージを実施することも多く，ドレーン管理についての知識も必要となる．
- 降圧薬（ニカルジピン注射薬など）は血管炎を生じやすいため，末梢静脈ラインからの投与の場合は挿入部の観察をしっかりと行う．
- 出血後は，脳血管攣縮に対する水分バランスの管理，神経所見の出現の有無などの観察が重要となり，中枢性塩類喪失症候群を生じやすいため電解質の観察を行う．

表4 脳出血看護のポイント

出血部位	症 状	援助の視点
脳幹出血	急激な意識障害，四肢麻痺	安易に脳ヘルニアを生じやすいためバイタルサイン，呼吸状態の変化に十分な観察が必要
小脳出血	眩暈，嘔吐，同側の運動失調	第4脳室が閉塞され急性水頭症の発症や，脳幹に近い部位にあり脳ヘルニアを生じる可能性がある
視床出血	片麻痺，感覚障害，意識障害	感覚障害を生じやすく，上行性網様体賦活系があるため，意識障害が強く生じることがある．覚醒が悪いことが多いため，バイタルサインが安定していたら，刺激を与え覚醒を促す
被殻出血	片麻痺，失語を含めた高次脳機能障害（☞便利メモ②）	優位半球の出血では失語症状を呈することが多いため，「読む・聞く・話す・書く」の何が障害されているのかを観察して，コミュニケーション方法を見つけ訴えを理解する
皮質下出血	片麻痺，痙攣発作を生じやすい	皮質への影響により痙攣を生じることがあるため注意が必要
脳室内出血	水頭症	急性水頭症を起こす可能性もあり，急な意識レベルの低下や呼吸状態の変化が生じた時は，緊急ドレナージ術が必要となる可能性がある

> 便利メモ ②
>
> **高次脳機能障害を生じる代表的な脳損傷部位と症状**
> - 前 頭 葉：社会的行動障害，注意障害，遂行機能障害，運動性失語（優位半球）
> - 左側頭葉：聴覚性失認，感覚性失語，物体失認
> - 左頭頂葉：手指失認，左右失認，観念運動性失行，失読・失書
> - 右側頭葉：聴覚性失認
> - 右頭頂葉：左半側空間無視，身体失認，病態失認，着衣失行
> - 後 頭 葉：物体失認，相貌失認

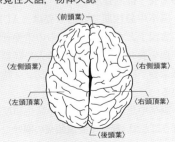

表5 くも膜下出血看護のポイント

	症　状	援助の視点
くも膜下出血	頭痛・嘔吐 意識障害	再出血を予防するため血圧を指示範囲内でコントロールする．また脳出血同様に血圧を上昇させる原因となるものを軽減させ，安全に治療が実施できるまでのケアを行う

脳卒中の運動・認知機能障害に応じた看護

❶リスク管理のもと安全な離床をはかる

・患者の病態と障害に応じた離床を行う必要があり，当院ではリハビリテーション医とセラピストと協働し，作成した離床フローシートをもとに離床を開始している（図4）．

・発症3カ月は急速に回復する時期であり，急性期からADLを拡大し，回復期での機能回復訓練がスムーズに導入できる身体状態を作ることが必要である．

❷口腔内の保清と摂食・嚥下評価

・脳卒中患者において摂食嚥下機能障害を生じることも多く，経口摂取を安全に開始する必要がある．そのため，口腔ケアを実施し，口腔内環境を整えておく必要がある．また，当院では摂食・嚥下障害看護認定看護師とスピーチセラピストとともに作成したフローをもとに口腔内の観察，評価を実施している（図5，6）．

・高次脳機能障害が強く指示動作の入力が困難である場合や，ワレンベルグ症候群のような重度嚥下障害の場合は摂食・嚥下障害看護認定看護師やスピーチセラピストとともに評価する．

❸栄養・排泄管理

・脳卒中急性期での低栄養は，ADL低下やリハビリテーション阻害因子となり，早期からの栄養管理が必要である．当院では，早期栄養介入管理加算の導入や経管栄養プロトコールを作成し，低栄養予防，リハビリテーション時間の確保に向け検討を重ねている．

・脳卒中患者では，便秘の発生頻度も高く，排便コントロールを行うことで，経管栄養開始後の嘔吐などの合併症予防に努めている．

①開始基準
安静度が車椅子，介助歩行になった
背臥位でのバイタルサインが安定している
背臥位で神経症状が進行・動揺がみられない
JCSがⅡ-10よりよいこと
（離床の目安：原則としてラクナ梗塞以外は
　　　　　　　発症24時間以上48時間以内の開始が望ましい）
注）離床を開始していても安静時間が長い場合はフローシートに
　　沿い実施し，バイタルサインの変化を確認する

②離床を行わない基準
安静時のバイタルサイン
脈拍40/分以下120/分以上
収縮期血圧：200mmHg以上または70mmHg未満
拡張期血圧：120mmHg以上（脳梗塞・脳出血ともに）

離床を開始して下記の※の症状が出現した場合
仰臥位にして再度バイタルサイン・神経所見の測定．神経所見の悪化，意識レベルの
低下がある場合は医師へ報告する．診察後その後の安静度，離床について指示を仰ぐ

仰臥位での神経運動・バイタルサインの確認
（開始基準を満たしていることを確認する）

```
端座位の実施
```
↓ 端座位直後に※の症状を確認
　ない
```
端座位5分の実施
```
↓ 端座位5分後に※の症状を確認
　ない
```
立位
端座位の実施
車椅子移乗の実施
```
↓ 5分後，15分後に※の症状を確認
　ない
```
車椅子移乗の継続
立位訓練，歩行訓練の実施
```

> 端座位の耐久性（時間・体幹バランス・疲労・意識状態）を観察する．※の症状を生じていなくても疲労が強い場合やバランスが不良な場合は中止する

> ※自覚症状めまい・嘔気の出現
> 意識レベル・運動麻痺の悪化
> 実施前値の収縮期血圧40mmHg以上/拡張期20mmHg以上の低下
> 脈拍が140/分をこえた場合

図4　離床フローシート

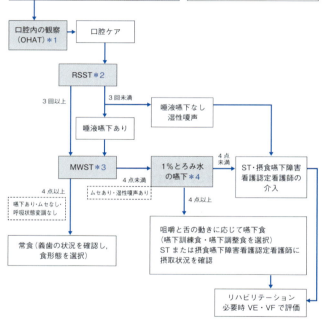

図5 **嚥下評価①**（＊1 は下記参照，＊2～4 は図6 を参照）
＊1 OHAT：以下のサイトより無料ダウンロード可．
東京医科歯科大学大学院 地域・福祉口腔機能管理学分野
https://www.ohcw-tmd.com/research/ohat.html

> ### RSST
> 1. 患者の咽頭に人差し指,舌骨に中腹を当てる
> 2. 30秒間に起こる嚥下の回数をカウントする
> 3. 嚥下の回数は,1横指以上の咽頭挙上を確認できた場合とする
>
> ### MWST
> 1. 冷水3mLを口腔底に注ぎ,嚥下をしてもらう
> 2. その後,反復嚥下を2回してもらう
> 3. ムセ,湿性嗄声がなければ,さらに最大2回同じことを実施する(計3回)
>
> 判定:最も悪い結果で判断する
>
> | | |
> |---|---|
> | 1 | 嚥下なし,ムセなし,呼吸変化があり,湿性嗄声がある |
> | 2 | 嚥下あり,ムセなし,呼吸変化がある |
> | 3 | 嚥下あり,ムセまたは湿性嗄声があり,呼吸変化なし |
> | 4 | 嚥下あり,ムセなし,呼吸変化なし,湿性嗄声なし |
> | 5 | 4に加え,30秒以内に2回の空嚥下が可能 |
> | 判定不能 | 嚥下なし,ムセなし,呼吸変化なし,湿性嗄声なし |
>
> ### 1%とろみ水テスト
> 1. 1%とろみ水を作成
> 2. 患者の口腔底に3mL注ぐ
> 3. 嚥下をしてもらう
> 4. その後,反復嚥下を2回してもらう
> 5. ムセ,湿性嗄声がなければ,さらに最大2回同じことを実施する(計3回)
>
> 判定:最も悪い結果で判断する
> **評価表はMWSTを参照**

図6 嚥下評価②

家族看護・退院支援

- 急激に発症し生命の危機的状況にあるときは,患者の代弁者は家族となり,緊急手術の同意を求められることがある.また,医師の説明に立ち会い,判断に必要な情報が十分に得らえているかどうか家族の様子を観察し,理解や受容へ向けての支援を行う.

- 脳卒中患者は生命の危機から脱したとしても，何らかの意識障害を含めた機能障害を残し，リハビリテーションが必要になることが多い．そのため，患者が当院へ搬送され，SUに入室した当日に患者あるいは家族に生活習慣，これまでの内服アドヒアランス，自宅環境，家族関係，介護保険の活用の有無や患者の目標などについて情報収集している．
- これらを踏まえ，発症早期から多職種が協働し患者の回復支援を実施していくことが重要である．

文献

- 日本脳卒中学会．脳卒中治療ガイドライン2021〔改訂2023〕．p.27-32，57-59，116-117，154-156，273-275
- 才藤栄一．摂食嚥下リハビリテーション第3版．医歯薬出版．p.129-130，192

（片渕　泉）

【脳卒中急性期管理】
血圧管理，呼吸管理など 4

●ここが POINT！

❶ 脳梗塞急性期では，収縮期血圧 220 mmHg 以上または拡張期血圧 120 mmHg 以上の高血圧が持続する場合は慎重な降圧療法が推奨されている．

❷ 血栓溶解療法（tPA 静注療法）を予定する急性期脳梗塞患者では，収縮期血圧 185 mmHg 以上または拡張期血圧 110 mmHg 以上の場合に静脈投与による降圧をしなければならない．

❸ 血管内治療後に TICI Ⅱb 以上の再開通現象が得られた症例では，収縮期血圧 140 mmHg 未満を目標に降圧を行う．

❹ 脳出血急性期では，収縮期血圧 140 mmHg 未満を目標に降圧を行う．

❺ 脳梗塞急性期では，酸素飽和度 94％以上に保つように推奨されているが，低酸素血症のない軽症から中等症の脳卒中患者に対してルーチンに酸素投与を行うことは推奨されない．

❻ 脳梗塞急性期では，入院時の心電図で洞調律であっても，入院後新規に心房細動を認めることがあり，心房細動を疑う症例では積極的な心電図モニター管理が必要である．

はじめに

- 脳卒中急性期においてバイタルサイン測定がきわめて重要である．血圧管理目標に関しては本邦および AHA/ASA のガイドラインで一定の基準が明記されているが，重症度・急性期再灌流療法（tPA 静注療法/血管内治療）実施の有無・主幹動脈狭窄/閉塞病変の有無・基礎疾患・発症前の内服などを考慮して症例に応じて行うのが現状である．脳梗塞急性期では脳血自動調節能（autoregulation）が破綻するため降圧をする際には慎重を要する．

- 本項では血圧管理を中心として，呼吸管理など最近の知見を踏まえながら「適切」と考えられる脳卒中急性期管理をまとめた．

脳梗塞急性期の血圧管理

❶ニカルジピン投与（tPA/血管内治療未施行例）

- 急性期再灌流療法未施行症例では，収縮期血圧220 mmHg以上または拡張期血圧120 mmHg以上の高血圧が持続する場合に降圧療法を行う．
- ニカルジピンによる血圧急性期血圧管理で重要な点は以下の3点である．

　①過度の降圧を行わない（処方例1）．

　②主幹動脈に動脈硬化性の高度狭窄もしくは閉塞を有する症例の降圧はきわめて慎重に行う（処方例2）．

処方例1　ニカルジピン投与：tPA/血管内治療未施行例（主幹動脈狭窄/閉塞非合併）

血　圧	ニカルジピン塩酸塩 20 mL ＋生理食塩水 20 mL
①血圧 220/130 mmHg 以上	2 mL/hrより持続静注開始．1 mL/hrずつ増量し最大15 mL/hrまで増量可能
②血圧 185/110 mmHg 以下	1 mL/hrずつ減量．中止可

　症例によっては開始時に1～2 mLの急速静注を検討してもよい．血圧185/110 mmHg前後（15%程度の降圧）を目標にコントロールする．ニカルジピンはなるべく早期の離脱を目標とする．

処方例2　ニカルジピン投与：tPA/血管内治療未施行例（主幹動脈狭窄/閉塞合併）

血　圧	ニカルジピン塩酸塩 20 mL ＋生理食塩水 20 mL
①血圧 220/130 mmHg 以上	1 mL/hrより持続静注開始．1 mL/hrずつ増量し最大15 mL/hrまで増量可能
②血圧 200/110 mmHg 以下	1 mL/hrずつ減量．中止可

　動脈硬化性の主幹動脈病変を有する症例では血圧変動により神経症状が増悪するリスクが高い．ニカルジピンの急速静注は絶対に行わないように注意する．病状が安定するまでは収縮期血圧200 mmHg前後（10%程度の降圧）を目標にコントロールする．ニカルジピンはなるべく早期の離脱を目標とする．

③脳梗塞発症前の血圧管理状況(内服中の降圧薬の確認,発症前の血圧値など)を把握しておく.

❷ニカルジピン投与(tPA/血管内治療施行例)
- 本邦のガイドラインではtPA静注療法を施行した症例では収縮期血圧185 mmHg以上または拡張期血圧110 mmHg以上の場合に静脈投与による降圧療法を行う(処方例3).
- 血管内治療を施行した症例ではTICI2b以上の再開通現象が得られた症例では目標収縮期血圧140 mmHg未満,160 mmHg未満で管理した群は目標収縮期血圧180 mmHg未満で管理した群よりも転帰良好であった.血管内治療後にTICI2b以上の再開通現象が得られた症例では収縮期血圧160 mmHg以上から速やかに降圧療法を行い収縮期血圧140 mmHg未満を目標に管理する(処方例4).

❸内服による降圧管理
- 降圧薬開始時期に関しては,2018年のAHA/ASAのガイドラインでは発症24~72時間以内の降圧薬開始は安全ではあるが死亡率や機能予後の改善につながらないと記載されている.

処方例3 ニカルジピン投与:tPA静注療法施行例

血 圧	ニカルジピン塩酸塩 20 mL +生理食塩水 20 mL
①血圧 185/100 mmHg以上	2 mL急速静注後,2 mL/hrより持続静注開始.1 mL/hrずつ増量し最大15 mL/hrまで増量可能
②血圧 140/90 mmHg以下	1 mL/hrずつ減量.中止可

処方例4 ニカルジピン投与:血管内治療後TICI2b以上の再開通が得られた症例

血 圧	ニカルジピン塩酸塩 20 mL +生理食塩水 20 mL
①収縮期血圧 160 mmHg以上	2 mL急速静注後,2 mL/hrより持続静注開始.1 mL/hrずつ増量し最大15 mL/hrまで増量可能
②収縮期血圧 120 mmHg以下	1 mL/hrずつ減量.中止可

- したがって，神経症状が安定しているならば発症7日前後を目安に内服による降圧を開始するが，軽症例や血圧コントロール不良例ではリスクとベネフィットを考慮し，より早期に降圧薬を開始することもある．内服は少量のカルシウム拮抗薬やARB製剤などを用いることが多い．具体的な降圧目標値は定められていないが，血圧140/90 mmHg前後の降圧が達成されていれば急性期にそれ以上の降圧は必要ない．ただし，主幹動脈高度狭窄もしくは閉塞合併例においては慎重に降圧を行う．
- 脳梗塞発症前に降圧薬を内服していた症例を対象としたメタアナライシスでは，脳梗塞発症後の降圧薬継続が転帰改善につながらなかった．当院では脳梗塞発症前に降圧薬を内服していた症例は，入院後一度降圧薬を中断して経過を見ながら徐々に降圧薬を再開していくようにしている．

脳出血急性期の血圧管理

- 急性期脳出血の血圧管理目標は収縮期血圧140 mmHg以下を7日間継続することを考慮してもよいと本邦のガイドラインに記載されている．近年の多施設共同研究により，急性期脳出血において積極的降圧群（収縮期血圧139 mmHg以下）は通常治療群（収縮期血圧140～179 mmHg）と比較して急性期出血増大は積極的降圧群で有意に少なかったが，3カ月後の転帰に差はなかった．有害事象も両群間で差はなかったが，積極的降圧群では腎機能障害の悪化に注意が必要である．
- 当院では発症24時間以内は収縮期血圧140 mmHg以下を目標にし，CTなどにて血腫の拡大がないことを確認する．血腫の拡大がない症例では内服開始し，ニカルジピンからの離脱を進めていく．脳出血急性期では収縮期血圧160 mmHg以下のコントロールが難しい症例を経験する．そのような症例で収縮期血圧160 mmHg以下を目標にニカルジピンからの離脱を進めていく（☞総論1-G）．

脳卒中急性期の呼吸管理

- 脳卒中急性期では酸素飽和度を94％以上に保つように推奨さ

れている．ただし，軽症から中等症の脳卒中患者に対してルーチンに酸素投与をする必要はない．意識障害の強い患者で積極的に治療介入を行う症例では気道確保や人工呼吸管理を行うべきである．一方で，急性期脳卒中患者の72％にAHI（無呼吸低呼吸指数）>5の睡眠時呼吸障害を認めるため，とくに夜間の低酸素血症に注意が必要である．

脳卒中急性期の脈拍管理

- 脳梗塞急性期では入院時の心電図で洞調律であっても約10％前後に入院後新規に心房細動を認める．新規心房細動の80％以上が入院7日以内に特定されており，心房細動を疑う症例では積極的に心電図モニタ管理を行うことが推奨される．心房細動症例では130回/分以上の心拍数が持続するとうっ血性心不全が惹起されることが知られている．したがって心房細動例では脳卒中急性期に心拍数を130回/分以上にしないように管理することが重要である．
- 本邦の心房細動治療（薬物）ガイドラインでは心拍調節の薬剤にβ遮断薬（メトプロロール，ビソプロロール，プロプラノールなど），非ジヒドロピリジン系Ca拮抗薬（ベラパミル，ジルチアゼム）が推奨されている．
- ただし，β遮断薬は心不全合併例や高齢者に使用する際は注意が必要であり，循環器内科専門医にコンサルトを行なってから導入することが望ましい．

文献

- 日本脳卒中学会．脳卒中治療ガイドライン2021
- American Heart Association Stroke Council. *Stroke* **49**：e46, 2018
- Qureshi AI, et al. *N Engl J Med* **375**：1033, 2016
- 日本循環器学会・他．心房細動治療（薬物）ガイドライン（2013年改訂版）
- Anadani M, et al. *Ann Neurol* **87**：830, 2020

〔下山　隆〕

5-A 心原性脳塞栓症

【脳梗塞の病型とその治療】

●ここがPOINT！
1. 心原性脳塞栓症は脳梗塞全体の約3割を占め，その基礎心疾患は約80％が非弁膜症性心房細動（NVAF）である．
2. 突発発症かつ重篤例が多いため，急性期血行再建療法の対象となる場合が多く，適切に治療を行う必要がある．
3. 再発予防には抗凝固療法が主体であり，可能な限り早期に抗凝固薬を導入する必要がある．
4. 抗凝固療法導入のタイミングは，個々の症例で検討し，慎重に開始する必要がある．

はじめに

- 心原性脳塞栓症とは心腔内に生じた血栓が遊離し脳内に流入する，または下肢深部静脈などに存在する血栓が右左シャント性心疾患（卵円孔開存）を介して左心系に移動することによって脳動脈の閉塞をきたし，塞栓症を起こす病態である．
- 心原性脳塞栓症はNINDS脳卒中分類 第Ⅲ版（1990年）で提唱された脳梗塞臨床カテゴリーの1つである．
- 心原性脳塞栓症の原因には様々なものがあるが，その中でも非弁膜症性心房細動（NVAF）が約80％と最大の原因となっている．

臨床症状

- 脳血管が突然閉塞するため，灌流域全域にわたり重度の虚血をきたし，広範な梗塞巣を形成するため転帰は不良なことが多い．いわゆる突発発症型であり，共同偏倚や失語，半側空間無視などの皮質症状を認めることが多い．

表1 TOAST分類における塞栓源心疾患

1．高リスク塞栓源（high-risk source）
人工弁，心房細動を伴う僧帽弁狭窄症，心房細動（孤立性を除く），左房血栓，洞不全症候群，心筋梗塞（4週未満），左室血栓，拡張型心筋症，左室壁運動消失，左房粘液腫，感染性心内膜炎

2．中等度リスク（medium-risk source）
僧帽弁逸脱，僧帽弁輪石灰化，心房細動を伴わない僧帽弁狭窄症，左房もやもやエコー，心房中隔瘤，卵円孔開存，心房粗動，孤立性心房細動，生体弁，非細菌性心内膜炎，うっ血性心不全，左室壁運動障害，心筋梗塞（4週以上6ヶ月未満）

診断・検査

❶診断

- TOAST分類に記載された心原性脳塞栓症の塞栓源リスクの高リスクおよび中等度リスクが診断の参考になる（☞便利メモ①）．心原性脳塞栓症は，塞栓源としての心疾患の存在，症候の突発完成，複数の血管領域（皮質や小脳）の多発性梗塞，他の脳卒中の原因疾患の欠如を特徴とし，塞栓源としての心疾患の存在が診断の前提となる．

- また，血液検査にて凝固線溶マーカーであるD-dimerの上昇，脳性ナトリウム利尿ペプチド（BNP）の上昇が診断の補助となる．

便利メモ①

SSS-TOAST分類における高リスク塞栓源心疾患

TOAST分類（1993年）をもとにAyらによる修正が加えられ，診断基準がさらに明解かつ実践的となった虚血性脳卒中サブタイプの分類がSSS-TOAST分類であり，そこでは下記が高リスクの塞栓源心疾患であるとされている．

左房血栓，左室血栓，心房細動，発作性心房細動，洞不全症候群，持続性心房粗動，1カ月以内の心筋梗塞，リウマチ性僧帽弁・大動脈弁疾患，機械弁，28％未満の低駆出率を伴う陳旧性心筋梗塞，30％未満の低駆出率を伴う鬱血性心不全，拡張型心筋症，非感染性血栓性心内膜炎，感染性心内膜炎，乳頭上線維弾性腫，左房粘液腫

とくにBNPは140.0 pg/dLが心原性脳塞栓症と他の病型の最適なカットオフレベルと言われている．

❷梗塞巣の確認

- 頭部CT・頭部MRI/A；画像診断，とくにCT，MRIが有用である．頭部CTでは梗塞巣が低吸収域として認められる．またMRIの拡散強調画像が発症早期の梗塞部位の確認に有用であり，梗塞部位は高信号として認められる．
- MRAは閉塞血管の確認に有用である．具体的には皮質を含む比較的大きな範囲に脳梗塞を認める場合や複数血管領域に脳梗塞巣が認められる場合には，心原性脳塞栓症が考慮される．

❸塞栓源の検索

- 心電図，Holter心電図：心房細動の検出に有用であり，積極的に行う必要がある．
- 経胸壁心臓超音波，経食道心臓超音波；心内血栓や塞栓源となりうる心疾患（☞便利メモ①）の検出に有用である（☞**各論 5-E，5-F，7-E**）．

急性期治療

❶急性期血行再建療法

- 超急性期で適応があるようなら，tPAを投与し，カテーテルによる血栓回収術を行う．心原性脳塞栓症は症候が突発かつ重篤であるがゆえに，発症・発見より間もない受診例が多く，本病型が急性期血行再建術の対象となることが多い（☞**総論 1-F①，②**）．

❷薬物療法

- 心原性脳塞栓症の再発予防の第一選択は抗凝固薬である．急性期は脳塞栓症の再発率が5〜14％と高く，この時期の抗凝固療法は，再発率を低下させることが期待されるが，栓子溶解による閉塞血管の再開通現象と関連した出血性梗塞も認められる（☞便利メモ②）．そのため，個々の症例ごとに適応を検討したうえで，できるだけ早期に抗凝固療法を行う必要がある．
- 急性期における抗凝固療法の開始の時期に関しては脳卒中治療ガイドライン2021〔改訂2023〕の時点では，明確な推奨はない

が，近年早期の抗凝固療法の導入も報告されている．特に DOAC (direct oral anticoagulant) においては，1-2-3-4day ルール（TIA 症例では発症同日より，軽症脳梗塞では発症 2 日目より，中等症脳梗塞では発症 3 日目より，重症脳梗塞では発症 4 日目より，抗凝固療法を導入する）のように発症早期に抗凝固療法の導入の有効性，安全性が示されている．

① ヘパリン

- 再発予防のエビデンスレベルは高くないこと，出血のリスクが高いことから，当院では原則用いることはないが，心腔内血栓の存在を認めた場合などには用いられている．使用法としては，ヘパリン 10,000 単位/日をベースに，年齢や体重で増減を考える．また，APTT を指標として使用前値の 1.5 倍～2 倍の間で用量を

> **便利メモ ②**
>
> **脳梗塞における出血性変化分類（hemorrhagic transformation）**
> 脳梗塞における出血性変化は下記のように分類される．
> ・HI1（出血性梗塞タイプ 1）：梗塞辺縁部に沿った小さな点状出血
> ・HI2（出血性梗塞タイプ 2）：梗塞領域内にあるが空間占拠性効果は認められない融合性点状出血
> ・PH1（実質性出血タイプ 1）：多少の空間占拠性効果を伴う，梗塞領域の 30％以内の血腫
> ・PH2（実質性出血タイプ 2）：実質的な空間占拠性効果を伴う，梗塞領域の 30％を超える血腫

> **便利メモ ③**
>
> **CHADS$_2$ と CHA$_2$DS$_2$-VASc の意義の違い**
> CHADS$_2$ スコアは脳卒中の年間発症率とよく相関することは知られているが，実際の臨床では CHADS$_2$ スコアで 0 点や 1 点とした低リスク患者が少なくない．こうした低リスク患者の中で脳梗塞リスクを有する患者を抽出するため，CHA$_2$DS$_2$-VASc スコアが提唱された．CHA$_2$DS$_2$-VASc スコア 0 点（低リスク）では塞栓イベント発症率は低いため，2 点以上で抗凝固療法を選択する．また 1 点では抗凝固療法は考慮可にとどまる．

調整する.

＜処方例＞

> ヘパリン10,000単位／日＋生理食塩水14 mL　1 mL／時間から開始

②ワルファリン
- 高度腎機能低下例やNVAFに伴う心原性脳塞栓症例ではない場合に使用する．その導入法としては，ワルファリンは抗凝固療法が安定するまでに時間を要し，投与開始当初は凝固能が亢進するため，導入の際にはヘパリンを併用することもある．PT-INRが1.5を超えたらヘパリンを中止し，70歳未満であれば2.0～3.0，70歳以上であれば1.6～2.6の範囲内でコントロールとする．ただし，年齢70歳以上でも出血リスクを勘案しつつ，なるべくINR2.0以上で管理する．

＜処方例＞

> ヘパリン10,000単位／日＋生理食塩水14 mL　1 mL／時間＋ワルファリン2～3 mg／日（高齢者には1 mgから）

③DOAC（direct oral anticoagulant）
- NVAFに伴う心原性脳塞栓症における2次予防として使用する（☞各論 8-A, 8-F）．出血リスクの高くないと考えられる場合には，発症同日より導入することがある．またDOACを使用する場合は適正用量での使用を心掛ける．

④脳保護薬
- エダラボンは脳保護作用を有し，効果が期待されるため，使用することが多い．使用の際には肝・腎機能障害，心不全，DICなどの有害事象の報告あり，適宜採血を行う．

＜処方例＞

> エダラボン30 mg＋生理食塩水50～100 mL　1日2回　30分で投与

⑤脳浮腫管理

- 脳浮腫をきたすことも多く,脳浮腫による頭蓋内圧亢進症状を伴うと判断された場合には,高張グリセオール（10%）やマンニトール（20%）を投与する.心不全の増悪に注意する.

＜処方例＞

> グリセオール 200 mL　時間 100 mL　1 日 2〜4 回

＜開頭外減圧療法＞（☞ **各論 11-G**）

- 広範囲梗塞の場合,外科的手術も検討される場合が多い.下記適応を満たせば外科的手術が推奨される.

a) 中大脳動脈灌流領域を含む一側大脳半球梗塞；①年齢が18〜60歳,②NIHSS score≧15, ③NIHSS score の 1a が 1 以上, ④CT にて中大脳動脈領域の梗塞範囲が少なくとも 50％以上もしくは MRI 拡散強調画像で梗塞範囲が 145 cm^2 以上, ⑤症状発現後 48 時間以内の適応を満たす場合には硬膜形成を伴う外減圧術が強く勧められる.

b) 小脳梗塞；水頭症を認め,水頭症による昏迷などの中等度の意識障害がある症例に対しては脳室ドレナージを行うことを考慮してもよく,また脳幹部圧迫による昏睡などの重度の意識障害をきたしている症例に対しては減圧開頭術を考慮してもよい.

文献

- National Institute of Neurological Disorders and Stroke Ad hoc Committee. *Stroke* **21**：637, 1990
- 小林祥泰（編）. 脳卒中データバンク 2015. p.52
- Adams HP, et al. *Stroke* **24**：35, 1993
- Ay H, et al. *Ann Neurol* **58**：688, 2005
- Larrue V, et al. *Stroke* **32**：438, 2001
- Kimura S, et al. *Stroke* **53**：1540, 2022

〔片野雄大〕

便利メモ ④

脳卒中発症リスクと出血リスクの評価法

■ CHADS$_2$スコア

	危険因子		スコア
C	Congestive heart failure/LV dysfunction	心不全,左室機能不全	1
H	Hypertension	高血圧	1
A	Age≧75y	75歳以上	1
D	Diabetes mellitus	糖尿病	1
S$_2$	Stroke/TIA	脳梗塞,TIAの既往	2
	合 計		0〜6

TIA：一過性脳虚血発作

■ CHA$_2$DS$_2$-VASc スコア

	危険因子		スコア
C	Congestive heart failure/LV dysfunction	心不全,左室機能不全	1
H	Hypertension	高血圧	1
A$_2$	Age≧75y	75歳以上	2
D	Diabetes mellitus	糖尿病	1
S$_2$	Stroke/TIA/TE	脳梗塞,TIAの既往,血栓塞栓症の既往	2
V	Vascular disease (prior myocardial infarction, peripheral artery disease, or aortic plaque)	血管疾患（心筋梗塞の既往,末梢動脈疾患,大動脈プラーク）	1
A	Age 65-74y	65歳以上74歳以下	1
Sc	Sex category (female gender)	性別（女性）	1
	合 計		0〜9

TIA：一過性脳虚血発作

■ HAS-BLED スコア

※出血リスクの評価法としてHAS-BLEDスコアが導入された．
- 0点＝低リスク（1年間の大出血発症リスク：1％前後）
- 1〜2点＝中等度リスク（2〜4％）
- 3点以上＝高リスク（4〜6％以上）

危険因子		スコア
Hypertension	（収縮期血圧≧140 mmHg）	1
Abnormal renal/liver function	（腎機能障害,肝機能障害 各1点）	1〜2
Stroke	（脳卒中）	1
Bleeding	（出血歴）	1
Labile INR	（INR≧3.5のエピソード）	1
Elderly	（年齢65歳以上）	1
Drugs/alcohol	（抗血小板薬やNSAIDsの使用とアルコール）	1
合 計		0〜8

※変更HAS-BLEDスコア：「高血圧」をSBP 140 mmHg以上，「不安定なINR」をINRが3.5以上のエピソードに，「薬剤」を抗血小板薬の使用と置き換え．

【脳梗塞の病型とその治療】
アテローム血栓性脳梗塞 5-B

●ここが POINT！
1. 発症 4.5 時間以内の tPA 静注療法，発症 24 時間以内の血栓回収デバイスによる血管内治療は適応があれば施行する．
2. 抗血小板療法を主体とした急性期治療を行う．
3. 治療に際しては発症機序を考慮し，進行や再発しやすいことを念頭に置く．
4. 梗塞が悪化，再発する場合は，原因を考慮し，治療を強化する．

はじめに

- アテローム血栓性脳梗塞は頸部または頭蓋内の動脈のアテローム硬化性病変（プラーク）を主体とする血栓性，塞栓性，血行力学性の 3 種の虚血機序が存在し，これらが単独または複数同時に影響することで，脳梗塞を発症する．治療にはプラークの存在と性状，狭窄度，血行力学的誘因，病巣の分布，症状の経過等を評価し，どのような機序が原因であるのか病態を把握することが重要である．

- アテローム血栓性脳梗塞では高ずり応力による血小板機能が亢進し，血栓形成や脳虚血悪化に影響するため，急性期には抗血小板療法を行う．

- 治療をしていても，梗塞が拡大したり，再発を繰り返すことがあるため，症状の観察や悪化の誘因となる合併症の予防，再発の早期発見および治療が必要である．

急性期血行再建療法

- 発症 4.5 時間以内の tPA 静注療法，発症 24 時間以内の血栓回収療法については病型に関わらず，適応があれば施行する．

- アテローム血栓性脳梗塞の場合，いったん tPA 静注療法で改善しても，原因となるプラークが存在し，早期に悪化，再発するこ

とがあるため、治療後の症状観察を怠ってはならない。

- 頭蓋内脳動脈または頸部頸動脈の急性閉塞や高度狭窄による脳梗塞急性期では、経動脈的な血管形成術やステント留置術（CAS）を行うことには、有効性は確立していないが、内科的治療を行っても脳虚血が進行し症状が悪化する場合やタンデム病変治療時のデバイス通過が困難な場合には、施行を検討する。
- 急性期の頸動脈内膜剥離術（CEA）やバイパス術については十分なエビデンスがなく、内科的治療でも悪化し、血管内治療が困難な場合に、施行を考慮する。

急性期治療

❶抗血栓薬

- 発症48時間以内では原則として抗血小板薬（アスピリン、クロピドグレル、プラスグレル、シロスタゾール）の中からアレルギー、発症前の内服、合併症に応じて、軽症では2剤、中等症以上では1剤を選択する（☞便利メモ①）。症状の悪化を認めた場合は速やかにアルガトロバン持続点滴を考慮する。

❷その他の治療

- 発症24時間以内で腎機能障害がなければ脳保護薬エダラボンを使用する。
- 血漿増量薬を用いた血液希釈療法は有効性が確立していないが、血液濃縮や循環血漿量減少が脳虚血に影響していると推察さ

便利メモ①

いつまで抗血小板薬2剤併用（DAPT）を続けるか？
（dual antiplatelet therapy：DAPT）

- 抗血小板薬の2剤併用は出血リスクを増加するため、発症1か月後には1剤にする。
- ステント留置後や重度狭窄のため今後血行再建治療が検討される場合には2剤併用を継続するが、治療3か月後に血管の悪化所見がなければ1剤にする。
- 発症8日以降では、アスピリンまたはクロピドグレルにシロスタゾールを加えたDAPTは長期間の有効性・安全性が示されており、ハイリスクな場合の選択肢となる。

> **便利メモ ②**
>
> ### アテローム血栓性脳梗塞急性期の抗血栓療法
>
> 脳卒中治療ガイドラインの抗血栓療法の推奨では非心原性脳梗塞患者が対象であることが多く，非心原性・非ラクナ梗塞（脳血栓症）に対するアルガトロバンの推奨度は低い．アテローム血栓性脳梗塞に限定した大規模研究が少ないためである．理論的に非心原性脳梗塞の中でアテローム血栓性脳梗塞は最も抗血栓療法が有効であると推測されるため，DAPTやさらにアルガトロバン併用などが行われている．いずれも明確なエビデンスは確立されていない．発症早期の軽症非心原性脳梗塞患者に対するDAPTのエビデンスはある．

れる場合，低分子デキストラン 500 mL を 3〜5 日程度使用する．
- 原因となるプラークの安定化を図るため，初日からストロングスタチンを考慮する．
- 頭蓋内圧亢進を伴う大きな脳梗塞の場合には高張グリセロール 10％を使用する．
- 血圧低下により脳虚血悪化リスクがあるため，原則降圧は行わない．220/120 mmHg 以上であれば，降圧を考慮し，ニカルジピン持続静注を少量から開始する（☞**各論** 4）．
- この病型では強力に抗血栓療法を行うことが多く，消化管出血予防のため，H2 受容体拮抗薬，プロトンポンプインヒビター，カリウムイオン競合型アシッドブロッカーを使用する．
- 発熱，脱水，心不全，低酸素血症，貧血，血糖異常等，全身状態悪化により，脳虚血が進行するため，全身管理を厳重に行う．

memo

処方例

❶ 発症 48 時間以内

> ＜軽症＞
> ・（初日のみ）クロピドグレル 300 mg＋アスピリン 200 mg
> ・（2 日目以降）クロピドグレル 75 mg＋アスピリン 100 mg
> ＜中等症以上＞
> ・（初日のみ）アスピリン 200 mg
> ・（2 日目以降）アスピリン 100 mg
> ＜悪化した場合＞
> ・アルガトロバン 60 mg（12 mL）＋生理食塩水 36 mL：2 mL/hr で持続静注　2 日間
> ・（続いて）アルガトロバン 10 mg（2 mL）＋生理食塩水 100 mL：1 日 2 回　3 時間かけて点滴静注　5 日間

❷ 発症 48 時間以降

> ・アスピリン 100〜200 mg 内服（あるいは経鼻胃管）あるいはオザグレル Na　80 mg＋生理食塩水 100 mL：1 日 2 回　2 時間かけて点滴静注
> ・症状の進行を認めた場合は発症 48 時間以内に準ずる

❸ 入院日から

> ・エダラボン 30 mg＋生理食塩水 50〜100 mL：1 日 2 回　30 分かけて点滴静注　約 7 日間
> ・スタチン（アトルバスタチン 10 mg，ロスバスタチン 5 mg，ピタバスタチン 2 mg）：1 日 1 回内服
> ・ボノプラザン 10 mg：1 日 1 回内服
> ＜悪化した場合＞
> ・低分子デキストラン 500 mL：1 日 1 回　5 時間で点滴静注　3〜5 日間

表1 CASとCEAの特徴

	利 点	欠 点
CAS	局所麻酔で施行可能	造影剤・血管撮影の禁忌例では施行困難
	低侵襲で，入院期間は3-5日と短く，頸部に傷が残らない	血管の蛇行や大動脈瘤では施行困難な場合がある
	術中の血流遮断時間は短い	プラークは除去できず，全周性石灰化病変では拡張不良となる
		術後にDAPTが必要であり，易出血例や外科手術直前には適さない
		術後に徐脈や低血圧のリスクがあり，大動脈弁狭窄症には適さない
CEA	歴史があり，手技が確立されている	CEA危険因子（注）があると合併症リスクが上昇する
	不安定プラークを除去可能	全身麻酔が必要で，入院期間が長い
	術後の抗血小板薬は1剤でよい	高位頸動脈分岐部や既往治療による癒着では施行困難
		頸部に手術跡が残る
		創部周囲の感覚障害や脳神経障害が残ることがある

（注）CEA危険因子
・心疾患（うっ血性心不全，冠動脈疾患，開胸手術が必要な心疾患など）
・重篤な呼吸器疾患，対側頸動脈閉塞，対側喉頭神経麻痺
・頸部直達手術または頸部放射線治療の既往，CEA再狭窄例

慢性期の血行再建術

❶頸部頸動脈狭窄に対するCEAとCAS

• NASCET 50％以上の狭窄，不安定プラークまたは潰瘍が脳梗塞の原因と判断した場合には，それぞれの特徴を考慮したうえで（表1），CASまたはCEAを検討する．

❷頸部以外の狭窄に対するPTAとステント留置術

• 頸部内頸動脈以外の頭蓋外および頭蓋内動脈狭窄に対するPTAやステント留置については十分な科学的根拠がなく，十分な内科的治療を優先し，治療抵抗例については血管内治療を考慮する．

❸EC-IC バイパス

• 症候性内頸動脈および中大脳動脈閉塞，狭窄症に対し，周術期合併症がない熟達した術者により施行される場合は，以下の適応を満たせば，EC-IC バイパス術を検討する．

> ①内頸動脈系の閉塞性血管病変による TIA または minor stroke を 3 カ月以内に生じた 73 歳以下の mRS が 1 あるいは 2 の症例．
> ②CT あるいは MRI 上血管支配領域にわたる広範な脳梗塞巣を認めず，脳血管撮影上，内頸動脈あるいは中大脳動脈本幹の閉塞あるいは高度狭窄例．
> ③最終発作から 3 週間以上経過した後に行った PET もしくは SPECT（^{133}Xe あるいは^{123}I-IMP），cold Xe CT を用いた定量的脳循環測定にて，中大脳動脈領域の安静時血流量が正常値の 80% 未満かつアセタゾラミド脳血管反応性が 10% 未満の脳循環予備力が障害された例．

文 献
- 日本脳卒中学会．脳卒中治療ガイドライン 2021．
- 日本脳卒中学会・他．経皮経管的脳血栓回収用機器 適正使用指針 第 4 版．2020
- Toyoda K, et. al. *Lancet Neurol* **18**：539, 2019
- Mendelson SJ, et. al. *JAMA* **11**：1088, 2021

（大久保誠二）

【脳梗塞の病型とその治療】
ラクナ梗塞 5-C

●ここが POINT！

① アスピリン 160～300 mg/日の経口投与は，発症早期（48時間以内）の脳梗塞患者の治療法として勧められる（推奨度A　エビデンスレベル高）．

② 抗血小板薬2剤併用療法（アスピリンとクロピドグレル）は，発症早期の軽症非心原性脳梗塞患者の，亜急性期（1か月以内を目安）までの治療法として勧められる（推奨度A　エビデンスレベル高）．

③ シロスタゾール 200 mg/日の単独投与や，低用量アスピリンとの2剤併用投与は，発症早期（48時間以内）の非心原性脳梗塞患者の治療法として考慮してもよい（推奨度C　エビデンスレベル中）．

④ プラスグレル 3.75 mg/日（体重 50 kg 以下の低体重の場合には，2.5 mg への減量も考慮）は，脳梗塞発症リスクが高い場合の非心原性脳梗塞の再発予防に適応を有する．従来のクロピドグレルでは，CYP2C19 遺伝子多型に伴う効果減弱の可能性が指摘されていたが，プラスグレルでは，CYP2C19 への依存度が低い．

⑤ 発症 24 時間以内の脳梗塞患者に対して，脳保護作用が期待されるエダラボンの使用は妥当である（推奨度B　エビデンスレベル中）．

⑥ オザグレルナトリウム 160 mg/日の点滴投与は，発症5日以内の急性期脳梗塞（非心原性脳塞栓症）患者の治療法として考慮してもよい（推奨度C　エビデンスレベル中）．

はじめに

- ラクナ梗塞は，高血圧による細動脈硬化を基盤に発症し，大脳深部白質や灰白質（大脳基底核，視床），もしくは小脳，脳幹に生

じる穿通枝領域の小梗塞であり，単一の小動脈の閉塞によるものと考えられている．一般に，MRI や CT で描出される直径 1.5 cm 以下の小病変として同定される．発症様式の多くは，数時間〜数日で完成する血栓性様式であるが，進行性に症状が増悪する症例もみられるため，抗血小板薬を中心とした抗血栓療法が必要と考えられる．

古典的ラクナ症候群の徴候

- ラクナ梗塞は病巣の部位によりそれぞれ特徴的な異なった症候群を呈するが，Fisher は 1960〜70 年代に「ラクナ症候群」を提唱し報告した（表 1）．古典的ラクナ症候群は 5 つあるが，他にも種々の症候群があり報告されている．

❶Pure motor stroke（図 1）

- 急性期より一側の顔面と上下肢を含む不全あるいは完全麻痺を呈し，構音障害，患側への舌偏位を伴うことがある．責任病巣としては，レンズ核線条体動脈の障害に伴う内包・放線冠病変や橋傍正中枝の障害に伴う橋底部病変が多い．

❷Pure sensory stroke（図 2）

- 一側の顔面と上下肢を含む半身の感覚障害のみを呈し，運動麻痺や失調症を伴わない．視床膝状体動脈の障害に伴う，視床後腹側核の病変が多いとされている．

❸Ataxic hemiparesis（図 3）

- 一側上下肢の軽度の麻痺と同側の運動失調を呈する．軽度の麻痺はしばしば運動失調のように認識されることもあるが，本症候での運動失調は麻痺の程度に比べて強く，筋力低下では説明でき

表 1 Fisher の古典的ラクナ症候群

① Pure motor stroke（PMH，純運動性片麻痺）
② Pure sensory stroke（PSS，純感覚性卒中）
③ Ataxic hemiparesis（失調性片麻痺）
④ Dysarthria clumsy hand syndrome（構音障害と手不器用症候群）
⑤ Sensorimotor stroke（感覚運動性卒中）

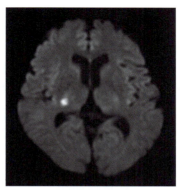

図1 Pure motor stroke
拡散強調画像で，右内包後脚に高信号域を認める

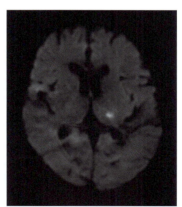

図2 Pure sensory stroke
拡散強調画像で，左視床後外側に高信号域を認める

ない．責任病巣としては，レンズ核線条体動脈の障害に伴う内包・放線冠病変や橋傍正中枝の障害に伴う橋底部病変が多い．

❹Dysarthria clumsy hand syndrome（図4）
- 一側の手の脱力と巧緻運動障害を呈する．強い構音障害，嚥下

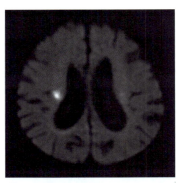

図3 Ataxic hemiparesis
拡散強調画像で,右放線冠に高信号域を認める

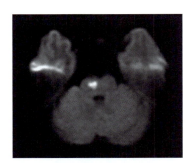

図4 Dysarthria clumsy hand syndrome
拡散強調画像で,橋右腹側に高信号域を認める

障害を伴っていることが多い.責任病巣としては,レンズ核線条体動脈の障害に伴う内包・放線冠病変や橋傍正中枝の障害に伴う橋底部病変が多い.

❺Sensorimotor stroke(図5)
- 上記の❶と❷の症候が合わさったもので,顔面を含む片麻痺と同側の上下肢の感覚障害を呈する.通常,視床と内包の血管支配

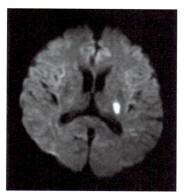

図5 Sensorimotor stroke
拡散強調画像で,左視床後外側に高信号域を認める

は異なるといわれているが,中大脳動脈と後大脳動脈の灌流域の境界には多様性があり,視床・内包境界域の病変で,この症候を呈するとされる.具体的には,視床後腹側にラクナ梗塞を発症すると,近接する内包後脚にも虚血性変化が及んでいるという報告もある.まれではあるが,橋外側や被殻の病変も報告されている.

❻その他のラクナ症候群

・特徴的な手掌・口症候群(cheiro-oral syndrome)は,口角周囲と同側の手のしびれ感,異常感覚を呈する.病巣として,大脳皮質感覚野,放線冠,脳幹部(中脳被蓋や橋被蓋内側部),視床膝状体動脈の障害に伴う視床後腹側核の病変が多いとされている.

急性期ラクナ梗塞に対する抗血小板療法

急性期ラクナ梗塞に対するRCTはなく,明らかな治療のエビデンスはない.実際には,以下を参考に治療が行われている.

❶アスピリン

・発症48時間以内の急性期脳梗塞に対して,IST(International Stroke Trial)とCAST(Chinese Acute Stroke Trial)のメタ解析では,アスピリン160〜300 mg/日の投与により,脳梗塞再発が減少

し（1.6% vs 2.3%），脳卒中の発症または死亡が有意に減少することが示された（8.2% vs 9.1%）．ただし，出血性脳卒中のリスクを増加させることが示されており，アスピリン投与時にはその点を念頭に置く必要がある．また，消化性潰瘍の予防のためにプロトンポンプ阻害薬の併用を行うほか，消化性潰瘍既往例では他の抗血小板薬の使用を考慮する．

❷シロスタゾール
- シロスタゾールの最大の利点は出血合併症が少ないことであり，脳出血のリスクも高いラクナ梗塞にはよい適応である．また末梢血管疾患合併例もシロスタゾール投与に適する病態である．投与48時間後にはほぼ効果が消失する．

> 通常の用法用量：シロスタゾール 100 mg　2錠　分2

※ただし，投与初期にしばしば頭痛や動悸などが出現するため，副作用軽減のためには少量からの投与開始も有効である．

> 半量からの投与開始：シロスタゾール 50 mg　2錠　分2

※1週間程度，半量での投与を行い，その後通常用量へ変更する．

❸クロピドグレル
- クロピドグレルは非心原性脳梗塞の再発予防に用いられるが，通常用量（75 mg/日）の投与では十分な血小板凝集能抑制効果の発現に5日程度を要する．2018年2月より「非心原性脳梗塞急性期」，「一過性脳虚血発作急性期」の再発抑制に対して，初回のみ300 mgを1日1回経口投与し，その後維持量として1日1回75 mgを経口投与することが，公知申請により保険審査上認められるようになった．

❹プラスグレル
- プラスグレルは，脳梗塞発症リスクが高い場合の非心原性脳梗塞の再発予防に適応を有する．従来のクロピドグレルでは，CYP2C19遺伝子多型に伴う効果減弱の可能性が指摘されており，日本人を含めた東アジア人ではCYP2C19代謝不全型の割合が多

いことが分かっている．その点，プラスグレルでは，CYP2C19への依存度が低い．通常用量（3.75 mg/日）に対して，体重50 kg以下の低体重の場合には，1日1回2.5 mgへの減量も考慮できる．一方で，現状では初回負荷投与は認められていない．

❺オザグレルナトリウム
- 急性期（発症5日以内）の非心原性脳梗塞に対して，トロンボキサンA2（TXA2）合成阻害薬であるオザグレルナトリウムの点滴投与を考慮してもよい．脳梗塞急性期に対する本剤の投与は，メタ解析によって神経症状の改善効果と安全性が示された一方で，日常診療で推奨しうる高品質なデータに乏しいことが示されている．

抗血小板薬の併用療法

- 発症早期の軽症非心原性脳梗塞患者に対しては，アスピリンとクロピドグレルの2剤併用療法が勧められており，現在多くの施設で標準的治療法となっている．この治療法は，中国で行われたCHANCE試験がもとになっているが，欧米人が対象となっているPOINT研究でも，有効性については同様の傾向が示されている．一方で，これらの試験も含めたメタ解析では，抗血小板薬2剤併用の至適期間が検討され，1カ月以内の短期間併用が，脳出血や大出血を増加させることなく，再発予防に有用であった．

脳保護療法

- 脳保護療法とは，脳虚血後に起こる傷害性機転を抑制し，保護機転を活性化することで，虚血巣の縮小を目指す治療である．エダラボン60 mg/日の用量で，14日間の投与が可能である．感染症の合併，高度の意識障害，脱水状態では，腎機能障害や肝機能障害等の出現リスクが報告されているため，投与中は適宜血液生化学検査が必要である．

微小出血と脳出血のリスク

- ラクナ梗塞患者での脳出血予防には，高血圧をはじめとした内科的管理に加え，脳出血発症リスクの評価が有用である．
- 脳微小出血（cerebral microbleeds：CMBs）は，破綻した毛細血

管から赤血球が血管外に漏出する現象であり，MRI T2*強調画像で描出可能である．脳梗塞の既往を有し抗血小板薬を内服中の患者では，微小出血を複数有すると追跡期間中の脳出血リスクが高まることが報告されている．一つの目安として，微小出血が5個以上検出されれば，抗血小板薬は使用せずに徹底したリスク管理が優先される場合もある．

> **便利メモ ①**
>
> アスピリン腸溶錠（バイアスピリン®）は効果発現まで数時間を要するが，かみ砕いて服用することで約15分で効果が発現する．初回投与時のみ，200 mgをかみ砕いて服用することを状況に応じて検討してもよい．

> **便利メモ ②**
>
> 本邦で行われた前向き多施設無作為化試験であるCSPS.com試験のサブ解析によると，2つ以上の動脈硬化危険因子を有する高リスクのラクナ梗塞患者において，アスピリンまたはクロピドグレルの単剤群に対して，アスピリンまたはクロピドグレルに，シロスタゾールを併用した場合，単剤群と比較して有意に脳梗塞再発を抑止した一方で，安全性の項目では有意差はなかった．この結果より，脳梗塞発症後早期に，アスピリンとクロピドグレルの併用で治療を開始し，3〜4週目にシロスタゾールを含めた併用に切り替えることで，脳梗塞再発リスクが高い場合には，脳梗塞慢性期においても，長期の抗血小板薬2剤併用療法の施行が可能となる．

文 献

- Wang Y, et al. *NEJM* **369**：11, 2013
- Johnston SC, et al. *NEJM* **379**：215, 2018
- Rahman H, et al. *Stroke* **50**：947, 2019
- Wang Y, et al. *JAMA* **316**：70, 2016
- Nishiyama Y, et al. *Stroke* **54**：697, 2023

（野村浩一）

BAD (branch atheromatous disease) 5-D

【脳梗塞の病型とその治療】

●ここがPOINT！
① 脳卒中データバンクなどの統計では「その他の脳梗塞」の割合は25％と多い．
② その中でもとくに重要な病態として，BAD（branch atheromatous disease），大動脈原性脳塞栓症と脳動脈解離を理解する必要がある．

はじめに

「その他の脳梗塞」（以下Others）は1990年NINDS（National Institute of Neurological Disorders and Stroke）-Ⅲ分類よりアテローム血栓性脳梗塞・心原性脳塞栓・ラクナ梗塞を除いた「その他」の脳梗塞がすべて含まれる．Othersに含まれる疾患は臨床現場で遭遇し，なかでも若年の患者ではしばしば認められる（図1）．

「その他の脳梗塞」に含まれる疾患

❶ BAD（branch atheromatous disease）

①概念・特徴：Caplanが提唱し，穿通枝の入口部の病変が原因となり起こる脳梗塞とされる．ラクナ梗塞と比較されることが多く，病変の最大径は15〜20 mm以上，全脳梗塞の10％がBADとされ，アジア人に多く，急性期の増悪が多い．ラクナ梗塞と比べ急性期治療にもかかわらず，運動の進行が起こり，転帰不良（mRS3以上）のことが多い．

Pitfall

大動脈原性塞栓症の診断基準が定まっていないものの，脳梗塞やTIA患者の大動脈弓部に動脈肥厚（IMT≧4.0 mm）があれば，独立した脳梗塞のリスクであることがわかっている．抗血小板薬導入（Class I & Evidence A），スタチン導入（Class I & Evidence B），ワルファリン（Class Ⅱb & Evidence C），外科的内膜剝離（Class Ⅲ & Evidence C）がAHAのガイドラインに示されている．

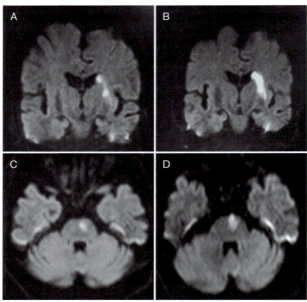

図1 BAD 典型症例の写真（A と B，C と D が同一患者）
A：入院時の DWI 冠状断にて左基底核に新規梗塞あり，B：発症3日目に拡大．
C：入院時の DWI 横断にて橋左に新規梗塞あり，D：発症3日目に拡大．

②画像上の特徴および診断

- 外側線条体動脈領域は基底核から放線冠にかけ，円錐状に広がり複数スライスに梗塞巣
- 橋傍正中動脈領域は橋底部腹側に接して橋背側にかけ，くさび状に広がる梗塞巣
- 穿通枝領域に梗塞巣ができる
- ラクナ症候群の症状をしめす
- 主幹動脈に 50% 以上の有意狭窄がない
- 心房細動がない

表1 「その他の脳梗塞」として鑑別にあがる疾患

機序	具体的な疾患
脳塞栓症	大動脈原性脳塞栓症 感染性心内膜炎 ESUS（embolic stroke of undetermined source）
アテローム血栓症	BAD（branch atheromatous disease）
非炎症性血管障害	胸部大動脈解離，脳動脈解離，もやもや病，可逆性脳血管攣縮症候群（reversible cerebral vasoconstriction syndrome, RCVS），片頭痛，薬物不正使用
炎症性血管障害	大動脈炎症候群，全身性エリテマトーデス，ANCA関連血管炎，PACNS（primary angitis of the central nervous system）
遺伝性疾患	MELAS（mitochondrial myopathy, encephalopathy, lactic acidosis, and stroke-like episodes），家族性脳アミロイドアンギオパチー，ホモシスチン症，ファブリー病，CADASIL（Cerebral Autosomal Dominant Arteriopathy with Subcortical Infarct and Leukoencephalopathy）

表2 BADとラクナ梗塞の比較

	BAD	ラクナ梗塞
大きさ	15 mm以上	15 mm以下
症状の変化	動揺，増悪しやすい	BADより増悪は少ない
症状増悪するタイミング	2～5日に増悪，梗塞拡大	2～5日に増悪することがある
閉塞血管	穿通枝起始部	穿通枝末梢部
治療	抗血小板薬	抗血小板薬
機能予後	不良のことが多い	良好

❷大動脈原性脳塞栓症

①概念・特徴

　Amarencoらが提唱し，大動脈プラークや潰瘍が塞栓源となる脳塞栓症とされる．上行大動脈や大動脈弓部の下行大動脈までの領域が塞栓源となる．多血管領域に多発する小塞栓画像を呈し，突発発症である．

②診断：以下の4項目すべてを満たす必要があり

> ・塞栓源となる心疾患がない
> ・梗塞の責任脳動脈や上流動脈に不安定プラークや狭窄性病変を認めない
> ・頭部MRIにて異なる血管領域に散在する小さい皮質梗塞がある
> ・経食道心エコーにて上行大動脈から左鎖骨下動脈分岐近傍の下行大動脈に厚さ4mm以上のプラーク，もしくは可動性プラーク，もしくは2mm以上の潰瘍がある

※上位3項目がある症例では，禁忌がないことを確認し，積極的に経食道心エコーを施行．
※経食道心エコーができない場合には，大動脈弓部のCT angiographyも有用．

③脳動脈解離（☞**各論 5-G**）

文 献
- Caplan LR, et al. *Neurology* **39**：1246, 1989
- Kernan WN, et al. *Stroke* **45**：2160, 2014
- Yamamoto Y, et al. *J Neurol Sci* **304**：78, 2011

(阿部　新)

【脳梗塞の病型とその治療】
奇異性脳塞栓症　5-E

●ここが POINT！
❶ 静脈系の血栓が右左シャント疾患を介して脳動脈に流入するために発症する脳塞栓症は，奇異性脳塞栓症と呼ばれる．
❷ 奇異性脳塞栓症の原因となる右左シャントは卵円孔開存症（PFO）の頻度が高いが，心房中隔欠損症，肺動静脈瘻（PAVF）なども知られる．
❸ 奇異性脳塞栓症の診断には経頭蓋超音波や経食道心エコーによる右左シャント疾患の評価に加え，深部静脈血栓症や肺塞栓症の評価が必要である．
❹ 奇異性脳塞栓症の薬物療法は深部静脈血栓症や肺塞栓症を認める症例では抗凝固療法を行い，認めない症例では抗血小板薬を用いる．
❺ カテーテルによる卵円孔開存閉鎖術群について大規模臨床試験の結果により薬物治療群と比べ脳梗塞の再発率が低いことが報告され，注目されている．
❻ 卵円孔の外科的閉鎖術の有用性は確立していない．

奇異性脳塞栓症とは
❶ 静脈系の血栓が卵円孔開存症（PFO）に代表される右左シャントを介して脳動脈に流入することにより発症する脳塞栓症は，奇異性脳塞栓症と呼ばれる．
❷ 奇異性脳塞栓症は一般に若年性脳梗塞の原因のひとつとして知られるが，高齢者における脳梗塞の原因としても比較的頻度が高い．
❸ 危険因子を合併しないラクナ梗塞や一過性脳虚血発作，悪性腫瘍に伴う脳梗塞の一因となる可能性なども指摘されている．

奇異性脳塞栓症の診断基準・頻度
❶ PFO は健常人においても 20～30％程度の合併があり，PFO の

表1 奇異性脳塞栓症の診断基準

① 右左シャントの存在
② 画像上,脳塞栓症と診断できる
③ 他の塞栓源がない
④ 深部静脈血栓症,肺塞栓症の存在

①+②+③+④:確実な奇異性脳塞栓症
①+②〜④のうち2個:奇異性脳塞栓症疑い
①+②〜④のうち1個:奇異性脳塞栓症の可能性あり
①のみ:右左シャントのみ

存在のみでは病的意義ははっきりしない.

❷当科では脳梗塞症例でPFOの合併を認めた場合,表1に示す診断基準を用いて奇異性脳塞栓症の診断を行っている.

❸急性期脳梗塞連続例におけるPFOの陽性率は20%,奇異性脳塞栓症は5%と報告されている.

❹奇異性脳塞栓症の可能性が高い症例で深部静脈血栓症が確認できないために確定診断に至らない症例も少なくなく,奇異性脳塞栓症の診断の難しい点である.

診断のために必要な検査 (☞各論7-E)

❶右左シャント疾患の診断

経頭蓋超音波検査(TCD)は急性期に短時間で簡便に右左シャントの評価が可能で,スクリーニング検査に適している.確定診断には,経食道心エコー(TEE)や造影CTなどが必要である.

❷深部静脈血栓症および肺塞栓の診断

深部静脈血栓の評価には下肢静脈エコーあるいは造影CTを行う.造影CTにより肺塞栓の有無についても同時に評価可能である.

経食道心エコー図検査 (☞各論7-Eの表3)

❶PFO径がある程度大きければ,Bモードにて検出が可能で(図1A,矢印),カラーモードを併用するとシャント血流を確認することが可能である(図1B).しかし,実際には,バルサルバコントラスト法によってのみ診断可能な症例が多い(図1C).

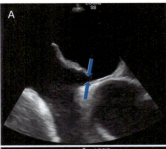
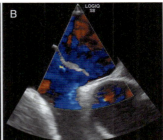
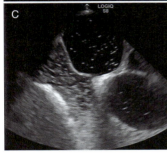

図1 経食道心エコー図検査による卵円孔開存の評価
A：Bモード．矢印は卵円孔開存の最大開存口径を示す．
B：カラードプラ法．卵円孔開存と右房から左房へ流入する血流を認める．
C：Bモード，バルサルバコントラスト法．卵円孔開存と右房から左房へ流入する粒状エコー認める．

❷バルサルバ負荷解除後，右房内に充満したバブルと同程度（サイズおよびエコー輝度）の粒状エコーが，左房内に見られた場合に右左シャント陽性と診断する（図1C）．

造影CT

❶造影CTにより，深部静脈血栓症，肺塞栓症およびPAVFの評価が可能である．

❷TCDによるスクリーニング検査によりPAVFが疑われる場合には，確定診断のために造影CTを行う（図2A，B）．PAVFは常時右左シャントが存在し，深部静脈血栓症合併例では，特に再発の可能性が高いため，可及的速やかにコイル塞栓術を行う必要がある（図2C，D）．

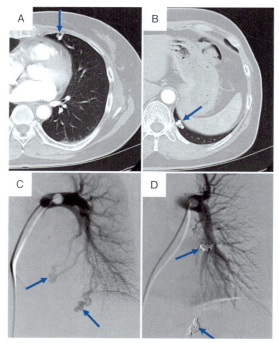

図2 肺動静脈瘻合併例の胸部造影CTと肺動脈造影
A, B：胸部造影CT．左下葉に血管の瘤状の拡張を認める（矢印）．
C：左肺動脈造影 正面像．左肺動脈末梢に肺動静脈瘻を認める（矢印）．
D：左肺動脈造影 正面像．肺動静脈瘻のコイル塞栓術後（矢印）．

奇異性脳塞栓症の治療

❶一次予防

健常人におけるPFOの有病率は20〜30％と報告されているが，PFOに対する脳梗塞の一次予防は行われていない．

❷内科的治療による二次予防

日本脳卒中学会の脳卒中治療ガイドライン2015ではDVTを合

併する場合はワルファリンあるいはDOACを用いた抗凝固療法が，DVT合併がない場合には抗血小板療法が推奨されている．

❸カテーテルを用いた卵円孔閉鎖術

　多施設共同研究の結果によるとシャント量が多いあるいは心房中隔瘤を伴うPFOによる脳梗塞において，カテーテル閉鎖術群は薬物治療単独群と比べ再発率が少なく，二次予防におけるカテーテル閉鎖術の有用性が報告された．カテーテル閉鎖術群では心房細動が増加するが多くは一過性である．

❹本邦におけるカテーテルを用いた卵円孔閉鎖術

・60歳未満のPFOの関与が考えられる潜因性脳梗塞例（奇異性脳塞栓症確診例を含む）に対して，経皮的卵円孔閉鎖術を行うことが推奨される（推奨度B：脳卒中ガイドライン2021）．

・特にシャント量が多いPFOや心房中隔瘤を合併するPFOなど再発リスクが高いとPFOを有する場合，特に経皮的卵円孔閉鎖術が勧められる（推奨度A：脳卒中ガイドライン2021）．

・本邦では経皮的卵円孔閉鎖術にAMPLATZER™ PFO Occluderが使用されている（図3）．

・形状記憶合金のワイヤーを編み込んだ自己展開式の閉鎖機器であり卵円孔開存部に合わせてサイズを選択する．

・60歳以上のPFOの関与が考えられる潜因性脳梗塞例（奇異性脳塞栓症確診例を含む）に対する経皮的卵円孔閉鎖術の有効性は確立していない．

❺肺動静脈瘻による奇異性脳塞栓症の再発予防に経皮的カテーテル塞栓術を行うことは妥当である（推奨度B：脳卒中ガイドライン2021）．

❻外科的卵円孔閉鎖術

　卵円孔の外科的閉鎖術については，有用性は確立していない．

 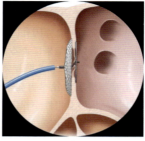

図3　経皮的卵円孔閉鎖デバイス AMPLATZER™ PFO Occluder
（アボットメディカルジャパン合同会社）

文献

- Ueno Y, et al. *J Neurol* **254**：763, 2007
- Kobayashi K, et al. *Cerebrovasc Dis* **27**：230, 2009
- Mas JL, et al. *New Eng J Med* **377**：1011, 2017
- Klotz S, et al. *J Card Surg* **20**：370, 2005
- 日本脳卒中学会．脳卒中ガイドライン 2021．p.109-111

（松本典子）

ESUS（塞栓源不明脳塞栓症） 5-F

【脳梗塞の病型とその治療】

●ここが POINT！
① ESUS（塞栓源不明脳塞栓症）は潜因性脳卒中（原因不明の脳梗塞）の大半を占めていると考えられている．
② ESUS の原因として発作性心房細動の検出が重要であり，植込み型心電図記録計の適応を考慮する．

はじめに

- 発症機序を特定できない潜因性脳卒中（Cryptogenic ischemic stroke）には塞栓性機序に基づくものが多く占めていると考えられ，2014 年に Hart らが Embolic stroke of undetermined source（ESUS：塞栓源不明の脳塞栓症）の診断基準を提唱した（表 1）．
- ESUS の原因を表 2 に示す．

潜因性脳梗塞の原因としての心房細動の重要性

- 潜因性脳梗塞の大半は塞栓源不明脳塞栓症と考えられるが，そのなかで潜在性発作性心房細動（Covert paroxysmal atrial fibrillation）が重要である．潜在性心房細動は測定時間を延ばすほど検出されやすい．
- 脳梗塞・一過性脳虚血発作における潜在性心房細動診断を評価

表 1 ESUS の診断基準

- 頭部 CT または MRI でラクナ梗塞ではない病巣の検出 [※1]
- 虚血病巣の責任血管に 50％以上の狭窄病変がない
- 高リスク塞栓源心疾患がない [※2]
- 脳梗塞の原因となる他の疾患がない [※3]

[※1] ラクナ梗塞：発症から 24～48 時間経過した時点で，頭部 CT で 15 mm 以下，MRI（DWI）で 20 mm 以下の皮質下にある脳梗塞
[※2] 高リスク塞栓源心疾患：永続性 or 発作性心房細動，持続性心房細動，心内血栓，置換弁，心房粘液腫もしくは他の心臓腫瘍，僧帽弁狭窄症，発症 4 週間未満の心筋梗塞，30％未満 n 左室駆出率，弁疣贅，感染性心内膜炎
[※3] 他の疾患：血管炎，動脈解離，片頭痛や血管攣縮，不正な薬物使用など

(Hart RG, et al. *Lancet Neurol* **13**：429, 2014 より)

表2 ESUSの原因

- 低リスクの心内塞栓源
  僧帽弁
    逸脱を伴った粘液腫性弁膜症,僧帽弁輪石灰化
  大動脈弁
    大動脈弁狭窄症,石灰化大動脈弁
  非心房細動性の心房性不整脈と血流の鬱滞
    心房性無収縮と洞不全症候群,心房性頻拍,心房中隔瘤,左心耳の流速低下,もやもやエコーを伴った血流の鬱帯,心房の構造以上,キアリ網
  左室
    中等度収縮期 or 拡張期機能異常,心室性非圧縮(non-compaction),心内膜の線維化
- 潜在性発作性心房細動
- 癌
  潜在性非細菌性血栓性心内膜炎,潜伏癌による腫瘍塞栓
- 動脈原性塞栓
  大動脈弓プラーク,脳動脈に狭窄のない潰瘍を伴ったプラーク
- 奇異性脳塞栓症
  卵円孔開存,心房中核瘤,肺動静脈瘻

(Hart RG, et al. Lancet Neurol 13:429, 2014 より)

> **便利メモ**
>
> **植込み型心電図記録計**
>
> 潜因性脳梗塞患者における心房細動の検出に保険適用となり,2016年9月1日からReveal LINQ®(リビールリンク)(日本メドトロニック(株))の販売が全国で開始された.Reveal LINQ®は胸部皮下に挿入し最長3年間の持続的なモニタリングが可能である.なお,Reveal LINQ®は1.5 or 3テスラのMRI検査も可能である.

した50試験,11,658症例を対象としたメタ解析では,心電図をモニタリングすることで,23.7%の患者で潜在性心房細動を同定できることが示された.
- Holter心電図/体外式装着型記録計/植込み型記録計などを用いて精査する.
- 2016年5月,日本脳卒中学会から「植込み型心電図記録計の適応となり得る潜因性脳梗塞患者の診断の手引き」が作成された(表

表3　心房細動検出を目的とする植込み型心電図記録計検査の適応となり得る潜因性脳梗塞の診断基準

1. 単一穿通枝領域梗塞巣（ラクナ梗塞など）でないことの MRI での同定
2. 梗塞巣に関連する頸部動脈または脳動脈の閉塞ないし 50％以上の狭窄が存在しない
3. 高リスク塞栓源心疾患※が存在しない
4. 奇異性脳塞栓症の確例でない
5. 大動脈原性脳塞栓症の確診例でない
6. 脳梗塞を起こし得る特殊な原因（血管炎，動脈解離，片頭痛，血管攣縮，薬剤不正使用，血栓性素因など）が存在しない

※高リスク塞栓源心疾患
　左房血栓，左室血栓，心房細動，発作性心房細動，洞不全症候群，持続性心房粗動，1ヵ月以内の心筋梗塞，リウマチ性僧帽弁・大動脈弁疾患，機械弁，28％未満の低駆出率を伴う陳旧性心筋梗塞，30％未満の低駆出率を伴う鬱血性心不全，拡張型心筋症，非感染性心内膜炎，感染性心内膜炎，乳頭状弾性腫，左房粘液腫

3，図1）．

ESUS の治療

- ESUS に対する抗血栓療法について，確立したエビデンスは存在しない．
- ESUS の再発予防として，アスピリンと DOAC を比較する2つの大規模な前向き試験（NAVIGATE-ESUS[*1]，RE-SPECT ESUS[*2]）の結果が近年続けて出た．
- NAVIGATE ESUS はリバーロキサバン群で大出血が有意に多く発現していたことから，平均2年間観察予定だったところを11カ月の時点で中止となった．
- RE-SPECT ESUS は予定通り19カ月間観察され，脳卒中再発がダビガトラン群でアスピリン群よりやや少なかったものの両群間に有意差はなく，大出血も両群間で差はなかった．

[*1] NAVIGATE-ESUS（New Approach Rivaroxaban Inhibition of Factor Xa in a Global Trial versus ASA to Prevent Embolism in Embolic Stroke of Undetermined Source）
[*2] RE-SPECT ESUS（Randomized, Double-Blind, Evaluation in Secondary Stroke Prevention Comparing the Efficacy and Safety of the Oral Thrombin Inhibitor Dabigatran Etexilate versus Acetylsalicylic Acid in Patients with Embolic Stroke of Undetermined Source）

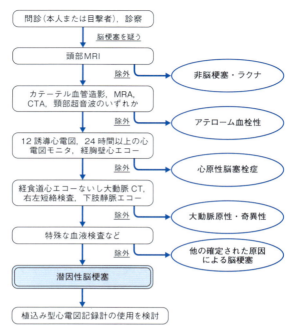

図1 植込み型心電図記録計の適応となり得る潜因性脳梗塞患者の診断手順

- 以上より，アスピリンを上回る直接作用経口抗凝固薬（DOAC）の有用性は証明されなかった．そして最近，ARCADIA 試験[*3]の結果が出たが，同様に有用性は示されなかった．
- わが国の脳卒中治療ガイドライン2021では，塞栓源不明の脳塞栓症（ESUS, Cryptogenic stroke）の項に，「1. 潜因性脳梗塞，塞栓源不明の脳塞栓症に対する抗血栓療法として，アスピリンを選択することは妥当である（推奨度Bエビデンスレベル中）」に加え，「2. 潜因性脳梗塞，塞栓源不明の脳塞栓症にダビガトラン，リ

[*3] ARCADIA（AtRial Cardiopathy and Antithrombotic Drugs In prevention After cryptogenic stroke randomised trial）試験

バーロキサバンは勧められない（推奨度 D エビデンスレベル中）」との記載が追加された．

- 当院では可能であれば，急性期はアスピリン 200 mg/日とクロピドグレル 75 mg/日を投与し，その間に検査を進めている．

文　献

Hart RG, et al. *Lancet Neurol* **13**：429, 2014
Ueno Y, et al. *J Neurol* **254**：763, 2007
Robart GH, et al. *N Engl J Med* **7**：378, 2018
Diener HC, et al. *N Engl J Med* **380**：1906, 2019
Li L, et al. *Lancet Neurol* **14**：903, 2015

（西村拓哉）

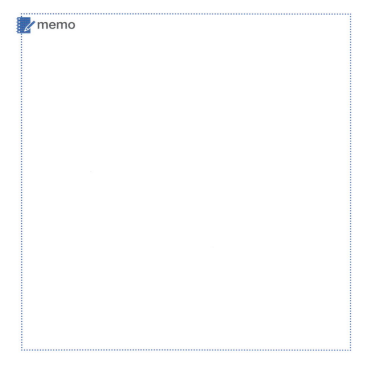

5-G 【脳梗塞の病型とその治療】 脳動脈解離

●ここが POINT！
① 脳卒中における脳動脈解離の占める割合は全体で約1%と少ないが，50歳以下では約3～4%と若年者で多い．
② 脳動脈解離による脳卒中は脳梗塞とくも膜下出血が多い．
③ 部位は頭蓋内椎骨動脈が多い．
④ 特徴的な画像所見とその変化から診断する．

特 徴

- 若年性脳卒中の原因であり，脳梗塞は40歳代，くも膜下出血は50歳代がピーク．
- 脳動脈解離による脳卒中は脳梗塞（約50%）とくも膜下出血（約40%）が多い．
- 脳梗塞，くも膜下出血とも頭蓋内椎骨動脈が多いが，どの部位にも生じる．
- 急性発症の頭痛，脳幹，小脳症状が多い．
- 病理学的には1～2か月で修復され安定する．
- 脳動脈解離による脳梗塞は一般的に予後良好．くも膜下出血も約半数は予後が良いが，予後不良（mRS 5-6）の割合も約30%と高い．

画像診断

① 脳血管撮影所見：intimal flap（真腔と偽腔の間の隔壁），もしくは double lumen, pearl and string sign（瘤様の拡張と狭窄），string sign（一定の長さを持つ鋸歯状の狭窄）のいずれかの所見
② MRI, MRA 所見：intimal flap や double lumen
③ 経時的な観察より以下のいずれかを認める．
　① 脳血管撮影所見：pearl sign（局所的な拡張），tapered occlusion（先細り状の閉塞）
　② MRA 所見：pearl and string sign, string sign, pearl sign,

tapered occlusion
③MRI T1強調画像所見：壁在血種（intramural hematoma）を示す crescent sign（真腔を取り囲む三日月型の高信号）

治療

- 脳梗塞発症例は抗血小板薬を使用することが多い．頸部内頸動脈解離など解離が広範囲で血腫による影響が強い症例では抗凝固薬を使用することもある．ただし，明らかな瘤形成を伴う場合は使用しない．急性期の血栓溶解療法や血管内治療の有効性，安全性は不明である．

便利メモ

脳動脈解離による脳梗塞に対する急性期の再開通療法の意義は現在のところ明らかでない．脳卒中治療ガイドライン 2021 には血栓溶解療法について，「虚血発症の頭蓋外脳動脈解離症例に対して行うことを考慮してもよいが頭蓋内では十分な根拠がない．」と記載されている．大動脈解離に伴う脳動脈解離ではその使用は禁忌である．一方で，血栓回収術を含む血管内治療による血行再建についてはガイドラインに明らかな記載はない．治療当初は原因が脳動脈解離とわからない症例がほとんどであるため，治療中のデバイスの挙動に注意しながら診断し，治療を行う必要がある．

Pitfall

- 頭痛を伴わない症例も少なくない（約 20〜30％）．
- 頭蓋内の脳動脈解離も稀ではないので，特に動脈硬化に非典型的な部位（前大脳動脈など）の狭窄は常に脳動脈解離も疑う．
- 発生より 2〜3 週間は不安定で形状変化も生じやすいため注意して観察．
- 単回の画像検査では典型的な画像所見を呈しないことも多い．画像所見の変化も診断に重要．
- MRA の壁在血腫（intramural hematoma）は急性期（発生 7 日以内）にはみられないことも多い．
- 稀ではあるが，非出血発症で遅発性にくも膜下出血をきたすこともある．拡張所見を伴う症例は注意．

- くも膜下出血発症例は急性期の再破裂率が高い．緊急で血管内治療(internal trapping, stent assist coiling)あるいは外科手術(trapping, clipping, bypass)による処置が必要である．
- 頭痛のみの症例，偶発的に発見された例に抗血栓薬は使用しない．

文献

- 峰松和夫．若年者脳卒中診療の手引き．国立循環器病センター内科脳血管部門，2003，p.85-90.
- 国循脳卒中データバンク2021編集委員会．脳卒中データバンク2021．中山書店，2021，p.58-61.
- 日本脳卒中学会．脳卒中治療ガイドライン2021．p.202-211.
- Campo-Caballero D, et al. *Neurologia*. **13**；74. 2022.

（神谷雄己）

【その他の脳血管障害】
若年性脳梗塞の特徴　6-A

●ここがPOINT！
1. 若年性脳梗塞の主な原因は，動脈解離と奇異性脳塞栓症である．
2. 初療では突発性の頭痛や後頸部痛の有無を必ずチェックし，あれば脳動脈解離の存在を疑い迅速にMRAを撮影する．
3. もやもや病，抗リン脂質抗体症候群，血液凝固異常，悪性腫瘍，血管攣縮，血管炎の存在も念頭において診療にあたる必要がある．
4. 非若年者に比べて動脈硬化性疾患や非弁膜症性心房細動を有する例は少ないが，動脈硬化の危険因子を有する若年性脳梗塞例では積極的な再発予防が必要である．
5. CADASIL, CARASIL, Fabry病といった遺伝性疾患も原因となる．

はじめに
- 若年性脳梗塞については，発症年齢においてまだ一定の見解はないが，概ね50歳以下の発症を若年性の定義とすることが多い．
- 日本における後ろ向き調査では，全脳卒中に占める50歳以下の若年性脳卒中は8.9％を占め，そのうち脳梗塞は36.7％であった．脳梗塞の病型（NINDS Ⅲの病型別）では，非若年者では心原性脳塞栓症とアテローム血栓性脳梗塞が多く，若年者では「その他の脳梗塞」の頻度が25.1％と多かった（非若年者では2.8％）．
- 若年性脳梗塞の原因としては，動脈解離，もやもや病，抗リン脂質抗体症候群が上位を占めているが，卵円孔開存に伴う奇異性脳塞栓症も原因として注意すべきである（表1）．

若年性脳梗塞の原因疾患
表1を参照のこと．

表1 若年性脳梗塞の原因疾患

血管病変	A．非炎症性病変 　動脈解離，もやもや病，線維筋形成不全，Marfan症候群，外傷，放射線治療後，CADASIL，CARASIL，Fabry病，ホモシスチン尿症，高ホモシスチン血症 B．炎症性病変 　1）非感染性：多発性血管炎，膠原病に伴う血管炎，ベーチェット病，アレルギー性血管炎，サルコイドーシス，中枢神経系の原発性血管炎 　2）感染性：結核，梅毒，HIV，帯状疱疹ウィルス，クラミジア，ライム病，ボレリア症
奇異性脳塞栓症	卵円孔開存，心房中隔欠損症，肺静脈血栓症，肺動静脈奇形
心原性脳塞栓症	心房細動，感染性心内膜炎，左房粘液腫，僧帽弁逸脱症，拡張型心筋症，人工弁置換術
血液疾患	A．赤血球・血小板・血液粘度異常 　多血症，鎌状赤血球症，サラセミア，血小板増多症，血小板機能亢進，血栓性血小板減少性紫斑病，骨髄腫，マクログロブリン血症，クリオグロブリン血症 B．凝固・線溶系異常 　抗リン脂質抗体症候群，播種性血管内凝固（DIC），プロテインC欠乏症，プロテインS欠乏症，アンチトロンビンIII欠乏症
悪性腫瘍関連	トルソー症候群，非細菌性血栓性心内膜炎（NBTE），intravascular maliganant lymphomatosis（IML）
血管攣縮	片頭痛，くも膜下出血後，可逆性脳血管攣縮症候群（RCVS），薬剤（エルゴタミン製剤，トリプタン製剤，エフェドリン，コカインなど），子癇，ポルフィリア
その他	経口避妊薬（ピル），妊娠，脳静脈洞血栓症

50歳以下の脳卒中を疑った際の初療時のプロセス

❶以下の項目について問診する．

①頭痛の有無（とくに後頸部痛）→脳動脈解離（☞各論 5-G）

②発症前の行動・姿位の問診（☞各論 5-E）

③動脈硬化性疾患の危険因子（HT，DL，DM，喫煙）の有無

④以下の既往歴の有無（※カッコ内はそれによって疑うべき疾患）

　片頭痛（CADASIL，Fabry病など），悪性疾患，リウマチ膠原

表2 採血項目 (☞各論7-B)

生化学	CRP, 血沈, 血糖, HbA1c, LDLコレステロール, HDLコレステロール, 中性脂肪, 脂肪酸4分画, Lp (a), 総ホモシステイン, TSH, FreeT3, FreeT4
免疫	抗核抗体, 抗SS-A抗体, 抗SS-B抗体, 抗Sm抗体, MPO-ANCA, PR3-ANCA, 抗カルジオリピン抗体, 抗β2-グリコプロテイン1抗体 (IgG, IgM), ループスアンチコアグラント
凝固	PT, APTT, AT-III活性, フィブリンモノマー複合体, D-dimer, プロテインC, プロテインS,
感染	HIV, PRP, TPLA,
尿沈渣	マルベリー小体, マルベリー細胞 (☞便利メモ)

病,放射線治療(頸動脈狭窄や閉塞),腹部手術歴(ポルフィリア),流産の有無(抗リン脂質抗体症候群),四肢しびれ疼痛の既往(Fabry病)など

⑤家族歴:脳卒中,片頭痛,精神疾患,若年性認知症(いずれもCADASIL,Fabry病)

⑥内服歴:経口避妊薬,片頭痛薬(エルゴタミン製剤,トリプタン製剤),コカインなどの薬物

⑦妊娠の有無

❷後方循環系の病変を疑った場合には必ず脳MRIでMRA(BPASを含む)と可能であれば脳幹部thin sliceも撮影する.BPASにより椎骨動脈解離が診断できる例がある(☞各論7-D).

❸若年性脳梗塞の原因疾患として,卵円孔開存による奇異性脳塞栓症も考慮しなければならない.初療時では,まず経胸壁心エコー検査を用いたbubble studyで右左シャントの有無を確認する(☞各論7-E).右左シャントが陽性であれば,さらに経食道心エコー検査によって卵円孔開存やその他のシャントの存在を診断する.

❹血液尿検査では表2に示す項目を調べる.

再発予防治療

50歳未満の脳梗塞例に対して,心血管系のイベント発生率を前

> **便利メモ**
>
> Fabry病患者の尿沈渣中には灰白色で透明の渦巻状～円状の層を示す脂肪成分が観察され，これをマルベリー小体（桑実小体）といい，マルベリー小体が蓄積した上皮細胞をマルベリー細胞（桑実細胞）という．Fabry病の早期発見には，これらの検出が重要である．我々の施設では，Fabry病を疑った患者の尿沈渣検査を依頼する際に，依頼コメント内の「マルベリー小体検索」という項目にチェックを入れることで熟練した検査技師が検出するシステムを導入している．

向きに調査した結果では，高血圧や脂質異常症など従来の動脈硬化の危険因子を有する症例では，積極的な再発予防が必要であることが明らかになった．しかし，その他の原因によるものでは個々の症例ごとに対策する必要がある．

文献

- 峰松一夫・他．脳卒中 **26**：331，2004
- Naess H, et al. *Neurology* **65**：609, 2005

（仁藤智香子）

脳卒中様の画像を呈する疾患　6-B
【その他の脳血管障害】

●ここが POINT！
1. 脳梗塞と鑑別がつきにくい疾患は多く存在する．
2. MRI 拡散強調画像で高信号を呈する疾患も多く，症状と合わせ，幅広く鑑別する．
3. 疾患によっては脳卒中と同様に早急な対応が必要となるため，各専門科と速やかに連絡を取ることが好ましい．

はじめに

- 画像として脳血管障害との鑑別が困難な疾患も多く存在する．本項では，脳血管障害の鑑別として上げられ得る疾患に関し，その画像の特徴を列挙する．
- 造影 MRI など，通常は急性期の脳血管障害の評価の一環としては行わない画像は解説のみで掲載はしていない．そのため，ワンポイントの解説も付けたが，詳細は成書を参照されたい．また，対応に関しては，神経救急として早急な対応が必要な項目もあるため，即対応すべき疾患では（☞待てない！）と記載した．

血管障害

❶Fabry 病（図 1）

＜画像のポイント＞
- 頭部 MRI において脳梗塞巣の他，多数の白質病変を認める．

＜ワンポイント・アドバイス＞
- X 染色体劣性遺伝性疾患．
- 下腹部の被角血管腫，慢性腎臓病，自律神経症状，難聴や下肢痛などの合併がみられやすい．
- 酵素補充療法により治療可能な疾患であるため，本疾患を疑った場合には，詳細な家族歴の聴取や遺伝子検査を検討する．

142 ■その他の脳血管障害

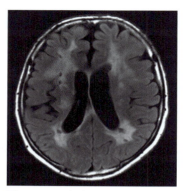

図1 Fabry病（MRI FLAIR画像）

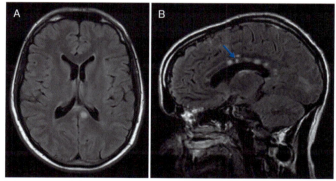

図2 Susac症候群
（A：MRI FLAIR画像 水平断，B：MRI FLAIR画像 矢状断，本文参照）
（画像A：Grygiel-Górniak B, et al. *Eur Rev Med Pharmacol Sci* **19**：1729, 2015 より，画像B：Rennebohm R, et al. *J Neurol Sci* **299**：86, 2010 より）

❷Susac症候群（図2）
＜画像のポイント＞
- FLAIR/T2強調画像で高信号，T1強調画像でsnowballと言われる球形の小さな病変が多発する（図2A，B）．
- 矢状断では，snowballに加え，脳梁のごく小さな病変（矢印）

は直線状に見えることからspokeとも言われている（図2B）．

<ワンポイント・アドバイス>
- 20〜40歳代の女性に好発する．網膜動脈分枝閉塞症，難聴，脳症が三主徴とされている．
- 自己免疫性の血管内皮細胞障害とされており，病理学的には炎症が生じ，小さな虚血が起こる
- 免疫抑制剤による治療が奏功する．

❸CADASIL（☞各論6-H）

❹脳アミロイドアンギオパチー関連炎症（図3）

<画像のポイント>
- CADASILとは異なり，皮質下に多発する微小出血や白質の腫脹が特徴．
- T2*強調画像や磁化率強調画像が必須で，後頭葉や側頭葉に好発する多数の微小出血がみられる．
- クモ膜下出血，硬膜下出血，髄膜の増強効果を生じることがあり，脳アミロイドアンギオパチー関連炎症が疑われる場合には髄膜の増強効果もみられる．

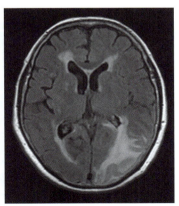

図3　脳アミロイドアンギオパチー関連炎症
（MRI FLAIR画像）

＜ワンポイント・アドバイス＞
- 脳血管へのアミロイド沈着が病態で，全身型のアミロイドーシスの合併はほとんどない．
- 免疫抑制療法にて改善しうる．
❺ 可逆性脳血管攣縮症候群（reversible cerebral vasoconstriction syndrome：RCVS）（☞**各論6-G**）

脱髄疾患

❶ 多発性硬化症（multiple sclerosis：MS）（図4）

＜画像のポイント＞
- 症状が脳卒中に似ていることもあり，多彩な画像所見がある．急性期の活動性病巣は拡散強調画像で高信号を示すので判断には注意を要する．
- 基本的にはMRI T2強調画像で高信号を示す部位が複数みられる（空間的多発）．特異性は低いが，脳室に付着し，脳室から垂直外側方向へ糸を引くような病巣（ovoid lesion）がよく見られる（図4A）．
- 組織破壊の強い病巣はT1強調画像で低信号（black hole）になる．

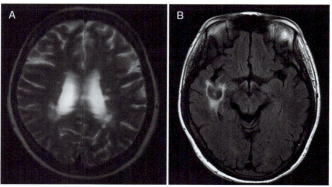

図4　多発性硬化症（MS）
（A：MRI T2強調画像，B：MRI FLAIR画像，本文参照）

- 新規病巣は造影効果を示し，その後，炎症が周辺に広がるためリング状に変化する．造影効果は，リングが一部途切れた形が典型例（open ring sign）．
- 非典型的な MS の病変，特に腫瘍性の病変では境界不明瞭な造影効果を示すことが多い（Tumefactive MS）（図 4B）.
- u-fiber 直下の病巣は juxtacortical lesion といわれ，脳血管障害では起こりにくい病巣であり，比較的診断的価値は高い
- 側脳質壁から垂直方向に広がる脳梁病変（callosal septal interface lesion/subcortical striation）は，一般的には血管病変の頻度が低い部位なので，感度・特異度共に高いとされる．

＜ワンポイント・アドバイス＞

- 病巣は脊髄にも生じやすい．
- 再発が強く疑われれば，症状に対応する新規発症病巣が明らかでなくとも，メチルプレドニゾロン投与を考慮する．(🚨**待てない！**)
- 慢性期再発予防に関しては，神経内科専門医へコンサルトする

❷視神経脊髄炎（neuromyelitis optica：NMO）/視神経脊髄炎関連疾患（NMO spectrum disorder）（図 5）

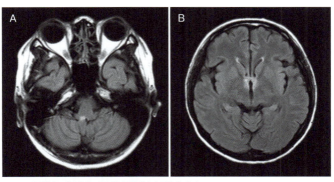

図 5 視神経脊髄炎/視神経脊髄炎関連疾患
（A，B：MRI FLAIR 画像，本文参照）

<画像のポイント>
- NMO の脳病変は，アクアポリン 4 が多く発現する第三・四脳室周囲，延髄最後野（難治性吃逆，嘔吐：図 5A），視床下部（過眠症：図 5B）や錐体路に好発する．
- このように第三脳室を越えて横断するような両側視床下部を連結する帯状構造を interhypothalamic adhesion（IHA）という．
- 造影効果は，境界不明瞭で斑状の多発造影病変が典型例（cloud-like enhancement）．
- 視神経病変は片側の全長の 1/2 以上にわたる T2 強調画像で高信号で腫大することが多く，視交叉に好発する．
- 脊髄病変は 3 椎体以上の長大で中央部（中心灰白質）に大きな T2 強調画像で高信号病変．

<ワンポイント・アドバイス>
- 病巣は視神経，脊髄だけでなく，脳病変もきたす．
- 体温調節異常や過眠症など視床下部症状や，難治性吃逆など延髄症状を呈する場合は，NMO を念頭に入れ抗アクアポリン 4 抗体を測定する．
- 急性期治療は，早期にステロイドパルス療法を行い，無効時には血漿交換療法を行う．（☞待てない！）

❸抗ミエリンオリゴデンドロサイト糖蛋白（myelin oligodendrocyte glycoprotein：MOG）抗体関連疾患（図 6）

<画像のポイント>
- 多彩な画像所見を呈する疾患であり，脱髄性疾患だけでなく，画像所見では，血管障害との鑑別も重要となる．
- 病型としては視神経脊髄炎関連疾患，視神経炎，脊髄炎，非典型的 MS，自己免疫性脳炎などが知られている．急性散在性脳脊髄炎（ADEM）様な画像所見や（図 6A），抗 MOG 抗体陽性皮質性脳炎（図 6B）として，痙攣発作を主要症候の一つとし，特徴的な大脳皮質病変を呈することもある．
- 血管障害との鑑別は，MS や NMO 様な所見とラクナ梗塞の鑑別だけに限らない．特に皮質性脳炎（図 6B）を呈する病型では，

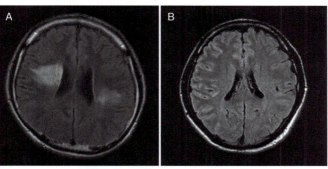

図6　**MOG抗体関連疾患**（A，B：MRI FLAIR画像．本文参照）

皮質が浮腫様に見えるため，大血管の急性閉塞症例との鑑別も必要である．

＜ワンポイント・アドバイス＞
- 抗MOG抗体関連疾患群として，多くの病型を呈する事が知られている．
- 急性期，慢性期ともに，それぞれに対する治療を求められるため，本疾患を少しでも疑ったら，積極的に抗MOG抗体を測定することが重要である．

❹急性散在性脳脊髄炎（acute disseminated encephalomyelitis：ADEM）（図7）

＜画像のポイント＞
- T2強調画像，FLAIR像で皮質下白質，大脳基底核，内包，脳幹，小脳，視神経に多発する非対称性の高信号病変を示す．
- 拡散強調画像では急性期～亜急性期に拡散制限を示すことがある．
- 皮質下白質，深部灰白質（視床・基底核），脳室周囲白質が多く，脳梁病変は少なく造影効果は認められないことが多い．

＜ワンポイント・アドバイス＞
- 先行感染後やワクチン接種後2～30日後に急性の経過で発症する．
- 画像所見は臨床経過に遅れて出現することが多く，急性期の

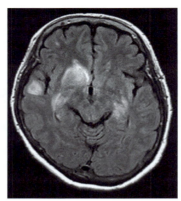

図7　急性散在性脳脊髄炎（ADEM）
（MRI FLAIR 画像）

MRIで異常がみられなくてもADEMを否定する根拠とはならないため，画像の再検が必要である．

感染症・血管炎など

❶ヘルペス脳炎（図8）

＜画像のポイント＞

- 典型的な早期の変化としては，頭部MRIにて帯状回と内側頭葉にT1強調画像で低信号，T2強調画像とFLAIR像，拡散強調画像にて高信号を示す．
- 83％〜96％で側頭葉に，4％〜17％で側頭葉以外に異常を認め，61％〜79％で片側性に，20％〜21％で両側性に異常を認める．
- 拡散強調画像は単純ヘルペス脳炎の早期変化を捉えることが可能である．
- $T2^*$は早期の出血性病変の検出に有用である．

＜ワンポイント・アドバイス＞

- 発熱，頭痛，上気道症状で発症し，意識障害，痙攣，異常行動など多彩な高次脳機能障害を呈する．
- 未治療では死亡率は70％以上と高く，アシクロビルを速やかに

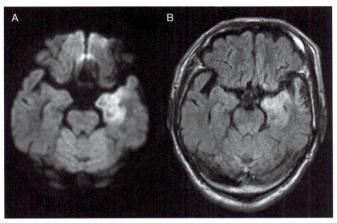

図8 ヘルペス脳炎（A：MRI 拡散強調画像，B：MRI FLAIR 画像）

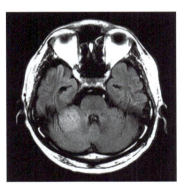

図9 神経サルコイドーシス
（MRI FLAIR 画像）

開始することにより致死率や後遺症率が改善するため，早期に頭部 MRI，治療を施行すべきである．（☞**待てない！**）

❷神経サルコイドーシス（図9）

＜画像のポイント＞

- 頭部 MRI にて，非特異的な脳室周囲白質病変・腫瘤・頭蓋底優

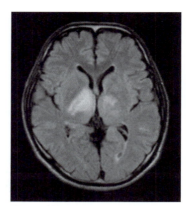

図 10 神経ベーチェット病
（MRI FLAIR 画像）

位のび漫性，限局性または結節性の髄膜浸潤など，視床下部から下垂体漏斗付近の浸潤・腫大，視神経の肥厚などを呈する．
- 肉芽腫病変は T2 強調画像や拡散強調画像にて低信号を呈することが多いが，血管炎などで虚血を示すと高信号を呈する．炎症を伴う時期には，造影 T1 強調画像にて造影効果を伴う結節状・板状・腫瘤状病変や肥厚を認める．

＜ワンポイント・アドバイス＞
- ぶどう膜炎の既往や典型的な肺門リンパ節主張がある場合，神経サルコイドーシスを疑い，造影 MRI を行う．

❸ 神経ベーチェット病（図 10）
＜画像のポイント＞
- 頭部 MRI にて，脳幹，大脳皮質下白質，視床，基底核，内包に非対称性の病変を呈する．
- T2 強調画像や FLAIR 画像にて高信号を呈し，拡散強調画像で淡い高信号を呈するが，ADC では，高信号を呈する．

＜ワンポイント・アドバイス＞
- 口腔粘膜の再発性アフタ性潰瘍，結節性紅斑様皮疹・皮下の血栓性静脈炎などの皮膚症状，網膜ぶどう膜炎・虹毛様体炎などの

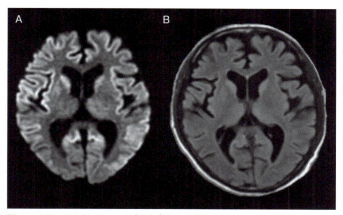

図 11 Creutzfeldt-Jakob 病（プリオン病）
（A：MRI 拡散強調画像，B：MRI FLAIR 画像）

眼症状，外陰部潰瘍などの既往があり，神経ベーチェット病を疑う場合，髄液中 IL-6 の測定や，HLA-B51 の測定など更なる精査を行う．

❹Creutzfeldt-Jakob 病（プリオン病）（図 11）

＜画像のポイント＞

- 典型的な Creutzfeldt-Jakob 病（CJD）の MRI では，大脳皮質や線条体に病変を認めることが多く，初期には拡散強調画像にて cortical ribboning といわれる皮質のリボン上の高信号を呈する．
- 病変は大脳皮質にまず出現し，その後経過とともに線条体に病変が出現する．線条体では前方優位の高信号を呈する．
- 高信号は拡散強調画像のほうが FLAIR 像よりも信号変化が明瞭であり，ADC は低下を示す．

＜ワンポイント・アドバイス＞

- 急速進行性の認知症で CJD を疑う場合，頭部 MRI にて拡散強調画像が診断に有用である．

内科疾患に伴う疾患

❶PRES（posterior reversible encephalopathy syndrome）（図 12）

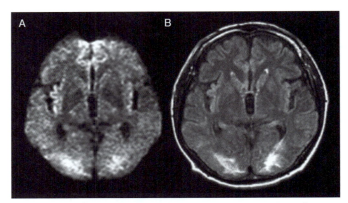

図 12　PRES（posterior reversible encephalopathy syndrome）
（A：MRI 拡散強調画像，B：MRI FLAIR 画像）

＜画像のポイント＞
- 頭部 MRI では，椎骨・脳底動脈，後大脳動脈，穿通枝領域といった血圧自動調節能の低い血管領域に病変を生じやすい．
- 典型的には，T2 強調画像にて頭頂後頭葉優位分水嶺領域の皮質下白質や皮質，基底核を中心に高信号を呈する．前頭・側頭葉，脳梁，脳幹・小脳にも病変を呈することがある．

＜ワンポイント・アドバイス＞
- 病変部位は血管性浮腫を反映して ADC は上昇することが多く，脳梗塞との鑑別ポイントとなる．

ミトコンドリア病

❶MELAS（mitochondrial myopathy, encephalopathy, lactic acidosis, stroke-like episodes）（図 13）

＜画像のポイント＞
- 脳卒中様発作時の頭部 MRI では，T2 強調画像で高信号域を認めるが，拡散強調画像では，可逆性で ADC が低下しない点が虚血性脳卒中と異なる．
- 病変は，後頭頭頂葉に梗塞様の所見を認めるが，必ずしも血管支配とは一致しない．中枢神経への乳酸の蓄積の所見として，

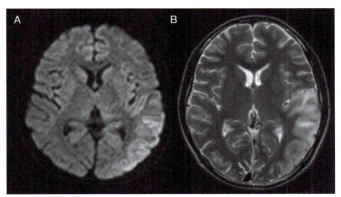

図13 **MELAS**(A:MRI 拡散強調画像, B:MRI T2 強調画像)

MR スペクトロスコピー(MRS)で病変部位に乳酸ピークを認める.

<ワンポイント・アドバイス>

- MELAS は一過性の片側不全麻痺や,皮質盲などの脳卒中様症状発作をしばしば合併し,繰り返すことが多い.
- 低身長,繰り返す頭痛,食思不振,嘔吐,てんかん発作を認め,脳卒中様発作を繰り返すといった特徴的な所見から,MELAS を疑い,家族歴の確認や乳酸値の測定など更なる検査を行う.

代謝性疾患

❶Wernicke 脳症(図14)

<画像のポイント>

- 第3脳室周囲(視床内側:図14A),中脳水道周囲(図14B),乳頭体に拡散強調画像および T2 強調画像(FLAIR 画像)で対称性の高信号域を認める.
- 拡散強調画像は細胞性浮腫を反映している.ADC は低下〜上昇と一定しない.
- 乳頭体の異常は冠状断を合わせて撮像する必要がある.
- 異常信号は治療により速やかに消失する.

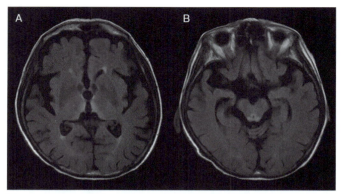

図 14　**Wernicke 脳症**（A，B：MRI FLAIR 画像，本文参照）

＜ワンポイント・アドバイス＞
- 意識障害・眼球運動障害・失調などを認めた際は本症を考える．
- 慢性アルコール中毒だけでなく，悪性腫瘍・消化管手術後・妊娠悪阻など様々な状況で発症する．

❷Marchiafava-Bignami 病（図 15）

＜画像のポイント＞
- 浮腫および脱髄により腫大した脳梁は T1 強調画像で低信号，拡散強調画像および T2 強調画像（FLAIR 画像）で高信号を認め，体部が最も侵されやすく，膝部，膨大部へと続き，左右対称性の分布を示すことが多い．
- ADC 値は様々である．経時的に同部位は萎縮し，最終的には空洞様の信号変化を認める．
- 脳梁周囲の深部白質から皮質下白質，中小脳脚，内包に異常信号を認めることもある．

＜ワンポイント・アドバイス＞
- 慢性アルコール中毒の既往のある例で，脳梁に T2 強調画像にて左右対称性の高信号を認める際には本症を考慮する．

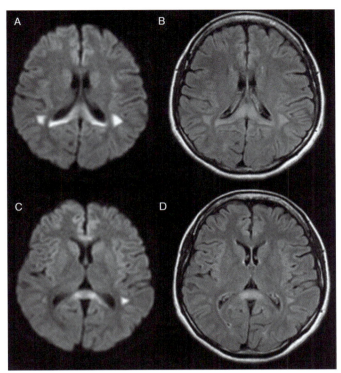

図 15 Marchiafava-Bignami 病
(A, C：MRI 拡散強調画像, B, D：MRI T2 強調画像)

その他

❶大脳膠腫症（gliomatosis cerebri）（図 16）

＜画像のポイント＞

・白質～皮質を侵し，皮髄境界は不明瞭である．左右非対称でびまん性に浸潤し mass effect を伴う．

・テント上のみならず，テント下の脳幹，脊髄や小脳半球まで拡がることがある．

・CT や T1 強調画像，造影 T1 強調画像では病変の指摘は難し

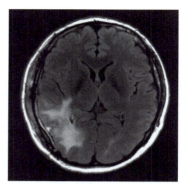

図16　大脳膠腫症（gliomatosis cerebri）
（MRI FLAIR画像）

く，T2強調画像やFLAIR画像で，白質の線維路に沿った広範な高信号域が認められる．ADC値の低下はほとんど認められない．

＜ワンポイント・アドバイス＞
- 病変の拡がりに比較して，症状が軽い．
- また造影剤の増強効果は認めないことが他疾患との鑑別点である．

❷血管内リンパ腫（血管内大細胞型B細胞リンパ腫）（図17）

＜画像のポイント＞（図17）
- T2強調画像で深部白質に左右非対称・大小不同の多発性高信号域を呈したり，皮質に梗塞様信号異常を呈することが多い．
- 造影後は線状・斑状・リング状など様々な形に増強されるため，MRI所見で他疾患との鑑別困難は難しい．

＜ワンポイント・アドバイス＞
- 臨床的には亜急性血管性認知症の様態を呈し，進行性の認知機能低下，意識障害，痙攣，発熱などを生じる．血管性認知症と比較して発症年齢が若い．脱髄疾患と比較して軟膜や硬膜が増強される．大脳膠腫症に比較して，mass effectは呈さず，髄膜の増強効果がある点が鑑別点である．

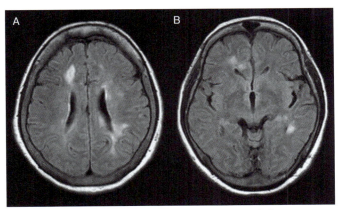

図17 血管内リンパ腫（血管内大細胞型B細胞リンパ腫）
（A，B：MRI FLAIR画像）

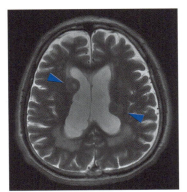

図18 転移性脳腫瘍（MRI T2強調画像）

❸転移性脳腫瘍（図18）
<画像のポイント>（☞便利メモ）
• 添付症例は境界明瞭な球形腫瘤（矢頭）であるが，びまん性浸潤を呈することもある．T1強調画像では低〜等信号で，T2強調画像では高信号である．

便利メモ

転移性脳腫瘍は，原発巣により，様々な画像を呈する．悪性黒色腫（メラニンのため），出血しやすい腫瘍，高蛋白，石灰化を伴うものなどではこれらと違う像を呈する．

- 周囲の浮腫の程度や造影増強効果は様々である．壊死が強い場合は，嚢胞状の腫瘤を呈する．

＜ワンポイント・アドバイス＞

- 脳膿瘍は拡散強調画像にて明瞭な高信号を呈し，悪性リンパ腫は均一な異常増強効果を示し，拡散強調増は高信号であり，鑑別点となる．

（永山　寛）

脳梗塞でなかったら(Stroke mimics)

【その他の脳血管障害】 6-c

●ここがPOINT！
1. 脳梗塞はその障害部位によって非常に多くの神経症候を呈する．
   → 脳梗塞でなかった場合の鑑別が非常に難しい（表1）．
2. 脳卒中の鑑別診断は幅広く，鑑別する際は臨床力が試される．神経救急疾患を除外することが大切．とくに意識障害を伴う時は慎重に検査を行う（図1）
3. 病歴聴取（発症時の状況，初発症状，症状進行性の有無）が鑑別に役立つことがある．
4. 初診時，神経診察をする際に神経症候を正しく抽出できることが病巣診断の第一歩である．
5. 頭部MRIで異常がない場合，検査前に行った診察をもう一度見直してみる．診察で得た神経症候には必ず原因がある．

はじめに

- Stroke mimicsとは，症状が脳卒中に似ているが原因が脳卒中でない疾患と定義される．
- Stroke mimicsは頭蓋内疾患だけはなく，内科疾患も当てはまることも多い．

表1　脳卒中以外の疾患で脳卒中様発作を示すことのある疾患

1. 慢性硬膜下血腫
2. 脳腫瘍の中への出血
3. 脳膿瘍
4. 静脈洞血栓症
5. 脳炎・髄膜炎
6. 低血糖症
7. 非ケトン性高血糖性昏睡
8. 下垂体卒中
9. てんかん発作とTodd麻痺
10. 片麻痺性片頭痛
11. 薬物中毒
12. 心筋梗塞（いわゆる心脳卒中）
13. MELAS

（水野美邦・他．神経内科ハンドブック 鑑別診断と治療．医学書院，2016）

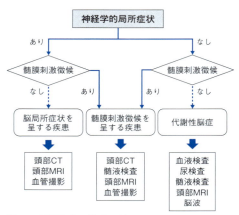

図1 意識障害の検査の流れ

表2 二次性頭痛の原因となる重要疾患

1. くも膜下出血(SAH)
2. 脳血管障害に伴う頭痛(動脈解離を含む)
3. 髄膜炎・脳炎
4. 脳腫瘍
5. 慢性硬膜下血種
6. 脳静脈洞血栓症
7. 側頭動脈炎
8. 下垂体卒中
9. 急性緑内障発作

頭部 MRI で異常信号を認めない時

❶頭痛:脳卒中全体では約30%が頭痛を有しているとされる.

・二次性頭痛をかならず否定する(表2;髄膜刺激徴候の有無,頭部 CT の撮像をただちに行う).

・動脈解離や可逆性脳血管攣縮症候群(reversible cerebral vasoconstriction syndrome:RCVS)との鑑別は重要.診断には頭部 MRA(BPAS-MRI をかならず追加する)が有用である.

＜一次性頭痛との鑑別点＞
　①多くは頭痛の既往がある．
　②局所脱落症状を欠く
　③片頭痛では前兆があることが多い
　④片麻痺性片頭痛：遺伝歴の存在と初回発作時の年齢（10歳代）
　⑤脳幹性前兆を伴う片頭痛
　　・脳幹症状（めまい，耳鳴，難聴，複視，運動失調，意識障害）
　　・若年性・女児に多い（10歳以下に多く，30歳以降では少ない）

❷けいれん発作
● Stroke mimics で最も多く，mimics 全体の約20％を占める．けいれん後の意識障害・麻痺様症状（Todd 麻痺）を起こすことがある．Todd 麻痺は2〜3日持続することもあるので注意する．
● 初発のけいれん発作かつ画像検査で異常がない場合は脳炎の初発症状の可能性もあるために髄液検査をただちに実施する．症状出現時の病歴聴取，けいれんの家族歴を聴取することも大切．
● 診療中に痙攣発作は出現した場合はジアゼパム静注を繰り返し行う（高齢者の場合は呼吸抑制を起こす可能性があるためにジアゼパム 1/4〜1/2A ずつ慎重に静注）．発作が5分以上継続する場合は重積状態として治療を行う．

❸一過性全健忘（Transient global amnesia：TGA）
● 突然に重篤な前向性健忘とその時点からある過去までの逆向性健忘を生じる病態．発作中は意識障害，認知障害を伴わず手続き記憶は保たれているので合目的な行動は可能である．前向性健忘のために同じ質問を繰り返し，記憶障害に気づかない．
● 60歳前後の発症が多い．持続時間は平均6〜9時間で再発は少ない．誘因としては身体的・精神的ストレスと関連があると言われている．

❹失神
●「数秒〜数分間の，一過性意識消失発作であり，体位の維持ができないものであって，発症は比較的急速であるが，速やか（数分内）完全に自然回復するもの」と定義される．

- 不整脈などの心原性要因,迷走神経反射や起立性血圧調節障害などの神経調節性要因,てんかんなどが原因となる.
- 意識消失を起こした状況,過去に同様の発作がないかの病歴聴取をかならず聞く.
- 神経脱落症状は認められない.

<失神の主な原因>(心原性を除く)
  ・反射性失神
  ・起立性低血圧による失神:簡易的に Shellong テストで確認.
  ・薬物性失神:循環器病薬(降圧薬,抗不整脈薬),中枢神経作動薬(抗精神病薬,抗 Parkinson 病薬)

❺末梢性めまい症
- 中枢性か末梢性の鑑別が重要.
  ①初発の発症.半日以上たっても症状が改善しない.
  ②めまい症状の他にその他神経徴候(四肢麻痺,四肢失調症状・体幹失調,構音障害)がないかを確認する.①もしくは②があれば頭部 MRI を撮像する.
- 脳幹梗塞でもめまい症状が出現することに注意.
- 中枢性が否定できれば,耳鼻咽喉科にコンサルト行う.

❻低血糖
- 血漿中グルコースが 70 mg/dL 以下の状態.40 mg/dL 以下を重度低血糖と定義される.血糖値低下に伴い意識障害,失語症状,片麻痺などの脳卒中様症状を示すことがある.
- 頭部 MRI 拡散強調画像では内包,脳梁,皮質下白質に高信号を認めることがある.
- 血糖値の測定を行い低血糖状態であればただちにグルコースを静注し,症状が改善することを確認する.その後原因精査を行う(糖尿病の既往の有無,内分泌腫瘍の検索など).

❼末梢神経障害(ギラン・バレー症候群や橈骨神経麻痺など単神経麻痺を含む)
- 意識障害は伴わない.多くは亜急性に進行する遠位優位の四肢麻痺症状を呈する.

- 先行感染の有無，四肢腱反射の低下があれば可能性は高い．神経伝導速度検査・髄液検査で精査する．

❽脊髄病変（脊髄硬膜外血腫，横断性脊髄炎，頸椎症性神経根症/胸郭出口症候群）
- 脊髄硬膜外血腫：頸部〜肩にかけての放散痛　進行性片麻痺〜対麻痺，感覚障害（しびれ感）
- 頸椎症性神経根症：頸椎症の既往，変動性のあるしびれ感，患側の筋萎縮
- 脊髄炎（CIS；Clinically isolated syndromeを含む）：進行性の対麻痺，体幹以遠の感覚障害，膀胱直腸障害を認める．髄液検査を施行する．

❾感染症
- 高齢者では感染に伴って意識障害などの神経徴候を呈することがある．
- 片麻痺などの脳卒中後遺症がある場合は，より顕著になり再発と間違われることがある．

❿精神的要因/解離性障害
- Stroke mimicsの上位を占める．中〜若年者に多い．神経診察では再現性に乏しく，何らかの矛盾に気づくことが多い．
- 麻痺についてはarm dropテスト，Hoover徴候が有効．
- 心因性てんかん性発作（Psychogenic non-epileptic seizure：PNES）も比較的多い．

頭部MRIで異常信号を認める時

- 異常信号が特定の疾患で認める特徴を示していないか．
- 脳血管支配領域に一致した異常信号域を示しているか．

❶脳炎

①単純ヘルペス脳炎
- HSV-1型による感染が大多数を占める．臨床症状として発熱，髄膜刺激徴候，意識障害，痙攣がある
- MRI画像で辺縁系（偏桃体，視床下部，海馬）に高信号を認めた場合は強く疑う．加えて辺縁系以外にも高信号が出現するこ

表3 自己免疫性脳炎（Possible）の診断基準

以下の診断項目を全て満たす
1. 亜急性発症（3カ月未満の急性進行）の短期記憶障害，意識の変容，あるいは精神症状
2. 少なくとも以下の1つ
   - 新しい中枢神経系巣症状
   - 以前の症状では説明できない痙攣
   - 髄液細胞数増多（細胞数>5 mm^3）
   - MRIが脳炎を示唆する
3. 他の原因を除外できる．

(Graus F, et al. A clinical approach to diagnosis of autoimmune encephalitis. *Lancet Neurol* 15：391, 2016)

とがある．
- 髄液検査をただちに実施する．発症極初期は髄液検査で細胞数が正常のこともある．
- 脳炎を疑った場合は単純ヘルペスウイルス脳炎を想定しただちに治療を先行することが大切．治療はステロイドパルス療法およびアシクロビル静注である．髄液中ヘルペスウイルスPCR検査を行う．

②自己免疫性脳炎（表3）
- 臨床症状として記憶障害，行動異常，痙攣を呈し，発熱，意識障害は認めない．多くは傍腫瘍性により産生された特異的自己抗体（抗NMDA抗体など）が関与する．
- MRI画像での異常信号部位としては辺縁系が最も多く，線条体，脳幹に認めることがある．異常信号が出現しないこともあるので注意．髄液検査および脳波検査，病歴聴取から総合的に判断する．診断には各種自己抗体の陽性結果が必要である．

❷占拠性病変・白質病変
①脳腫瘍（転移性脳腫瘍，中枢性悪性リンパ腫を含む）
②神経ベーチェット病/サルコイドーシス/肥厚性硬膜炎
③多発性硬化症/視神経脊髄炎/抗MOG抗体関連疾患
④原発性中枢神経系血管炎
- 血管支配とは異なる特徴的な画像を呈することが多い．

- 水頭症や Midline shift を伴い脳幹を圧迫する病変など生命を脅かす可能性が考えられればただちに脳神経外科へコンサルトを行う．
- 後日，頭部造影 MRI もしくは頭部造影 CT でより詳細な画像評価を行う．
- ②③を疑う場合は髄液検査，血液検査で精査したあとステロイドパルス療法を検討する．①を疑う場合は脳血流 SPECT 検査，MRS（MR spectroscopy）が診断に有用なこともある．

❸代謝性疾患

①PRES（posterior reversible encephalopathy syndrome）
- 高血圧，血漿交換，免疫グロブリン静注療法，ステロイドパルス療法，シクロスポリン投与などが誘因となり，可逆性の大動脈攣縮を起こし脳浮腫をきたす．誘因の除去が有効な治療であり，多くの患者では数日〜数週間の経過で臨床的，画像的に改善がみられ，一般的に予後がよい．

②ミトコンドリア病
- ミトコンドリア内の代謝異常により発症する疾患の総称．代表的には 5 臨床的の病型に分類される．
- MELAS（mitochondrial encephalomyopathy, lactic acidosis and stroke-like episodes）はミトコンドリア病のなかで最も頻度が高い．成人発症例の多くが脳卒中様発作を呈し，側頭葉や後頭葉に MRI で異常信号を呈することがある．そのほか進行性知能障害，低身長，難聴を伴うことがある．
- 診断としては筋生検，遺伝子診断である．治療薬はタウリン大量内服（12 g/日）が 2019 年に保険適用となった．

❹Wernicke 脳症

- ビタミン B1 欠乏による脳症．早期に治療が行われれば予後は良好だが，慢性期になると作話や健忘を残し，Korsakoff 症候群となる．
- ①食事摂取不足，②眼球運動障害，③小脳性失調，④精神状態の異常のうち，2 項目以上あれば診断がつく．アルコール多飲，

経口摂取不良の病歴がないか確認する．
- 画像では対称性に両側視床内側，第三脳室周囲，乳頭体，中脳視蓋部に T2 高信号を認める．治療はビタミン B1 の大量静注療法である．

文献

- Neves Briard J, et al. *J Stroke Cerebrovasc Dis* **27**：2738, 2018
- Long B, et al. *J Emerg Med* **52**：176,2017
- 橋本　誠・他．耳鼻咽喉科・頭頸部外科 **92**：448, 2020
- Clincal Neuroscience Vol. 31 No. 5，中外医学社，2013
- 柳下　章．神経内科疾患の画像診断　第 2 版．秀潤社，2019

（藤澤洋輔）

memo

【その他の脳血管障害】
脳静脈洞血栓症の特徴　6-D

●ここがPOINT！
① 脳静脈洞血栓症は，遺伝性または後天性の凝固亢進状態が原因で脳静脈洞に血栓が生じ，脳浮腫や静脈性梗塞，出血をきたす疾患である．
② 頭痛や痙攣などで発症することがある．
③ 動脈支配と一致しない部位にできた脳梗塞や脳出血，若年者で梗塞様所見を認める場合に脳静脈洞血栓症を疑う．
④ 脳静脈洞血栓症は治療のタイミングを逃せば，致死的になりうる疾患であり，診断では常に念頭に置く必要がある．
⑤ 急性期治療はヘパリン持続静注による抗凝固療法である．しかし，脳静脈洞血栓症は脳出血を伴うことが多いので注意を要する．

静脈洞血栓症とは
- 脳静脈洞血栓症は，脳静脈洞に生じる血栓により脳浮腫や静脈性梗塞，出血をきたす疾患である．
- 全脳卒中の約0.5〜1％程度を占める．女性に多く，小児から高齢者までみられるが，平均発症年齢は37歳であり若年性脳卒中の鑑別として重要．

原因
- 遺伝的素因：AT-Ⅲ欠損症，プロテインC欠乏症，プロテインS欠乏症など．
- 後天的素因：頭部感染症，全身の悪性腫瘍，抗リン脂質抗体症候群やSLEなどの膠原病，炎症性腸疾患，婦人科系疾患など．
- その他：外科手術や頭部外傷，妊娠，経口避妊薬の内服など．

症状
- 頭痛が一番多く，痙攣や意識障害もみられ，症状は多彩で非特異的（表1）．

表1 脳静脈洞血栓症の症候(%)

症候	脳静脈洞血栓症の症候(%)
頭痛	88.8
視野障害	13.2
うっ血乳頭	28.3
複視	13.5
昏迷/昏睡	13.9
失語症	19.1
意識変容	22

(Ferro JM, et al. *Stroke* **35**：664, 2004)

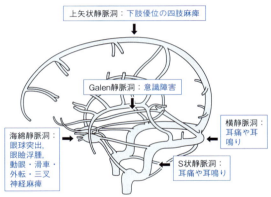

図1 脳静脈洞血栓症の閉塞部位別の症候

- 血栓ができる静脈洞の部位によって特徴的な症状がみられる(図1).

診断

❶画像検査

- 頭部単純CT, MRIで静脈性梗塞(☞便利メモ①, ②)や脳実質の出血を認めることが多い.ただし,頭部単純CTで30%程度は正常所見であることに留意する.
- 頭部単純CTで血栓のある静脈洞に一致して高吸収域にみられ

> **便利メモ ①**
>
> 動脈が閉塞して起こる脳梗塞との違いは，①進行性の増悪，②頭蓋内圧亢進症候や痙攣を伴いやすい，③皮質下白質の病変で動脈支配に一致しない，④両側性病変がみられる，などである．

> **便利メモ ②**
>
> 拡散強調画像やFLAIRでの高信号は，静脈灌流の改善に伴い可逆性の部位の混在もみられる．T2*画像は有用であり，静脈内の血栓や静脈拡張と微小多発出血を捕らえることができる．

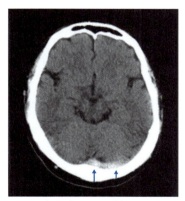

図2　頭部単純CT：左横静脈洞血栓症
cord sign（矢印）を認め，血栓の存在を示唆する．

ることがある（cord sign）（図2）．

- 脳静脈洞血栓症を疑わせる画像所見があれば，静脈の描出を目的に MR venography（MRV）を追加する．MRVでは血栓形成部位に一致した欠損像をしばしば認める（図3）．
- MRIやCTで診断がつかない時は，脳血管造影検査が有用である（図4）．（☞便利メモ③）

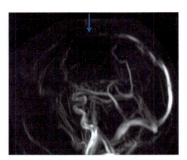

図3 頭部MRV：上矢状静脈洞血栓症
上矢状静脈洞前方から中央にかけて描出不良である．

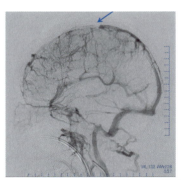

図4 脳血管造影：上矢状静脈洞血栓症
上矢状静脈洞前方から中央にかけて造影欠損あり．また脳表小静脈のうっ滞と拡張を認める．

> **便利メモ ③**
> 横静脈洞は左右差があり低形成の場合もあるので注意が必要．

❷その他検査
- 血液検査は通常行う項目（血算，生化学，凝固系）と D-dimer の測定を行う．
- 基礎疾患の検索（上記の原因を参照）を行う．

治療

- 急性期治療は，ヘパリンによる抗凝固療法が推奨される．
- 脳出血を伴う症例でもヘパリンの安全性は示されているが，用量は明確な指針は示されておらず，慎重な経過観察が必要．
- 十分な抗凝固療法や基礎疾患の治療を行ったにもかかわらず臨床症状が増悪した症例は血管内治療を考慮してもよい．
- 長期的な再発予防はワルファリンが推奨されている．
- 基礎疾患の治療，頭蓋内圧亢進，痙攣発作といった早期合併症の対応も必要である．

＜処方例＞

①脳静脈洞血栓症に対して

> ヘパリンNa　10,000単位/日から持続静注開始．
> 　APTT前値の1.5～2倍を目標．

②痙攣発作に対して

> レベチラセタム点滴静注　500 mg　1日2回

③頭蓋内圧亢進を伴う脳浮腫に対して

> グリセオール点滴静注　200 mL　1日4回　6時間毎

④脳梗塞に対して

> エダラボン点滴静注　30 mg　1日2回

文献

- Ferro JM, et al. *Stroke* **35**：664, 2004
- Saposnik G, et al. *Stroke* **42**：1158, 2011
- Coutinho JM, et al. *JAMA Neurol* **77**：966, 2020

（澤田和貴）

6-E 骨髄増殖性腫瘍と脳血管障害
【その他の脳血管障害】

●ここがPOINT！
1. 骨髄増殖性腫瘍である真性多血症，本態性血小板血症は血栓症の合併頻度が高い．
2. 治療や再発予防には，抗血小板薬，細胞減少療法，瀉血治療が行われる．
3. 血小板数が100万/μL以上の症例では，出血合併症のリスクが増加する．

はじめに
- 骨髄増殖性腫瘍（Myeloproliferative neoplasms：MPN）は，血液幹細胞の異常増殖により骨髄細胞が慢性的に増殖する血液疾患である．
- MPNの発症には，JAK2V617F遺伝子が関与しており，真性多血症（polycythemia vera：PV）の95％以上，本態性血小板血症（essential thrombocythemia：ET）の約半数でJAK2V617F遺伝子変異を認める．
- PVやETは，虚血性心疾患および脳梗塞を含む血栓塞栓症の合併リスクが高く，健常人と比較して脳梗塞発症リスクは約1.5倍である．

真性多血症の血栓症治療
- PVにおける血栓症の発症予防に関しては，瀉血や細胞減少療法を行い，ヘマトクリット（Ht）値を45％未満になるようにコントロールすることが勧められている．
- 低用量アスピリン療法（81〜100 mg/日）は血栓症イベントを有意に低下させる．
- 血栓症の高リスク症例（年齢60歳以上または血栓症の既往）では，瀉血療法，低用量アスピリン療法に加え細胞減少療法（ヒドロキシウレア）の併用が勧められる．

表1 **本態性血小板血症（ET）の血栓症リスク分類**
(revised IPSET-thrombosis)

	リスク因子
高リスク	60歳以上かつJAK2遺伝子変異陽性 もしくは，血栓症の既往がある
中間リスク	60歳以上
低リスク	JAK2V617F遺伝子変異陽性
超低リスク	該当なし

本態性血小板血症の血栓症治療

- ET患者の血栓症予防の有効性に関しては，血栓症のリスクを調査した大規模試験の改訂版（revised IPSET-thrombosis）において層別化されており，60歳以上かつJAK2V617F遺伝子変異陽性，または血栓症の既往がある症例は，血栓症の高リスク群となる（表1）．
- 血栓症の高リスク症例や脳梗塞をはじめとした血栓症を有する症例（図1）では，低用量アスピリン療法と細胞減少療法の併用を初回治療として行うように勧められている．

出血合併症

- MPN患者で血小板数が100万/μLを超える症例では，血小板増多によりvon Willbrand因子（von Willbrand Factor：vWF）が消費され，vWF活性が低下することがあるため（後天性vWF症候群），出血性合併症のリスクが高くなる．
- 低用量アスピリンの使用は出血性合併症を増加させる危険性があり，細胞減少療法で血小板数の低下とwWF活性が正常化していることを確認してからアスピリン投与を検討すべきである．
- また，出血時には，出血がコントロールされるまでアスピリンを中断するとともに，血小板数を正常化するために細胞減少療法の使用を考慮すべきである．

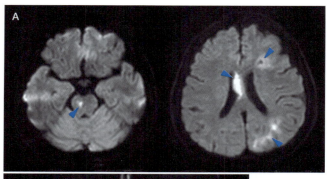
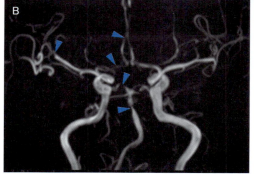

図1 症例（66歳，女性）
　5年前に本態性血小板血症と診断．遺伝子変異はすべて陰性．
　右手のしびれ感，脱力，視野障害が出現し受診．血小板数72万/μL．
　1年前の頭部MRIでは異常を認めなかったが，新たに多発性の急性期脳梗塞と複数の脳主幹動脈の狭窄病変を認めた．精査でも原因特定できず，本態性血小板血症に関連した脳梗塞と診断した．

文　献

- 日本脳卒中学会．脳卒中治療ガイドライン2021
- Hultcrantz M, et al. *Ann Intern Med* **168**：317, 2018
- Marchioli R, et al. *N Engl J Med* **368**：22, 2013

（下山　隆）

Eagle症候群, Bow-hunter症候群

【その他の脳血管障害】 6-F

●ここがPOINT！
❶ Eagle症候群や，Bow-hunter症候群に伴う脳梗塞ともに，その存在を知らなければ診断が困難である．
❷ 外科的切除や特定方向への頸部の動きを避けるなど，それぞれの病態に応じた特異的な二次予防法がある．

Eagle症候群

- Eagle症候群は，茎状突起の過長，または茎突舌骨靱帯の骨化によって咽喉部や頸部の疼痛，不快感を生じる症候群で，Watt Eagleが1937年に報告した．
- Eagle症候群に臨床上遭遇する機会は多くないと思われるが，脳梗塞の原因となり得る点，また外科的切除により脳梗塞の二次予防が可能である点で重要である．

❶頻度・症状

- 通常，健常成人において茎状突起の長さは15～20 mm前後であり，25 mmを超える人は4％と言われ，30 mmを超えると異常とされることが多い．
- これらの過延長が認められた群において，咽喉頸部の疼痛や不快感を自覚しているのは4～10％であり，かならずしも茎状突起過延長とEagle症候群は1対1で対応するものではない．
- 延長した茎状突起の周囲には顔面神経，耳介側頭神経，舌神経，舌咽神経，舌下神経が走行しており，また茎状突起が内頸動脈と外頸動脈の間を走行するため，これらの神経・血管の圧迫や接触により症状が生じると考えられている．

❷脳梗塞の原因としてのEagle症候群

- Eagle症候群に随伴する脳虚血の症状としては，意識消失発作，一過性脳虚血発作，そして脳梗塞がある．その病態として，以下のような報告がなされている．

■その他の脳血管障害

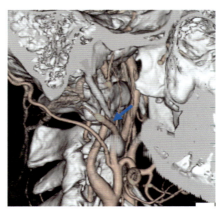

図1 Eagle 症候群症例の頸部造影 CT 画像
一過性脳虚血発作のため当科入院．過延長した茎状突起（矢印）を内頸動脈近傍に認める．

①過延長した茎状突起による内頸動脈の物理的な圧迫に伴う血流の途絶
②茎状突起による圧迫に伴い内頸動脈の解離を生じ，動脈解離による脳梗塞が生じる．
③内頸動脈解離そのものは無症候であったが，解離後に形成された解離性動脈瘤内に血栓が形成され，遊離により塞栓性脳梗塞を生じる．

❸診断

・過延長した茎状突起の診断において Gold standard は頸部 CT である．頭部ではなく頸部 CT であり，ルーチンで撮像するものではないため，Eagle 症候群を疑い，あるいは念頭において脳梗塞の原因診断を進めていく必要がある．

・内頸動脈解離症例，症状出現前の頸部回旋などの病歴を有する患者で鑑別に挙がることが多い．

❹治療

・茎状突起の外科的切除を行うことで，Eagle 症候群に対しては根治が期待できる．

Bow-hunter 症候群

- Bow-hunter 症候群は，頸部回旋により椎骨動脈が狭窄または閉塞し，椎骨脳底動脈系の虚血症状を呈する症候群である．
- 多くは一過性のふらつきやめまいを生じる症候群である（Bow-hunter，つまり弓を射る時のように頸部を大きく回旋した際に症状を生じることが多い）．虚血症状が強いと椎骨脳底動脈系に脳梗塞を生じる．
- 診断は頭頸部運動に伴う椎骨動脈の血流低下を証明することであり，頸部を動かしながら頸部血管エコーや脳血管造影で血流低下を証明する．
- 稀ではあるが，骨形成異常や腫瘍に伴い軽度の頭頸部運動で椎骨動脈が狭窄/閉塞する症例もあるため，頸部画像評価も行っておく必要がある．

文 献

- Eagle W. *Arch Otolaryngol* **25**：584, 1937
- Correll RW, et al. *Oral Surg Oral Med Oral Pathol* **48**：286,. 1979
- Monsour PA, et al. *Oral Surg Oral Med Oral Pathol* **61**：522, 1986
- Eagle WW. *AMA Arch Otolaryngol* **67**：172, 1958
- Sakamoto Y, et al. *Neurology* **77**：1403, 2011

（坂本悠記）

memo

6-G 【その他の脳血管障害】可逆性脳血管攣縮症候群（RCVS）

●ここがPOINT！
1. RCVS（reversible cerebral vasoconstriction syndrome）は雷鳴頭痛を特徴とする可逆性の脳血管攣縮であり，速やかにMRI（またはCT）を撮像し，評価することが必要である．
2. 脳血管障害などの合併症を伴うことがあるため，急性期は原則入院加療とする．
3. 画像は，頭蓋内動脈の数珠状外観（"string-and-beads"）が特徴的だが，初回の検査では異常を認めないことが多く，画像のフォローアップが重要．
4. 治療は安静保持，誘発因子の除去あるいはCa拮抗薬内服を行う．

はじめに
- 2007年にCalabreseらにより提唱された疾患概念で，繰り返す雷鳴頭痛で発症し，脳血管に多発的，可逆性的な血管攣縮を伴う症候群である．
- 発症平均年齢は40歳代で，男女比は1：2.2〜8.6と女性に多い．

原因
- 一次性と二次性の要因がある（表1）．誘発因子により，交感神経が過活動となり，血管緊張の調整障害が生じ，三叉神経が刺激され起こると考えられている．

臨床症状・経過
- 1分未満にピークに達する激しい雷鳴頭痛が1日に複数回生じ，悪心・嘔吐，視覚異常を伴うことがある．
- 神経症状としては，痙攣が多く，その他に麻痺，感覚障害，失語などの，それぞれの障害部位に応じた症状が出現することがある．
- 合併症として，皮質や円蓋部に生じる少量のくも膜下出血（cor-

表1 RCVSの要因

一次性の要因
- 咳嗽，運動，感情の高ぶり，Valsalva手技，性行為，入浴など

二次性の要因
- 薬剤：ブロモクリプチン，エルゴタミン，シクロホスファミド，SSRI，インターフェロン，トリプタン系，経口ピル，NSAIDs，アルコール，プレドニゾロン，コカインなど
- 産褥期
- 血液製剤：赤血球輸血，エリスロポエチン，免疫グロブリン
- 片頭痛
- 腫瘍：褐色細胞腫，神経内分泌腫瘍
- 外傷性脳損傷，頭部および頸部の手術
- 血管障害：内頸動脈解離，未破裂脳動脈瘤など
- さまざまな身体状況：SLE，抗リン脂質抗体症候群，血栓性血小板減少性紫斑病など

表2 RCVSによる頭痛の診断基準（国際頭痛分類第3版より）

下記1～3のうち，少なくとも1項目を満たし，かつ4を満たす
1. 神経学的局所症状および/または痙攣発作を伴う，もしくは伴わない新規の頭痛があり，血管撮影で数珠状外観（string and beads appearance）を呈する
2. 頭痛は下記a），b）のいずれか，または両方の特徴をもつ
   a) 雷鳴頭痛として発症し，1カ月以内は繰り返し起こる
   b) 性行為，労作，Valsalva手技，感情，入浴，シャワーなどが引き金となる
3. 発症から1カ月を超えると著明な頭痛は起こらない
4. 脳動脈瘤破裂に伴うくも膜下出血など他の原因が除外されている

tical/convexity subarachnoid hemorrhage：cSAH）が多く，その他脳出血，脳梗塞，可逆性後部白質脳症症候群（posterior reversible encephalopathy syndrome：PRES）が認められる．

- 一般的には予後良好だが，合併症をきたした場合には13～30%で後遺症をきたす．
- 通常は2～3週間で頭痛は徐々に軽減し，再発は稀である．

診 断

- 「RCVSによる頭痛」の診断基準（表2）は国際頭痛分類第3版

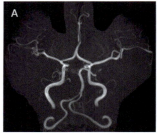 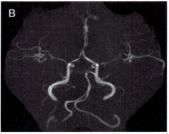

図1 RCVS
A：初回 MRA は正常．
B：2回目の MRA で両側 MCA，ACA に血管攣縮を認める．

より示されているが，RCVS 自体の明確な診断基準は存在しない．Calabrese らが提案した診断基準をもとに 2012 年に Ducros が作成した診断基準を用いることが多い．

画像（図1）

- MRI FLAIR 画像での評価が有用である．MRA または CTA で広範な対称性の血管収縮と拡張を繰り返す数珠状外観（"string-and-beads"）が連続性に認められる．
- 発症して1～2週間は血管攣縮の首座は末梢血管のため，初期には典型的な所見を呈さないことがあり，診断には画像検査のフォローアップが重要．
- cSAH は血腫量が少なく，CT では見逃す可能性があるため，MRI T2* 画像で評価する（☞便利メモ）．

> **便利メモ**
>
> 血管攣縮は末梢血管から始まり，その後中枢血管へ広がること，また，前方循環系（前大脳動脈，中大脳動脈）から始まり，後方循環系（椎骨-脳底動脈系）へ広がっていくことが報告されている．
>
> 発症1週間程度の末梢血管の攣縮が強い時期には，cSAH などの出血合併症や PRES を生じやすく，それ以降の中枢血管の攣縮が強い時期には，脳梗塞などの虚血合併症を生じやすい．

- 血管攣縮所見は約3カ月経つと，正常化することが多い．

治療

- くも膜下出血などの脳血管障害を合併することがあるため，急性期は原則入院．
- 薬剤性要因があれば，その薬剤の中止を優先し，誘因となる労作は避ける．
- 薬物療法としては，血管攣縮に対してCa拮抗薬を使用することが多い．

＜処方例＞

> ベラパミル 120 mg 分3
> ※脳出血合併の場合，脳出血の治療に準ずる（☞総論1-G）
> ※脳梗塞合併の場合，抗血小板薬の内服を行う

（畠　星羅）

6-H 遺伝性脳血管障害 (CADASIL, CARASIL, Fabry病)

【その他の脳血管障害】

● ここが POINT !
1. 比較的若年で，家族歴を有する脳血管障害では，遺伝性脳血管障害の可能性を考慮する．
2. 併存する症状や家族歴に着目し，問診する．
3. 動脈硬化の危険因子を有する症例では積極的な再発予防が必要である．

はじめに

- 脳卒中の発症には生活習慣病の関与が大きいが，近年脳卒中の疾患感受性を増大させる各種の遺伝子多型が報告されている．もともと生活習慣病を有さないにもかかわらず，単一遺伝子異常により発症する遺伝性脳卒中も明らかになっている．
- 本項では CADASIL，CARASIL，Fabry 病の臨床的特徴，画像所見について述べる．なお，病態・病理所見に関する詳細は成書を参照されたい．

CADASIL

❶ 臨床的特徴

- CADASIL (Cerebral Autosomal Dominant Arteriopathy with Subcortical Infarct and Leukoencephalopathy) の診断基準案 (表1) を参照のこと．

❷ 神経画像所見

- FLAIR 画像や T2 強調画像で両側側頭極，外包，内側前頭極に高信号域をみとめた場合，本症を考慮する (図1)．

❸ 原因遺伝子と分子的病態機序

- *Notch3* 遺伝子変異の結果，脳の細小動脈をはじめとする全身の血管平滑筋基底膜部に GOM (granular osmiophilic materials) が沈着する．

表1 CADASILの診断基準案

1. 55歳以下の発症（大脳白質病変もしくは2の臨床徴候）
2. 下記のうち，二つ以上の臨床徴候
   a. 皮質下性認知症，錐体路徴候，偽性球麻痺の1つ以上．
   b. 神経症候をともなう脳卒中様発作．c. うつ症状．d. 片頭痛．
3. 常染色体優性遺伝形式
4. MRI/CTで，側頭極をふくむ大脳皮質病変
5. 白質ジストロフィーを除外できる（ALD，MLD）

Definite
3，4を満たし（側頭極病変の有無を問わない），Notch3遺伝子の変異，または皮膚などの組織で電子顕微鏡でGOMをみとめる．
注：1) Notch3遺伝子の変異はEGF様リピートのCysteineのアミノ酸置換をともなう変異．
その他の変異に関しては，原因とするためには，家系内での解析をふまえ判断する．
2) 凍結切片をもちいた，抗Notch3抗体による免疫染色法では，血管壁内に陽性の凝集体をみとめる．本方法は，熟練した施設では有用な方法であり，今後GOMに代わる可能性もある．

Probable
上記の5項目をすべて満たすが，Notch3遺伝子の変異の解析，または電顕で，GOMの検索がおこなわれていない．

Possible
4を満たし（側頭極病変の有無は問わない），1もしくは2の臨床症候の最低1つを満たし，3が否定できないもの（両親の病歴が不明など）

*注意事項：発症年齢は55歳を越えることもある．認知症は皮質性がめだつこともある．

遺伝性脳症血管病の病態機序の解明と治療法の開発班
（内野　誠．臨床神経 51：945，2011より）

❹治療

- 抗血小板療法が一般的に行われる．ただし短期間で再発を繰り返すことが多い．
- 動脈硬化の危険因子を有する症例では，より厳密な生活習慣病の管理が求められる．
- 片頭痛予防薬であるミグシス®により，脳梗塞再発を6年間抑制できた報告がある．
- 認知機能障害に対してドネペジルを使用した報告では，効果は認めないとされている．

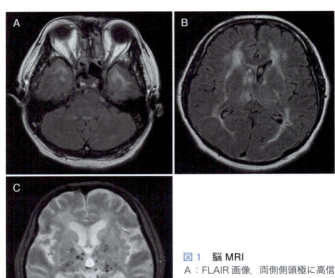

図1 脳MRI
A：FLAIR画像．両側側頭極に高信号域をみとめる．
B：FLAIR画像．脳室周囲，外包に高信号域をみとめる．
C：T2*画像．多発する微小脳出血をみとめる．

CARASIL

❶臨床的特徴

・CARASIL（Cerebral Autosomal Recessive Arteriopathy with Subcortical Infarcts and Leukoencephalopathy）の診断基準案（表2）を参照のこと．

❷神経画像検査

・T2強調画像/FLAIR画像で大脳白質や外包に広汎な高信号域がみとめられ，大多数で基底核などにラクナ梗塞が散在する．皮質下U線維や脳梁は相対的に保たれる．側頭極の高信号域もみとめる．

❸原因遺伝子と分子的病態機序

・*HTRA1*遺伝子変異により，HTRA1タンパクの産生が低下ま

表2　CARASIL の診断基準案

1. 55歳以下の発症（大脳白質病変もしくは臨床症状での中枢神経病変）
2. 下記のうち，2つ以上の臨床徴候
   a. 皮質下性認知症，錐体路徴候，偽性球麻痺の1つ以上
   b. 禿頭（アジア系人種40歳以下）
   c. 変形性脊椎症もしくは急性腰痛
3. 常染色体劣性遺伝形式
4. MRI/CT で，広汎な大脳白質病変（側頭極をふくむことがある）
5. 白質ジストロフィーを除外できる（ALD，MLD）

Definite
3, 4 を満たし，HTRA1 遺伝子の変異をみとめる．

Probable
上記の5項目をすべて満たすが，HTRA1 遺伝子の変異検索がおこなわれていない．

Possible
3, 4 を満たし，1 もしくは 2-b, 2-c のいずれかをともなうもの

除外項目：優性遺伝形式，10歳未満の発症

*注意事項：発症年齢は55歳を超えることもある．大脳白質病変は，融合性/び漫性の白質病変とする．

遺伝性脳症血管病の病態機序の解明と治療法の開発班
（福武敏夫．*BRAIN and NERVE* **63**（2）：99, 2011 より）

たは消失し，TGF-β ファミリーのシグナルが慢性的に亢進される．

- TGF-β ファミリーのシグナル亢進により，小血管病変の促進，血管平滑筋の消失が起こる．また脱毛や変形性脊椎症にも関与するという報告がある．

❹治療
- 現時点で有効な治療法は見つかっていない．

Fabry病

❶臨床的特徴
- X 染色体上にある α ガラクトシダーゼ A（α-GAL）遺伝子の異常により発症する．X 連鎖遺伝形式である．
- 臓器の α-GAL 活性の不活化程度により臨床表現型が異なる．表3 を参照．
- 女性保因者も発症し，重症度は α-GAL 活性の不活化程度によ

表3 Fabry病の臨床症状の特徴

臨床症状	古典型	腎型	心型	脳血管型
発症	4-8歳	>25歳	>40歳	30-40歳
平均死亡年齢	41歳	?	>60歳	50-60歳
血管角被腫	++	±	-	+
疼痛	++	±	-	+
低汗症	++	±	-	+
角膜混濁	++	±	-	+
心肥大	Ischemia/MI	LVH	LVH/MI	+
CNS症状	TIA/stroke	?	-	TIA/stroke
腎症状	Renal failure	Renal failure	mild proteinuria	mild proteinuria
α-Gal不活化	<1%	<5%	<10%	<10%

MI：myocardial infarction, LVH：left ventricular hypertrophy
CNS：central nervous system, TIA：transient ischemic attack
(Modified from Desnick RJ, et al. Clin Nephrol 2002；57 (1)：1-8.)

（衞藤義勝．日内会誌 **98**：875, 2009 より）

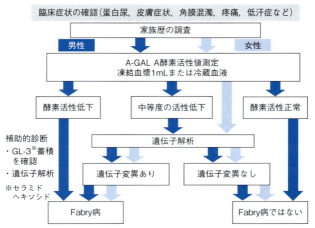

図2 Fabry病の診断アルゴリズム

（衞藤義勝．日内会誌 **98**：875, 2009 より）

る（図2）.
- 脳梗塞病型の頻度としてはラクナ梗塞が多いという報告がある.

❷検査所見
- 尿沈渣により，マルベリー小体やマルベリー細胞と呼ばれる特徴的な成分を検出できる
- 頭部MRIでは非特異的白質病変，椎骨・脳底動脈の拡張・蛇行，脳血流の過灌流や血流速度の増加などが確認されている.

❸治療
- 酵素補充療法（α-GAL酵素を補充）
- シャペロン療法（酵素活性を上昇させる）
- 対症療法

文献
- 内野 誠. 臨床神経 **51**：945, 2011
- 福武敏夫. *BRAIN and NERVE* **63**（2）：99, 2011
- 坪井一哉. 神経治療 **35**：288, 2018
- 衞藤義勝. 日内会誌 **98**：875, 2009

（竹子優歩）

> **memo**

6-1 CAT (cancer associated thrombosis)

【その他の脳血管障害】

●ここがPOINT！
1. 癌患者は過凝固状態であり，癌に伴う血栓症をCATとよぶ．
2. 悪性腫瘍に脳梗塞を合併することがあり，わが国ではトルソー症候群とよばれることが多い．
3. 原因不明の脳梗塞で凝固系の亢進，多発病変，貧血，CRP・D-dimer上昇を認めた場合は悪性腫瘍の検索が必要である．
4. 治療は第1に原疾患の加療，再発予防としてヘパリンによる抗凝固を行う．
5. 癌患者における静脈血栓塞栓症に対してDOACが有効であるというエビデンスが示されてきているが，使用する際は出血に注意する必要がある．

はじめに

- 癌患者は過凝固状態にあり，癌に合併した血栓症をまとめてがん関連血栓症（cancer associated thrombosis：CAT）とよぶ．
- 悪性腫瘍に合併した脳梗塞はトルソー症候群とよばれる．トルソー症候群はムチンを産生する消化器系の腺癌に多くみられるとされたが，ムチンを産生しない腫瘍でも多く報告されている．腫瘍より放出された組織因子がⅦ因子と複合体を形成して，Ⅸ因子とⅩ因子を活性化することで凝固系が亢進する．Cancer procoagulant（カルシウム依存性のシステインプロテアーゼ）が直接Ⅹ因子を活性化することで凝固系の亢進をもたらすといったさまざまな機序が考えられている．
- CATはこれらの機序により静脈血栓塞栓症（venous thromboembolism：VTE），動脈血栓塞栓症（arterial thromboembolism：ATE），非細菌性血栓性心内膜炎（nonbacterial thrombotic endocarditis：

NBTE),播種性血管内凝固（disseminated intravascular coagulation：DIC）が引き起こされ，直接脳梗塞の原因となったり，左右シャントを介して脳梗塞をおこすと考えられている．

チェックポイント

❶画像所見：図1のような多発，塞栓性の画像所見を呈することが多い．

❷癌腫：肺癌，および婦人科腫瘍が多いとされるが，さまざまな腫瘍で起こり得るため広く癌腫を検索すべきである．

❸治療

- 原疾患の治療が第一で，脳梗塞の再発米納としては貧血に注意しながらヘパリンによる抗凝固療法を行う．Lee らによって行われた癌患者のVTEに対する低分子ヘパリンとワルファリンの有効性の比較では6カ月以内のVTE再発率が低分子ヘパリンで有意に低く，出血に関しては有意差が認められなかった．

- この結果に従って海外では低分子ヘパリンの使用が推奨されているが，わが国では保険上使用困難であるため未分化ヘパリンが

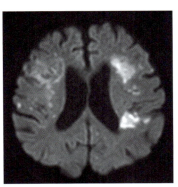

図1 症例（75歳，男性）
　十二指腸乳頭部癌で外来フォローアップされていたが，意識障害，右片麻痺にて当院救急搬送．両側大脳半球に多発脳梗塞を認める．来院時D-dimer：23.2 μg/dL．

使われることが多い．急性期にヘパリンを使用し，慢性期の予防投与としてワルファリンに切り替えられることが多いが，ワルファリンの効果はヘパリンに劣る．また自己注射可能な患者に対しては未分画ヘパリン皮下注で再発予防を行うこともある．
- 癌患者のVTEに対するDOACと低分子ヘパリンの比較に関して，2018年にはエドキサバン，リバーロキサバンの，2020年にはアピキサバンの比較試験が報告され，低分子ヘパリンに対して有効性の非劣性が確認された．ただしいずれも出血イベントの発生頻度が低分子ヘパリンに対して多いと報告されている．
- これらの結果をもとに，国際血栓止血学会，アメリカ臨床腫瘍学会，ヨーロッパ心臓病学会などからのガイドラインが改訂され，出血リスクの高くない癌患者にはDOACの使用が推奨されている．

処方例

- ヘパリン 10,000～15,000 単位/日から開始し，APTT を前値の 1.5～2.0 倍に延長させる．
- 自己注射可能な場合は，カプロシン皮下注射を 1 回 10,000～20,000 単位を 1 日 2 回，12 時間間隔で投与する．
- ワルファリン使用する場合は，目標INR2～3でコントロールする．

文献

- Cestari DM, et al. *Neurology* **62**：2025, 2004
- Chatuveri S, et al. *Stroke* **25**：1215, 1994
- Lee AY, et al. *N Engl J Med* **359**：146, 2003
- Raskob GE, et al. *N Engl J Med* **378**：615, 2018
- Young AM, et al. *J Clin Oncol* **36**：2017, 2018
- Agnelli G, et al. *N Engl J Med* **382**：1599, 2020

〔鈴木文昭〕

【その他の脳血管障害】
大動脈解離による脳梗塞　6-J

●ここがPOINT！
❶ 大動脈解離を合併する脳梗塞では，アルテプラーゼ静注療法は**禁忌**である．
❷ 胸痛，背部痛のない大動脈解離は5〜15％存在するが，神経学的異常所見を認める症例に限ると10〜55％存在し，注意が必要である．
❸ 大動脈解離の診断には超音波検査や造影CT検査が有用である．

はじめに
- 急性大動脈解離は年間10万人当たり3人の割合で発症する．とくにStanfordA型は緊急手術を要する疾患であり，手術を行わない場合，死亡率は50％以上に達する．脳梗塞や一過性脳虚血発作を合併する割合は約6％と報告されており，動脈解離の頭頸部動脈への波及や解離部位からの塞栓が原因とされている．
- 大動脈解離の最も典型的な臨床症状は胸痛や背部痛であるが，神経学的異常所見を認める症例に限ると，胸痛や背部痛を認めない症例が10〜55％存在し，注意が必要である．
- 大動脈解離に脳梗塞を合併する場合の問題点は，大動脈解離の見落としによる不適切なtPA静注療法による致死的経過と，適切な外科的治療の遅れである．
- 本項目では，診断するためのポイントと，実際の検査画像について解説する．

大動脈解離診断のポイント
❶身体所見から疑う
- 上行大動脈解離（StanfordA型）に伴う場合が多いため，腕頭動脈-右総頸動脈領域が障害されやすく，左麻痺を有する割合が高い．

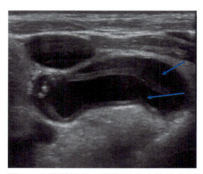

図1 大動脈解離の頸動脈超音波検査所見（腕頭動脈）
矢印（上：偽腔，下：真腔）

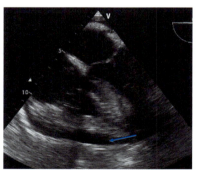

図2 大動脈解離の心臓超音波検査所見
矢印：心タンポナーデ

- 上腕の血圧は左右差を認めることが多く（通常は右が低い），解離が及びやすい右側で収縮期血圧 20 mmHg 以上の低下を認めることが多い．

❷検査所見から疑う

- D-dimer 高値例が多く，わが国からの報告では＞6.9 μg/mL が多いとされている．実際には＞10 μg/mL の症例を多く認める．

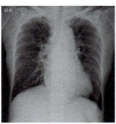 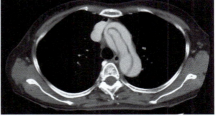

図3 症例(67歳,女性)
　意識障害や胸痛の症状はなかったが,胸部X線で上縦隔の異常を認めなかった.来院時上肢の血圧の左右差(右 80/46 mmHg,左 122/48 mmHg)があったため,胸部造影CT検査を追加で施行したところ,急性大動脈解離の所見を認めた.

❸画像検査から疑う

- 頸動脈エコーは大動脈解離に伴う脳梗塞の診断に有用である(図1).心臓超音波で心タンポナーデを認める場合(図2)も,大動脈解離を強く疑うべきである.
- 胸部X線検査では上縦隔の拡大を認める(図3).
- 最も確実に診断をする方法は造影CT検査(図3)であり,大動脈解離を疑う場合には速やかに検査を検討する必要がある.

(鈴木健太郎)

memo

6-K 脳血管障害と血管炎

【その他の脳血管障害】

●ここが POINT！
① 原発性中枢神経系血管炎（primary central nervous system vasculitis：PCNSV）は脳・脊髄血管などの中枢神経系のみに限局した血管炎で非常に稀な疾患である．
② PCNSV の診断には感染症や全身性炎症疾患，血管炎症候群，悪性腫瘍などに伴う二次性中枢神経血管炎（secondary central nervous system vasculitis）を除外する必要がある．
③ PCNSV 診断の golden standard は脳生検である（Biopsy-proven）．組織学的に血管炎を証明できない場合は，頭部 MRI 所見・脳血管撮影・臨床徴候・髄液所見から総合的に診断する（Image-based）．
④ PCNSV の治療はプレドニゾロンに加えて活動性が強い症例ではシクロホスファミドの投与を行う．病状が安定したらアザチオプリンやメソトレキセートを併用してプレドニゾロンの漸減を行っていく．

はじめに

- 中枢神経血管炎は脳・脊髄血管などの中枢神経系のみに限局した原発性中枢神経系血管炎（primary central nervous system vasculitis：PCNSV）と感染症や全身性炎症疾患，血管炎症候群，悪性腫瘍などに伴う二次性中枢神経血管炎（secondary central nervous system vasculitis）がある．

- PCNSV は疾患に特異的なバイオマーカーが存在せず，診断の golden standard は依然として脳生検（Biopsy-proven）である．血管炎を証明できない場合は，脳血管撮影・頭部 MRI 所見・脳血管撮影・臨床徴候・髄液所見から総合的に診断する（Image-based）．

PCNSV の診断・治療・鑑別疾患

❶ 疫学：PCNSV は稀な疾患であり，海外のデータでは 100 万人

あたり約 2.4 人と報告されている．発症年齢は 50 歳前後であり男性に多い．

❷臨床症状：亜急性の経過（3～6 カ月）で出現する頭痛が最も多い（約 60％）．認知機能障害，視野障害，片麻痺，失語症，複視，痙攣などの多彩な症状を認める．

❸検査所見
①頭部 MRI：ほぼ全例において頭部 MRI で異常所見を認める．
  ※多発性脳梗塞（60％），白質病変を伴う脳梗塞（20％），脳髄軟膜病変あるいは白質病変のみ（10％），腫瘤性病変（5～10％），出血病変あるいはその他（10％）．
②脳血管撮影：典型的にはビーズ細工と形容される血管の狭窄と拡張を多発性に認めるが診断の感度は 40～90％，特異度は 30％である．
③高分解能血管壁 MRI（HR-VWI）：HR-VWI は中～大血管に狭窄病変を認める PCNSV では高率（80％前後）に血管壁に中心性造影効果を認める．一方で小血管径の PCNSV では血管壁の造影効果を伴う症例は少ない．
④髄液検査：PCNSV の 80～90％で髄液異常所見を認める．髄液細胞数上昇は組織学的に血管炎を証明できない症例ではとくに重要な所見である．中等度の髄液細胞数上昇（中央値 20 cell/mL）とタンパク高値（中央値 120 mg/dL）を示す．ただし，疾患特異的な髄液マーカーは報告されていない．
⑤脳生検：脳生検を行う場合は target biopsy が基本である．MRI で造影効果を認める部位から皮質と軟髄膜を含む検体を採取することで診断精度は 80％前後まで上昇する．

❹診断アプローチ
・図 1 に診断アプローチごと（Biopsy-proven vs. Image-based）の臨床および画像所見の特徴をまとめる．最終診断には他疾患を除外することが必須である．

❺治療
・診断後，ステロイドパルス療法（メチルプレドニゾロン 1,000 mg/

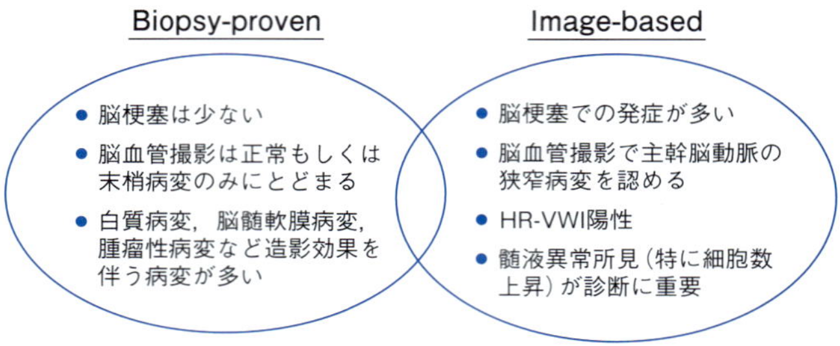

図1 PCNSVの診断アプローチ

Biopsy-proven
- 脳梗塞は少ない
- 脳血管撮影は正常もしくは末梢病変のみにとどまる
- 白質病変，脳髄軟膜病変，腫瘤性病変など造影効果を伴う病変が多い

Image-based
- 脳梗塞での発症が多い
- 脳血管撮影で主幹脳動脈の狭窄病変を認める
- HR-VWI陽性
- 髄液異常所見（特に細胞数上昇）が診断に重要

日，3日間）あるいは経口プレドニゾロン（1 mg/kg/day）の内服を開始する．
- 反応性に乏しい場合や活動性が強い場合はシクロホスファミドの点滴静注（600〜750 mg/m^2/月）を行う．シクロホスファミドの投与は6カ月以内にする．
- 病状が安定したらアザチオプリン（1-2 mg/kg/日），メソトレキセート（20-25 mg/週），ミコフェノール酸モフェチル（1-2 mg/日）を併用しながら経口プレドニゾロンの漸減を行っていく．

❻PCNSVの鑑別診断

- 二次性中枢神経系血管炎とともに，可逆性脳血管攣縮（Reversible cerebral vasoconstriction syndrome：RCVS）があげられる．
- PCNSVは亜急性の経過で中等度の頭痛を呈する一方で，RCVSは雷鳴頭痛で発症することが鑑別のポイントである．

文献

- 日本神経治療学会．標準的神経治療：中枢神経の血管炎 2017
- Hajj-Ali RA, et al. *Lancet Neurology* **10**：561, 2011
- Singhal AB, et al. *Ann Neurol* **79**：882, 2016
- Shimoyama T, et al. *Clin Exp Rheumatol* **41**：800, 2023

（下山　隆）

【その他の脳血管障害】
もやもや病（ウィリス動脈輪閉塞症） 6-L

● ここが POINT！
1. RNF213 遺伝子が疾患感受性遺伝子である．
2. 脳卒中急性期は内科的治療が主体で，慢性期には外科的血行再建術が有効な症例がある．
3. 類もやもや病の治療はもやもや病確診例に準ずるが，基礎疾患の治療が優先される．

はじめに

- もやもや病とは，日本人に多発する原因不明の進行性脳血管閉塞症であり，両側内頸動脈終末部に狭窄ないしは閉塞とその周囲に異常血管網を認める．
- 家族性の発症を 10〜20％に認め，男女比は 1：2.5 で有病率は最近の検討では 10 万人に対して 3〜10.5 人とされる．発症年齢は二峰性分布を示す．
- 基礎疾患に伴う類似の脳血管病変は，類もやもや病（☞便利メモ①）として広義のもやもや病に含める．

診　断

- 「脳血管撮影による診断」：以下の所見が両側性に認められること．（☞便利メモ②）
  ① 頭蓋内内頸動脈終末部を中心とした領域の狭窄または閉塞．
  ② その付近に異常血管網（もやもや血管）が動脈相においてみられる．

便利メモ①
類もやもや病の基礎疾患の代表例
動脈硬化，自己免疫疾患（全身性エリテマトーデス，抗リン脂質抗体症候群，結節性動脈周囲炎，シェーグレン症候群），髄膜炎，von Recklinghausen 病，脳腫瘍，ダウン症候群，頭部外傷，放射線照射，甲状腺機能亢進症，経口避妊薬など．

> **便利メモ②**
> 脳血管撮影で，もやもや病に特異的な所見が確認される場合には，両側・片側にかかわらず，もやもや病と診断する（成人・小児を問わない）．

- 「磁気共鳴画像（MRI）による診断」：以下の所見が両側性に認められること．
    - ①MRA で頭蓋内内頸動脈終末部を中心とした領域の狭窄または閉塞．
    - ②MRA で大脳基底核部に異常血管網．
        - ※注：MRI 上，大脳基底核部にすくなくとも一側で 2 つ以上の明らかな flow void を認める場合や，3T MRI で撮像された T2 強調画像や MRA で脳底部シルビウス槽に通常の中大脳動脈水平部の flow void とは異なる異常血管網を認めた場合は，もやもや血管（異常血管網）と判定してよい．

検査

- もやもや病の脳虚血の発現機序は，血行力学的機序であることが示唆されている．治療方針決定のためには脳血流 SPECT などによる脳循環動態を評価することが重要である．

治療

❶内科的治療

- 脳卒中急性期においては，虚血発症例では「アテローム血栓性脳梗塞」の治療に準じた薬剤選択を考慮する．
- 出血発症例では，脳出血の治療に準じた降圧療法が考慮されるが，過度の降圧が虚血を誘発する可能性があるため注意を要する．
- 脳卒中慢性期においては，虚血・出血いずれにおいても，外科治療が第一に考慮される．
- アスピリンの内服は推奨されるが，長期投与での出血性変化への注意は必要である．抗血小板剤の多剤併用は勧められない．脳卒中危険因子の管理は脳卒中一般に準じて行う．

> **便利メモ③**
>
> 直接的血行再建術は頭蓋外血管を頭蓋内血管に直接吻合することで,主に浅側頭動脈-中大脳動脈吻合術が行われる.間接的血行再建術は血流が豊富な組織を脳に接着することで,その組織から脳へ新たな新生血管が発生することを期待する方法である.主に硬膜,側頭筋,浅側頭動脈が用いられる.前者は血管径の太い成人例に,後者は主に小児例に適している.

❷外科的治療

- 虚血発症例において,血行再建術を行うことにより,虚血発作の改善,脳梗塞発症リスクの軽減,長期的高次脳機能転帰の改善が報告されている.血行再建術には,直接と間接があり(☞便利メモ③),いずれか単独あるいは併用などが症例により考慮される.
- 出血発症例においては,頭蓋外内血行再建術が再出血率を低下させるという報告があり,手術を行うことを考慮してもよい.
- もやもや病に対する外科的直接血行再建術は,動脈硬化症例に対するものと比較し,吻合する血管自体も細いことが多く,吻合血管の選択や術後管理も含め,より専門性が高いと考えられる.そのため,もやもや病に対する外科的治療の経験が豊富な施設に治療を依頼することが重要である.
- もやもや病確診例に対する血管形成術等の血管内治療は効果が乏しく,推奨されない.

類もやもや病に対する治療 (図1)

- 基本的に,もやもや病確診例の治療に準ずる.甲状腺機能亢進症などのホルモン異常や,自己免疫性の機序による症例では,ホルモン値の是正や免疫抑制療法の効果が期待されるため,原因疾患の鑑別は重要である.

memo

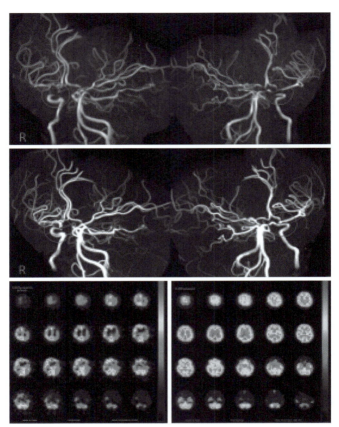

図1 **症例**(30歳,女性)

甲状腺機能亢進症のコントロール不良の状態にて TIA を発症.

TIA 発症時,両側内頸動脈終末部に高度狭窄を認め(上段),脳血流 SPECT にて左優位の両側大脳半球の血流低下を認めた(下段左).甲状腺機能亢進症治療後で TIA 発症 1 年後,両側内頸動脈終末部の高度狭窄は改善し(中段),脳血流 SPECT でも両側大脳半球の血流が改善している(下段右).

文 献

- 日本脳卒中学会. 脳卒中治療ガイドライン 2021
- 冨永悌二・他. もやもや病（ウイリス動脈輪閉塞症）診断・治療ガイドライン（改訂版）
- 難病情報センター HP（https://www.nanbyou.or.jp/entry/209）
- 日本脳卒中学会. rt-PA 静注療法適正治療指針（2005 年 10 月）
- 日本脳卒中学会. rt-PA 療法適正治療指針 第三版（2019 年 3 月）

（齊藤智成）

memo

6-M 感染性心内膜炎に伴う脳梗塞

【その他の脳血管障害】

●ここがPOINT！

1. 感染性心内膜炎が原因と考えられる脳梗塞において，再灌流療法の適応は出血リスクが高いため，慎重に判断する必要がある．感染性心内膜炎に伴う脳梗塞に対する二次予防は抗菌薬投与であり，抗血栓療法は不要である．
2. 感染性心内膜炎に対しては早期から抗菌薬治療を行う．全身管理，治療方針決定のために，循環器内科，心臓血管外科との協働が重要である．
3. 感染性心内膜炎の初発症状が脳梗塞のことがある．病歴や特徴的な身体・検査所見，画像所見から感染性心内膜炎を疑い，早期に心エコーなどの精査を行う．

はじめに

- 感染性心内膜炎（Infective Endocarditis：IE）とは，弁膜や心内膜，大血管内膜に細菌集簇を含む疣腫（Vegetation）を形成し，菌血症，動脈塞栓，心障害など多彩な臨床症状を呈する全身性敗血症性疾患である．
- IEの20〜40％に脳卒中を認める．
- IE自体は頻度の高い疾患ではないが，IEに合併した脳梗塞や脳梗塞を契機としてIEが診断された症例を時に経験する．
- 大学病院のStroke Unitに入院した急性期脳梗塞患者連続1,531例を対象とした後ろ向き研究では，IEの頻度は1.7％であった．IE患者において，医療機関受診の契機となる症状が脳梗塞であることは稀ではなく，まずIEを疑うところから始まる．
- IEを疑うに当たってのポイントは，以下の3点である（表1）．IEを疑った場合は，経胸壁/経食道心エコー検査など精査を行う．循環器内科との協働が重要である．

表1 IEを疑うポイント

1	IEハイリスク患者の認識	歯科治療後,著しい歯周病,先天性心疾患,弁膜症,人工弁置換術後,透析,担癌患者など.
2	身体所見,検査所見上の特徴	発熱,心雑音,末梢血管病変(爪下線状出血,Janeway発疹,Roth斑など),関節痛・筋肉痛,比較的急速に生じたうっ血性心不全症状,炎症反応高値など.
3	IEに伴う脳梗塞の画像的特徴	IEに伴う脳梗塞の画像的特徴:複数の小梗塞であることが多く,多血管領域に及ぶことも多い(図1).

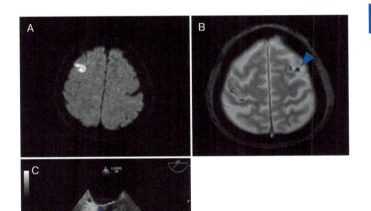

図1 IEに伴う脳梗塞の1例

68歳,男性.Ⅱ型糖尿病に対しインスリン治療中.顔面神経麻痺に対しステロイド内服加療中に39℃台の発熱,意識障害を呈し当科コンサルト.血液検査では炎症反応高値,頭部MRI DWIでは多血管領域に多発する梗塞巣を認め(A),T2*強調像では,左前頭葉に微小動脈瘤を疑う所見を認めた(B,矢頭).病歴からIEに伴う脳梗塞を疑い,経食道心エコーを施行したところ,僧帽弁に稼働性のある構造物を認め(C,矢印),IEに伴う疣腫と診断した.抗菌薬による加療により疣腫は徐々に縮小した.

IEに伴う脳梗塞の注意点

❶脳梗塞に対する治療上の注意点

　①超急性期
- 再灌流療法の適応に関しては確たるエビデンスはない．tPA静注療法に関してはIE非合併例と比較してtPA静注療法後の脳内出血が有意に多く（20% vs. 6.5%），原則として推奨されない．
- 血管内治療に関してはさらにエビデンスがないが，IEに伴う脳内出血の機序として感染性脳動脈瘤の破裂，敗血症に伴い血管壁に炎症とそれに引き続く壁の脆弱性が生じる，脳梗塞内の出血性変化などが考えられていることから，理論的にはtPA静注療法と比較すると出血リスクは少ないと思われる．

　②急性期
- 抗血栓療法に関しては，出血性合併症への懸念からIEに伴う脳梗塞であることが明らかな場合は，通常抗血栓療法は行わない．心房細動や機械弁置換術後など，抗凝固療法が必要な患者にIEと脳梗塞が生じた場合は，慎重に抗凝固療法を継続する．
- IEでは，5%前後に感染性脳動脈瘤を認める．IEに合併した感染性脳動脈瘤に対して，大型の未破裂脳動脈瘤，経時的な増大を認める動脈瘤，破裂動脈瘤に関しては外科治療，血管内治療を考慮する．

　③亜急性期
- IEに伴う脳梗塞に対して二次予防としての抗血栓薬投与は通常不要である．

❷IEに対する治療の注意点

　①超急性期
- IEの診断ないし疑いの時点で，エンピリックに抗菌薬治療を開始する．早期の抗菌薬開始はIEの予後を改善させるだけでなく，その後の脳梗塞のリスクを低減させることにもつながる．

　②急性期
- 循環器内科，心臓血管外科との協働が非常に重要である．循環器内科に心エコー検査による疣腫のフォロー，弁破壊やそれに伴

う弁逆流症の評価を依頼し，血行動態，全身状態の安定化に努める．心臓血管外科とは外科的治療の適応（一般的には，内科治療抵抗性のうっ血性心不全，感染の持続，感染性塞栓症）・タイミングに関して治療方針を共に検討する．また，近年では，手術適応のあるIEに対し早期の手術が勧められる傾向にある．
- 軽症または無症候性脳梗塞が手術延期の理由になることは少ないが，大梗塞や出血性変化，他部位に脳内出血を合併した脳梗塞は手術を数週間延期する必要がある．

③亜急性期：抗菌薬治療を完遂させる．

文献

- 日本循環器学会．感染性心内膜炎の予防と治療に関するガイドライン2017年改訂版
- Hobohm C, et al. *Cerebrovasc Dis* **41**：60, 2016
- Okazaki S, et al. *Cerebrovasc Dis* **35**：155, 2013
- Asaithambi G, et al. *Stroke* **44**：2917, 2013
- Hui FK, et al. *J Neurointerv Surg* **7**：449, 2015
- Merkler AE, et al. *Neurology* **85**：512, 2015
- Dickerman SA, et al. *Am Heart J* **154**：1086, 2007

（坂本悠記）

memo

7-A 心電図検査・胸部X線検査

【脳卒中急性期に行う各種検査】

●ここがPOINT！

❶心電図検査・胸部X線検査は，脳卒中急性期の患者に対して必須の検査である．

❷心電図検査では，心房細動の有無，その他の不整脈，左室肥大の程度，虚血性心疾患がないかを確認する．

❸来院時に心電図が洞調律であっても発作性心房細動が隠れていることが多く，心原性脳塞栓症が否定できない場合は心電図モニタ装着や，24時間ホルター心電図検査を行う．

❹胸部X線検査では，心拡大の程度や，心不全・肺炎・肺腫瘍の有無，大動脈弓部の動脈硬化性変化に注意する．また，ペースメーカーなどの体内金属がないかを確認する．

❺急性胸部大動脈解離を見逃さないために，上縦隔の拡大の有無は必ず確認しなければならない．

心電図検査

❶心原性脳塞栓症の原因として一番多いのは心房細動である．心電図検査は，心房細動を見つけるうえで一番簡便で容易な検査である．心房細動の有無がその後の急性期治療方針に繋がるため，初療時に必ず心電図検査を施行する．

❷房室ブロックなどの不整脈の有無，左室肥大の程度，伝導障害，虚血性心疾患の有無も確認しておく．

❸来院時に心電図が洞調律であっても，塞栓性の脳梗塞や急性発症の脳梗塞の場合は，「まだ」見つかっていないだけで，発作性心房細動が隠れているかもしれない．明らかな別の原因が特定できないかぎりは，発作性心房細動を見逃さないために長時間の心電図モニタ装着や24時間ホルター心電図検査が有用である．入院中に心電図モニタを装着することにより，発作性心房細動の検出率が5倍以上であったと報告されている．その多く

表1　胸部X線検査で注意すべきポイント

① 心拡大の有無
② 肺野の異常（心不全や胸水，悪性腫瘍，肺炎など）
③ 縦隔の異常（急性大動脈解離，動脈瘤の有無）
④ 大動脈弓部の動脈硬化性変化，石灰化所見
⑤ ペースメーカーなどの体内金属や電子機器の確認

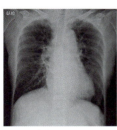
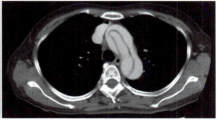

図1　症例（67歳，女性）
　意識障害や胸痛の症状はなく，胸部X線で上縦隔の異常を認めなかった．
　来院時上肢の血圧の左右差（右 80/46 mmHg，左 122/48 mmHg）があったため，胸部造影CT検査を追加で施行したところ，急性大動脈解離の所見を認めた．

は入院後の最初の4日間で新規の心房細動が検出された．
(☞**各論 5-F**)

胸部X線検査 （表1）

❶胸部X線検査で心拡大を認める場合は，心房細動や心不全の存在を疑う．
❷tPA静注療法を行う場合に，決して見逃してはいけないのが胸部大動脈解離である．急性胸部大動脈解離の約5％に脳梗塞を合併し，急性大動脈解離症例の10〜55％は胸部痛や背部痛を伴わないことが報告されている．
❸tPA静注療法は非常に強力な血栓溶解作用を有する反面，出血のリスクが非常に高く，大動脈解離を伴う急性期脳梗塞患者に投与し死亡に至った例が多数報告されている．

❹tPA を投与する前に，必ず胸部 X 線検査を施行し上縦隔の拡大がないか，血圧の低下や左右差（多くは右が多い）がないか，胸痛や背部痛がないかを確認することは必須であるが，胸部大動脈解離を疑った場合，これらがすべて陰性であっても胸部造影 CT 検査や頸部血管エコー検査を考慮しなければならない（図1）．

文献

- Liao J, et al. *Stroke* **38**：2935, 2007
- Suissa L, et al. *J Stroke Cerebrovasc Dis* **22**：991, 2013
- Fessler AJ, et al. *Neurology* **54**：1010, 2000
- 山口武典：脳卒中 **29**：541，2007

（下山　隆）

【脳卒中急性期に行う各種検査】
血液学的検査　7-B

●ここがPOINT！
❶超急性期脳卒中では，tPA投与や血管内治療を行うことを念頭に採血項目を選び，必要に応じて迅速キットを使う．
❷若年であったり動脈硬化リスクが低い場合は，特殊な疾患を考慮して検査を行う．
❸BNPが高値の場合に心原性脳塞栓症を疑う．

- 急性期脳卒中の診療は，tPAや血管内治療の登場により，時間との闘いとなった．一刻も早く診断や治療をするうえで，必要な採血項目はあらかじめ知っておく必要がある．本項では，急性期脳卒中で遭遇する場面ごとに，採血する項目について概説する．

脳卒中の鑑別
❶意識障害，構音障害，片麻痺などの症状は脳卒中を疑わせるが，実際には脳卒中でない患者もいる．脳炎や脳腫瘍，てんかんなどの神経疾患の他に，低血糖や肝性脳症などの代謝性疾患，解離性障害や不安障害などの精神疾患，失神などがある．問診や診察に加えて，採血によって鑑別を行う（☞**各論6-B**）．採血結果が診断の補助になることがある．
❷血糖，アルコール，二酸化炭素，電解質，甲状腺機能，アンモニア，薬物スクリーニングなどを必要に応じて検査する．また，てんかんではCKの上昇を伴うことがあり鑑別の一助となる．

急性期脳卒中の血液学的検査

超急性期脳梗塞診療
❶超急性期の脳卒中では，tPA投与や血管内治療の適応があるかどうかをまず判断する必要がある．その場で採血項目を考える時間はないため，決まった採血項目がセットしてあることが望ましい．実際にはその後に点滴を使うことが多いため，末梢

ルートの確保と同時に採血を行う．当科では，tPA 投与や血管内治療の可能性がある患者では，より早期に適応を確認するために，血算と血糖の簡易測定器，また抗凝固薬を服用している患者では PT-INR 簡易迅速測定装置（Coagu-Check®）を用いている（☞総論 1-A）．

❷rt-PA 静注療法適正治療指針 第三版には禁忌事項として，重篤な肝障害，急性膵炎，血糖＜50 mg/dL または＞400 mg/dL，血小板＜100,000/μL，PT-INR＞1.7，APTT の前値 1.5 倍以上が挙げられており，これらは採血にて確認する．

❸血管内治療のデバイスにもそれぞれ禁忌項目が存在する．例えばステント型血栓回収デバイスの Trevo® では PT-INR＞3.0 や血小板数＜30,000 mm² の患者は禁忌，血栓吸引型デバイスの Penumbra® では血糖値＜50 mg/dL や PT-INR＞3.0 の患者は禁忌であり，多くは tPA と類似した事項である．また，禁忌項目には該当しないが，血管内治療を行う際には，造影剤投与や動脈穿刺を行うため，貧血や出血性素因，腎機能をチェックすることも必要である．

動脈硬化リスクのスクリーニング

❶血栓性脳梗塞の代表的基礎疾患として，高血圧症，糖尿病，脂質異常症，慢性腎臓病が挙げられる．

❷高血圧症は多くが本態性であるが，若年者や難治性高血圧症では二次性高血圧症の鑑別を要する．血中レニン活性，アルドステロン，コルチゾール，ACTH，血清・尿中カテコールアミン，甲状腺ホルモンなどを検査する．

❸糖尿病では血糖値，HbA1c の他に，インスリン分泌能や抵抗性を評価するために，血中インスリン，血中・尿中 C ペプチドを測定するのも有用である．

❹脂質異常症では TG，LDL コレステロール，HDL コレステロールを測定する．また，エイコサペンタエン酸（EPA）/アラキドン酸（AA）比の低値は脳梗塞の発症と関連がある．

❺慢性腎臓病では糸球体腎炎などの腎疾患を除けば，多くは上記

の基礎疾患を原因とする．BUN やクレアチニンだけでなく，尿中蛋白も測定する．蛋白尿は eGFR とは独立した脳梗塞の転帰不良の予測因子でもある．

特殊な脳梗塞の原因

- 若年者や動脈硬化リスクの少ない患者では，特殊な疾患を考慮する必要がある．採血が診断の一助となる中で代表的なものとしては，抗リン脂質抗体症候群，血管炎症候群，悪性腫瘍，Fabry 病，骨髄増殖性疾患，MELAS，先天性血栓性素因などが挙げられる．表 1 に主な検査項目を示す．悪性腫瘍を伴う場合，傍腫瘍性神経症候群の一つであるトルソー症候群だけではなく，DIC や非感染性血栓性心内膜炎も原因となりうる．

血栓症と塞栓症の鑑別

- 適切な抗血栓薬を選ぶうえで，血栓症か塞栓症かを鑑別することが求められる．採血で簡便に予想できる項目として，BNP および D-dimer が挙げられる．

❶BNP

- BNP（brain natriuretic peptide）は心臓から分泌されるホルモンで心不全のバイオマーカーとして広く使われている．脳卒中の領域では，心原性脳塞栓症と非心原性脳塞栓症の鑑別に有用であることが報告されている．Shibasaki らの報告では，発症 24 時間以内の脳梗塞患者で入院時 BNP を計測すると，ラクナ梗塞 37.4 pg/mL，アテローム血栓性脳梗塞 94.0 pg/mL であるのに対して心原性脳塞栓症は 409.6 pg/mL と高値であり，ROC 曲線から得られた cut-off 値 140 pg/mL を用いると，その感度特異度はともに 80.5％であったと報告している．また BNP はそれ単独で脳卒中の転帰予測因子となりうることも報告されている．

❷D-dimer

- D-dimer の上昇は奇異性脳塞栓症，トルソー症候群，深部静脈血栓症などの合併を疑う．

表1 特殊な脳梗塞の原因とその採血項目

疾　患	検査項目
抗リン脂質抗体症候群	抗β2-グリコプロテイン抗体（IgG or IgM）陽性，抗カルジオリピン抗体（IgG or IgM）陽性，ループスアンチコアグラント陽性
結節性多発動脈炎	白血球増加，血小板増加，CRP高値，血沈亢進
ANCA関連血管炎	MPO-ANCA陽性，PR3-ANCA陽性，白血球増加，CRP高値
高安病	白血球増加，CRP高値，血沈亢進，免疫グロブリン（IgA, IgG）高値，補体（C3, C4）高値，IL-6高値
Sjögren症候群	抗SS-A抗体陽性，抗SS-B抗体陽性
巨細胞性動脈炎	白血球増加，CRP高値，血沈亢進
全身性エリテマトーデス	抗核抗体陽性，抗DNA抗体陽性，汎血球減少，抗二本鎖DNA抗体陽性，抗Sm抗体陽性
全身性強皮症	抗核抗体陽性，抗Scl-70抗体陽性，抗セントロメア抗体陽性，抗RNAポリメラーゼIII抗体陽性
クリオグロブリン血症	クリオグロブリン定性陽性，補体（C3, C4）低値，白血球増加，CRP高値，免疫電気泳動による単クローン性免疫グロブリン陽性
サルコイドーシス	ACE活性高値，リゾチーム活性高値，可溶性IL-2受容体高値
高ホモシステイン血症	ホモシステイン高値，葉酸低値
トルソー症候群	腫瘍マーカー高値，CRP・D-dimer高値，貧血の存在
DIC	D-dimer高値，Fib低値，FDP高値，TAT高値，ATIII低下
Fabry病	白血球，血漿，皮膚線維芽細胞中のαガラクトシダーゼ活性低値，尿沈渣中mulberry cell陽性
ホモシスチン尿症	血中メチオニン高値，血中ホモシスチン高値
真性赤血球増多症，本態性血小板増多症	赤血球高値，血小板増加，JAK2遺伝子変異陽性
MELAS	乳酸高値，ピルビン酸高値
プロテインC・S欠乏症	プロテインS・C活性低値
感染性心内膜炎	☞各論6-Mへ

文　献

- 峰松一夫・他．脳卒中 **34**：452，2012
- Shibazaki K, et al. *Inter Med* **48**：259，2009

（林　俊行）

【脳卒中急性期に行う各種検査】
CT 検査 7-C

●ここが POINT！
1. 早期診断治療が大切であり，頭部 CT の画像所見を判読することが重要である．
2. 臨床症状から梗塞部位を推定して画像所見を読み取る．
3. 梗塞像から閉塞血管，発症機序，臨床病型を予測する．

はじめに
- CT 検査は多くの施設で迅速に検査を行うことができ，スクリーニング検査としても有用である．

CT 検査の目的
- 急性期脳卒中の症状では出血性と虚血性では治療方針が大きく異なるため，短時間で鑑別する必要がある．
- 頭部 CT では急性期の血腫を高吸収値として捉えることができるため，虚血性脳卒中（脳梗塞）と出血性脳卒中（脳出血やくも膜下出血）の鑑別が容易であり，出血性脳卒中を短時間で否定できる．

脳梗塞の経時的変化とその所見
- 急性期脳梗塞では early CT sign を用いて急性期虚血性変化を判断する．
- early CT sign は，①島回皮質の濃度低下，②基底核の輪郭の不明瞭化，③灰白質/白質境界の不明瞭化，④脳回の腫脹，脳溝の消失，⑤閉塞血管の高吸収（例：中大脳動脈主幹部閉塞：hyper dense MCA sign，図 1）などがある．
- 梗塞領域を半定量化する方法として，ASPECTS（Alberta Stroke Programme early CT score）がある（図 2）．
- 具体的には頭部 CT の 2 断面（レンズ核と視床を通る軸位断と，それより約 2 cm 頭側のレンズ核構造が見えなくなった最初の断面の 2 断面）で中大脳動脈領域を 10 領域（尾状核　C，レンズ核　L，内包

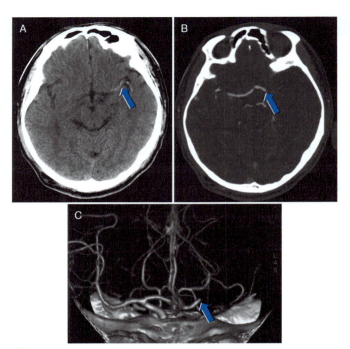

図1 Hyper dense MCA sign
  A：左中大脳動脈閉塞における hyperdence MCA sign
  B：図Aと同一症例のCTA（左中大脳動脈閉塞を示す）
  C：図Aと同一症例の3D-CTA（左中大脳動脈閉塞を示す）

後脚 IC，島皮質 I，皮質下 M1～6）に分け，各部位に早期虚血性変化があれば1点とし減点法で評価する（図3）．

- tPA療法ではASPECTS 5点以下は転帰が悪くなる．また，機械的血栓回収療法では6点以上は積極的な治療対象に含まれる．

脳血管障害が否定された場合

- 代謝性・中毒性脳症，脱髄性疾患，てんかん，脳炎，心因性を考える．
- 診断のステップとして，まずは診察し神経症候を確認する．そ

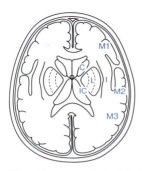
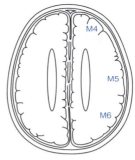

C：caudate
L：lentiform
I：insular ribbon
IC：internal capsule
M1：anterior MCA cortex
M2：MCA cortex lateral to insular ribbon
M3：posterior MCA cortex
M4〜6：immediately superior to M1, M2, and M3, rostral to basal ganglia

図2 ASPECTS（Alberta Stroke Program Early CT Score）
（Barber PA, et al. *Lancet* **355**：1670, 2000 より）

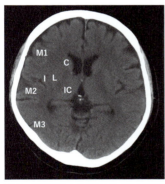
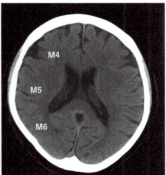

図3 実際の ASPECTS が示す領域

して鑑別疾患を考えながら，各種検査を施行する．

読影のコツ

- 神経症候から閉塞血管を推測し読影する．
- early CT sign は，軽微なことが多く，対側と比較することが重要である．

> **Pitfall**
>
> hyper dense signは,石灰化の場合もあるので注意が必要である.

文 献

- Barber PA, et al. *Lancet* **13**;355:1670, 2000
- Kimura K, et al. *Stroke* **39**:2388, 2008
- 日本脳卒中学会・他.経皮経管的血栓回収用機器 適正使用指針 第3版,2018

（木村龍太郎）

memo

【脳卒中急性期に行う各種検査】
MRI検査 7-D

●ここがPOINT！
❶当科では脳卒中急性期のMRIで，DWI，MRA，FLAIR，T2*をまず確認して，tPAや血管内治療が必要な超急性期脳梗塞の症例は治療へ移る．
❷病歴や症状から鑑別を要する場合は，その他の撮影法やシークエンスを有効活用する．

はじめに

- 脳卒中急性期では頭部MRI画像は重要な検査の1つ．当科では，激しい頭痛によりくも膜下出血が強く疑われる場合に，救命が優先される場合以外ではMRI firstで頭蓋内評価を行っている．
- とくに，tPAや血管内治療が適応である4.5〜24時間以内の超急性期脳梗塞の場合は1分でも早く治療に移られるように，DWI，MRA，FLAIR，T2*を優先して評価している（図1）．この項では，シークエンス別に特長を述べていく．

シークエンス別の特長

❶DWI

- 早期の脳梗塞巣の検出に有用であり，DWI-ASPECTSで血管内治療の適応を判断する．早期の拡散異常が発現する時間は最短で20〜30分で出現し得るが，信号変化が淡い場合がある．中にはT2 shine throughの場合もあり，DWIのみでは判断が難しい場合があるので，ADC（Apparent diffusion coefficient）mapと組み合わせて評価することが有用である．

  ※ADC map：Stroke mimicsを除けば，ADC低値を伴う場合は細胞毒性浮腫を表す脳梗塞急性期であり，ADC高値を伴う場合は血管原性浮腫を表しており，T2 shine throughもこちらに含まれる．

  ※T2 shine through：T2強調画像で高信号を呈する病変がDWIで高信号を示す場合のことをいう．

■脳卒中急性期に行う各種検査

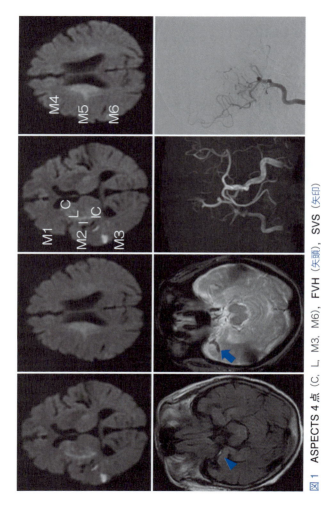

図1 ASPECTS 4点（C, L, M3, M6），FVH（矢印），SVS（矢頭）
右M1閉塞に対して血行再建術施行し，再開通が得られた（右下脳血管造影画像）．発症から到着まで170分，到着から再開通まで40分．

※thin slice, 冠状断：脳幹梗塞や小梗塞はsliceの間に入ってしまい，見逃される場合があり，DWIのthin sliceの撮影や冠状断の撮影が有用である．

❷MRA
・頭蓋内動脈の血管評価のうち，非侵襲で最も簡便な検査の1つである．脳ドックでも頻用されているが，狭窄所見に関しては，過大評価となってしまうので，狭窄が疑われたら3DCTAや脳血管造影の検査を追加する必要がある．また，MRA元画像の確認も重要である．

❸FLAIR
・急性期脳梗塞において数時間経過するとFLAIRで淡い高信号域が出現する．また，急性期脳梗塞におけるFLAIR vessel hyperintensity signは，血流の遅延・停滞あるいは閉塞血管の存在を示唆し，側副血行路を表している（図1：FVH）．

※DWI-FLAIR mismatch：DWIで高信号があり，FLAIRで同部位の高信号がまだ出現していない所見である．発症時間不明でミスマッチがある場合，発症後4.5時間以内の可能性が高く，tPAや血栓回収療法の適応を考慮する必要がある．

※くも膜下出血：微小な出血の場合は頭部CTによるくも膜下出血の否定は困難な事が多く，また，CTの感度は発症時より低下し，6時間以内100％，24時間以内90-98％，3日後85％，7日後50％と低下することに留意する（☞総論1-H）．CTで所見が認められないときはFLAIR画像が有用である（図2：くも膜下出血）．

❹T2*
・微小出血の検出に有用である．また，急性期脳梗塞におけるsusceptibility vessel sign（以下SVS）で主幹動脈血栓の検出が可能であり，SVSを認める症例ではtPA静注療法単独で再開通が得られにくいと言われている（図1：SVS）．

※SWI：撮影に時間がかかるが，T2*に位相情報が付加されることで微小出血の感度がより高い（図3：脳アミロイドアンギオパチーのT2*とSWIの比較）．

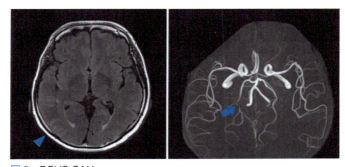

図2 RCVS SAH
FLAIRで脳溝高信号域あり(左図;矢頭), スパズム(右図;矢印)

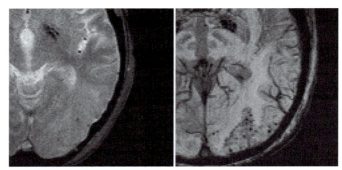

図3 脳アミロイドアンギオパチー
左図:T2*, 右図:SWI

❺T1WI

・解剖学的構造が捉えやすく, 形態異常を発見しやすい. 陳旧性梗塞巣は低信号を呈する.

・内頸動脈狭窄症のプラーク評価として, 頸部MRIではBlack Blood法がある. 胸鎖乳突筋と比較して高信号であると不安定性プラーク(プラーク内出血, 脂質性プラーク)が示唆され, 治療法の選択の前情報として有用である(図4:Black Blood法).

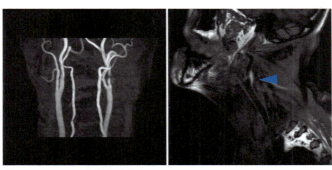

figure 4 アテローム血栓性脳梗塞
頸部T1WI高信号は不安定プラーク.

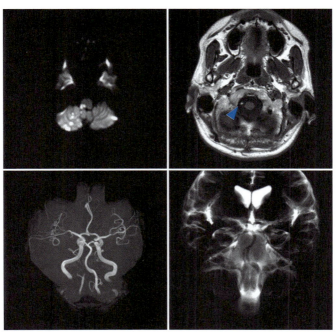

figure 5 椎骨動脈解離

- また，動脈解離が疑われる場合，T1WIでは偽腔の新規血栓が高信号域を呈するので有用であり，とくにthin sliceが重要である（図5：椎骨動脈解離）．

❻BPAS

- 椎骨脳底動脈解離が疑われる場合に有用である．BPASでは血管の外観を観察できるので，MRAの椎骨脳底動脈の描出不良と比較することで診断が可能である（図5：MRAとBPASの比較）．

文 献

- Perry JJ, et al. *BMJ* **343**：d4277, 2011
- Kimura K, et al. *Stroke* **40**：3130, 2009

（沓名章仁）

> memo

【脳卒中急性期に行う各種検査】
超音波検査　7-E

●ここがPOINT!
1. 超音波検査はベットサイドで施行可能で，かつリアルタイムに情報が得られる．MRI，脳血管造影検査に加え脳卒中急性期の病態把握のために欠かせない検査法である．
2. 頸部血管エコーを用い，脳血管の閉塞部位診断，内頸動脈の狭窄・閉塞診断やプラークの性状診断が可能である．
3. 超急性期血行再建前の胸部大動脈解離に伴う総頸および内頸動脈解離の有無の評価にも有用である．
4. 内中膜複合体厚（intima-media thickness：IMT）は動脈硬化の指標となる．
5. 経食道心エコーは，左房・左心耳内血栓，卵円孔開存や大動脈粥腫病変の評価に優れており，塞栓源検索に適している．

頸部血管エコー

❶超急性期の閉塞部位診断

- 急性期脳梗塞の血管内治療の有効性が確立し，血管内治療を想定し迅速に脳主幹動脈閉塞の有無を把握することが求められる時代となった．
- 頸部血管エコーにより内頸動脈（ICA）起始部閉塞の有無の把握，および総頸動脈（CCA）拡張末期血流速度の左右比（ED-ratio）により頸部および頭蓋内脳血管の閉塞部位診断をすることが可能である（図1, 表1）．すなわち，MRI撮像前に主幹脳動脈閉塞の有無および再開通療法の有無を判断することができる．
- 血管内治療前の頸部血管エコーの所見により，ICAあるいは中大脳動脈（MCA）閉塞を疑う場合にはtPA静注療法に続き血管内治療による血栓回収術を行うことを考え，血管内治療担当医への連絡や治療の準備を行う．また，CCA ED-ratioが1.4倍以上で，ICA起始部閉塞があればアテローム血栓性閉塞が疑われ，バルーン

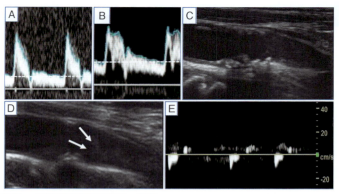

図1 内頸動脈閉塞のエコー所見

CCA：総頸動脈，ICA：内頸動脈，EDV：拡張末期血流速度比

上段：アテローム血栓性 ICA 閉塞のエコー所見
（A：右 CCA 血流速度 EDV 14.2 cm/s，B：左 CCA 血流速度 EDV 27.6 cm/s，C：右 ICA B モード長軸像）
CCA EDV ratio＝27.6/14.2＝1.94＞1.4 であった．右 ICA B モード長軸像では右 ICA の起始部閉塞を認めた．

下段：塞栓性 ICA 閉塞のエコー所見（D：右 ICA 長軸像，E：右 ICA 血流速度）
右 ICA 起始部に可動性血栓（oscillating thrombus）を認め，右 ICA の血流速度は to-and flow パターンであった．

表1 頸部血管エコー　脳血管狭窄・閉塞診断基準

①内頸動脈閉塞診断	ED ratio≧1.4：塞栓性または血栓性閉塞 EDV 0 または可動性血栓：塞栓性閉塞 内頸動脈起始部閉塞：アテローム血栓性閉塞
②心原性脳塞栓症における閉塞診断	4.0≦ED ratio 内頸動脈閉塞 1.3≦ED ratio＜4.0 中大脳動脈水平部閉塞 ED ratio＜1.3　中大脳動脈分枝閉塞
③内頸動脈狭窄診断	PSV≧150 cm/s：NACSET 50％以上の狭窄 PSV≧200 cm/s：NASCET 70％以上の狭窄

拡張術やステント留置術を行うための情報となる（図1, 表1）．

❷胸部大動脈解離に伴う総頸および内頸動脈解離

・胸部大動脈解離に伴う脳梗塞では tPA 静注療法や血管内治療は禁忌である．胸部大動脈解離に伴う脳梗塞では総頸動脈解離を

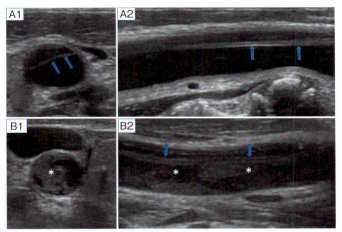

図2 胸部大動脈解離に伴う総頸動脈解離

A：胸部大動脈解離例の右総頸動脈 B モードエコー所見（A1：短軸像，A2：長軸像）
　真腔と偽腔を隔てる隔壁（intimal flap，矢印）を認める．
B：胸部大動脈解離例の右総頸動脈 B モードエコー所見（B1：短軸像，B2：長軸像）
　偽腔は血栓性閉塞しており（＊），真腔と偽腔を隔てる隔壁（intimal flap，矢印）のが不明瞭となっている．

伴うことが多く，そのスクリーニングに頸部血管エコーは有用である（図2）．通常，頸部血管エコーにより真腔，偽腔および隔壁（intimal flap, 図 2-A1, 2 矢印）を確認することが可能であるが，時に偽腔が血栓性に閉塞（図 2-B1, 2＊）している症例では隔壁（intimal flap, 図 2-B1, 2 矢印）のを見落とす可能性があり，注意を要する．

❸内頸動脈の狭窄

- 頸部血管エコーにより ICA 狭窄部位の収縮期最大血流速度を計測し，200 cm/s 以上で NASCET 法にて 70％以上，150 cm/s 以上で 50％以上の狭窄と診断できる（表1，図3）．

❹プラークの性状診断

- 1.1 mm 以上の限局した隆起性病変をプラークと総称する．

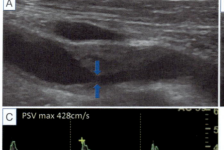
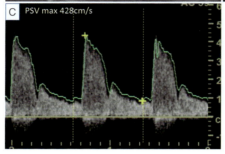
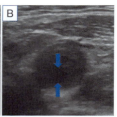

図3 内頸動脈狭窄例のエコー所見
A：Bモード長軸像
B：Bモード短軸像
C：狭窄部位で計測したパルスドプラ所見
　一部低輝度所見を伴う等輝度のプラークを伴う狭窄を認める（A, B 矢印）．
　狭窄部位で計測した収縮期最高血流速度（PSV max）は428 cm/sと上昇していた（C）．

- 脳梗塞やTIAを起こしやすいプラークは不安定プラークと呼ばれるが，プラークのエコー輝度や可動性とその病理所見との関連が報告されている（図4）．低輝度プラークや可動性プラークは脂質コアやプラーク内出血，線維性被膜破綻など不安定プラーク示唆するエコー所見である．一方，等輝度プラークは線維性組織や内膜過形成と関連し，音響陰影（acoustic shadow）を伴う高輝度プラークは石灰化成分を多く含むプラークと考えられている．

❺内中膜厚（intima-media thickness：IMT）の評価

- Bモードエコー上，血管壁は血管内腔面1層の低輝度部分とその外の高エコー輝度部分の2層として観察されるが，内腔面の1層の低エコー輝度部分がIMTと呼ばれる（図5）．IMTの測定は長軸で拡張末期に計測し，遠位壁（far wall）で測定する．本邦では，1.0 mm以下を正常，1.1 mm以上をIMT肥厚（異常）と診断する．

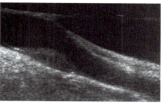
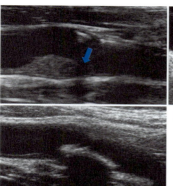

図4 頸動脈プラークの超音波所見と病理学的所見

上段左：低輝度部分を伴うプラーク．低輝度プラークは脂質コアやプラーク内出血，線維性被膜破綻など不安定プラークを疑う所見である．

上段右：等輝度プラーク．等輝度プラークは線維性組織や内膜過形成を示唆する．

下段：音響陰影（acoustic shadow）を伴う高輝度プラーク．音響陰影（acoustic shadow）を伴う高輝プラークは石灰化成分を多く含むプラークと考えられている．

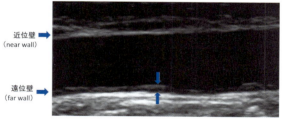

近位壁（near wall）
遠位壁（far wall）

図5 内中膜複合体厚（intima-media thickness：IMT）の評価

Bモードエコー上，血管壁は血管内腔面1層の低輝度部分とその外の高エコー輝度部分の2層として観察されるが，内腔面の1層の低エコー輝度部分が内中膜複合体厚（intima-media thickness：IMT）呼ばれる．

経頭蓋超音波

❶経頭蓋超音波検査にはTCDと経頭蓋カラードプラ（TC-CFI）の2つがある．

❷TCDおよびTC-CFIは2〜3 Hzのプローブを用い，超音波が

表2 TCD,TC-CFI を用いた脳主幹動脈狭窄・閉塞診断基準

	TC-CFI	TCD
内頸動脈サイフォン部狭窄		MV≧65 cm/s または PSV≧90 cm/s
中大脳動脈狭窄	PSV≧180 cm/s	MV≧100 cm/s 深度：ICA 60〜65 mm, MCA 45〜60 mm
中大脳動脈閉塞	M1 閉塞：MCA EDV≦25 cm/s 　　　　　ED ratio≧2.7 M2 閉塞：MCA EDV≦25 cm/s 　　　　　ED ratio＜2.7	
前大脳動脈狭窄	PSV≧155 cm/s	MV≧80 cm/s または PSV≧140 cm/s 深度：55〜75 mm
後大脳動脈狭窄	PSV≧200 cm/s	MV≧50 cm/s または MV ratio＞30% 深度：60〜75 mm
椎骨動脈狭窄	PSV≧120 cm/s	MV≧50 cm/s または MV ratio＞30% 深度：70〜75 mm
脳底動脈狭窄	PSV≧105 cm/s	MV≧60 cm/s または MV ratio＞30% 深度：80〜100 mm 以上

PSV：収縮期血流速度，MV：平均血流速度，ED rario：拡張末期血流速度比，MV ratio：平均血流速度比

頭蓋骨を透過しやすい場所（エコーウインドウ）より観察を行う．耳介の前方部あるいは上部（側頭骨ウインドウ）より中大脳動脈，後大脳動脈，前大脳動脈およびウイリス輪，後頭部下方（大後頭孔ウインドウ）より椎骨動脈と脳底動脈，眼窩部より内頸動脈と眼動脈の評価が可能である．

❸TCD は脳血管の狭窄性病変の評価（表2），微小栓子（MES）の検出，右左シャント疾患のスクリーニングなどに用いられている．さらに，くも膜下出血後の血管攣縮，術中の脳血流モニタリングなどにも有用である．

❹MES は TCD にて観察される背景の血流信号と異なる持続時間

が短い1方向性のシグナルで特徴的な音（clip音, snap音）を伴う血流信号で，観察する頭蓋内血管の血流中に存在する微小栓子に由来する．

❺MESがどの血管より検出されるかによりある程度塞栓源となる原因を推定することができる．すなわち，MESを両側MCAにて認める場合には心臓あるいは大動脈が，一側MCAより検出される場合には一側の内頸動脈，あるいはMCAが塞栓源である可能性が疑われる．

❻TCDによる右左シャントの診断は側頭骨ウインドウより両側MCAあるいは眼窩部より内頸動脈モニタリング下に行う．生食9ccに空気1ccを攪拌したコントラスト剤を使用し，バルサルバ負荷とコントラスト静脈注入を同時に行い，バルサルバ負荷解除後にマイクロバブルに伴うMESが検出された場合にシャント陽性と診断する．

❼TCD上，間欠的にMESを認める場合には，PFO合併（図6上段，中段）が，多数のMESを連続して認める場合には，PAVFを疑う（図6下段）．TEEとTCDを同時に行った研究によると，MESが2個以上みられた場合には，Large PFOの可能性が高い（図6上段，中段）．

❽TC-CFIはBモード，カラードプラ，およびパルスドプラを組み合わせたduplex超音波検査である．目的とする血管を直視下に観察可能で，ドプラ入射角（補正角度）により角度補正後の血流速度が測定できるためTCDと比べより正確な狭窄・閉塞診断が可能である（表2）．計測血管とドプラビームのなす角度（補正角度）が60度以内になるように調整して計測を行う．プローブを手で固定して検査を行うため長時間のモニタリングにはTCDのほうが適している．

経胸壁心エコー（TTE）

TTEは経食道心エコー（TEE）と比べ先に述べた病変の診断能が劣るものの，侵襲がなく簡便に施行可能な点が優れている．また，大きな左房内血栓や左房粘液腫などであれば，TTEでも十分

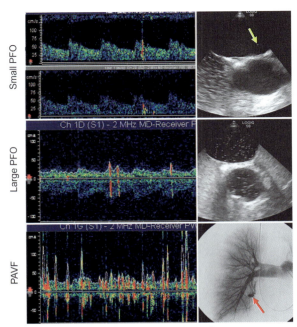

図6 TCDを用いた右左シャント疾患の評価
 TCD上,間欠的にMESを認める場合には,PFO合併(上段,中段)が,多数のMESを連続して認める場合には,肺動静脈瘻(PVAF)を疑う(下段).また,TEEとTCDを同時に行った研究によると,MESが2個以上みられた場合には,Large PFOの可能性が高い(上段,中段).

に検出可能である.

経食道心エコー(TEE)

❶TEEは径1cm程度のプローブを上部消化管内視鏡検査に準じて食道内へ挿入し,食道内より心臓を観察する心エコー図検査法である.TEEは上部消化管内視鏡検査と異なり,盲目的にプローブを挿入するため食道静脈瘤や放射線照射後の症例は原則禁忌である.

❷脳梗塞急性期よりTEEを行う意義は塞栓源検索にある.左房

表3 経食道心エコー図法による右左シャントの診断法

1) 両心房と心房中隔がモニタリングできる位置と角度（90〜120度）で評価を行う．

2) 生理食塩水9 mLと空気1 mLを撹拌したものをコントラスト剤として用いる．

3) バルサルバコントラスト法
　①まず，バルサルバ負荷のみを行う．
　②バルサルバ負荷時にコントラスト剤を右肘静脈より注入し，右房が粒状エコーで充満したタイミングでバルサルバ負荷を解除する．
　③バルサルバ負荷なしにコントラスト剤注入のみ行う（肺内シャントの評価目的）．
　④意識障害があり，バルサルバ負荷をかけることが困難な症例では腹部圧迫を行い，代用する．

4) 判定
　①左房内に，右房内の粒状エコーと同輝度の粒状エコーが見られたときに右左シャント陽性と診断する．バルサルバ負荷解除後3心拍以内に見られたときは，卵円孔開存と診断する．4心拍以降に見られ，かつコントラスト剤注入のみでも右左シャント陽性であるときは，肺動静脈瘻あるいは，卵円孔開存＋肺塞栓を疑う．
　②バルサルバ負荷のみで，左房内に不整形の粒状エコーが観察されることがある．これは，non-spontaneous individual contrast（NSSIC）と呼ばれ，肺静脈内の血流うっ滞による赤血球の連銭形成を反映すると考えられている．このNSSICを右左シャント時の左房内粒状エコーと見間違うことがあるため，必ず，バルサルバ負荷のみで観察を行い，その所見を参考に，右左シャントの診断を行う．

5) その他
生理食塩水9 mLと空気1 mLを撹拌したコントラスト剤にジアゼパムを1滴加えて撹拌すると，安定したコントラスト剤ができる．保険適応はないが，右左シャント検査の感度を上げる方法のひとつである．

あるいは左心耳内血栓，PFOや心房中隔欠損などの右左シャント疾患（表3），心臓腫瘍および大動脈弓部粥腫等の塞栓源となりうる疾患の評価は，先に述べたTTEのみでは困難で，TEEが必要である．

下肢静脈エコー

❶深部静脈血栓症（DVT）は肺塞栓症の原因と知られているが，先に述べた右左シャント疾患に伴う奇異性脳塞栓症の塞栓源となる疾患である．下肢静脈エコーにより総大腿静脈，浅大腿静

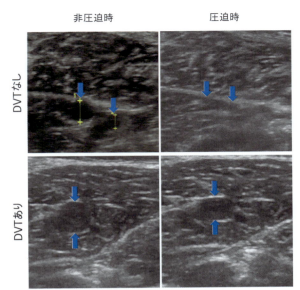

図7 下肢静脈エコーによる深部静脈血栓の評価
正常な静脈はプローブにより圧迫すると内腔が完全に消失する（上段）が，消失しない場合には静脈血栓の可能性が疑われる（下段）．

脈，膝窩静脈，腓骨静脈，前・後脛骨静脈，ひらめ静脈のDVTの評価が可能である．

❷正常な静脈はプローブにより圧迫すると内腔が完全に消失する（図7上段）が，消失しない場合には静脈血栓の可能性が疑われる（図7下段）．ただし，血管内腔の拡張など血栓の存在が疑われる場合には血栓の遊離のリスクを考えてむやみな圧迫をさける配慮が必要である．

❸検査は主に7〜10 MHzのリニア型あるいはコンベックス型のプローブを使用するが，腸骨静脈や下腿の広範囲な観察にはコンベックス型のプローブを使用する．コンベックス型のプローブは下腿静脈の観察においてリニア型よりもオリエンテーションがつきやすい．

便利メモ

頸部血管エコーによる血流速度計測時の角度補正（図8）

血流速度（V）を直接計測できないため，以下の式で血流速度を求めている．

$$V = \frac{C}{2 \times \cos\theta} \times \frac{fd}{fo}$$

fd：ドプラシフト周波数　V：血流速度
θ：超音波ビームと血流のなす角度
C：音速　fo：送信周波数

パルスドプラ法では血流速度の絶対値を求める場合には，上記の式に従いドプラ入射角（θ）補正が必要である．ドプラ入射角（θ）角度が大きくなると測定値の誤差が大きくなるため，60°以内に設定する．また，左右差を比較するときは左右で同一のドプラ入射角で計測を行う．

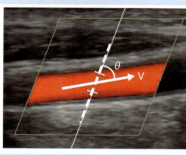 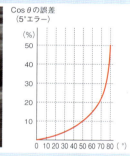

図8　血流速度計測時の角度補正
（左：総頸動脈長軸像，右：Cos θ の誤差，θ：ドプラ入射角）
ドプラ入射角（θ）角度が大きくなると測定値の誤差が大きくなるため，60°以内に設定する．

文　献

- Kimura K et al. *AJNR* **22**：413, 2001
- Yasaka M, et al. *Stroke* **23**：420, 1992
- Koga M et al. *AJNR* **22**：413, 2001
- 日本脳神経超音波学会・栓子検出と治療学会合同ガイドライン作成委員会. *Neurosonology* **19**：49, 2006
- Kobayashi K, et al. *Cerebrovasc Dis* **27**：230, 2009

（松本典子）

7-F 脳血管撮影

【脳卒中急性期に行う各種検査】

●ここが POINT！
1. 脳卒中の診断に対する非侵襲的な各種検査が発展した現在においても血管撮影は有用である．しかし，侵襲的な検査であるため適応を慎重に判断し，合併症に注意しながら施行する必要がある．
2. 脳梗塞では頭蓋内・頭蓋外主幹動脈閉塞症や狭窄症，動脈解離などが適応となる．
3. 脳出血では非高血圧性脳出血（脳動静脈奇形，硬膜動静脈瘻，脳腫瘍など）の血管撮影による原因検索が有用である．
4. くも膜下出血ではクリッピング術やコイリング術に対して動脈瘤の位置や形態を正確に把握するために血管撮影が用いられる．

脳卒中における血管撮影例
次頁よりの図 1〜8 を参照のこと．

脳梗塞における脳血管撮影読影のコツ
- 正常灌流画像を何度もみることで閉塞血管を判読できるようになる．
- 閉塞血管では，造影剤が停滞する．閉塞遠位へ軟髄膜吻合からの側副血行路を認める．
- 閉塞血管の画像から病型を推定することができる．
  アテローム血栓性脳梗塞：閉塞部位で tapering の所見を認める
  心原性脳塞栓症：閉塞部位でカニ爪様の所見を認める

memo

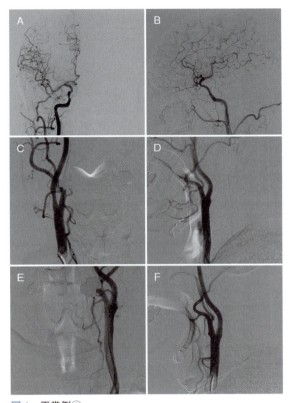

図1 正常例①
A：右総頸動脈造影/頭蓋内・正面像
B：右総頸動脈造影/頭蓋内・側面像
C：右総頸動脈造影/頸部・正面像
D：右総頸動脈造影/頸部・側面像
E：左総頸動脈造影/頸部・正面像
F：左総頸動脈造影/頸部・側面像

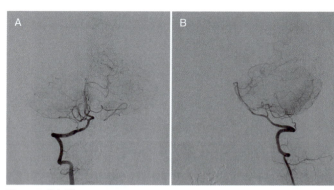

図2 正常例②
A：右椎骨動脈造影/頭蓋内・正面像，B：右椎骨動脈造影/頭蓋内・側面像

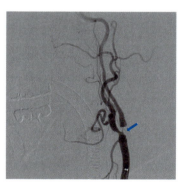

図3 頸部内頸動脈狭窄症
左内頸動脈起始部に高度狭窄を認める．
（左総頸動脈造影/頸部・側面像）

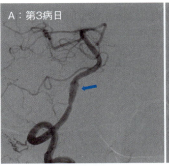 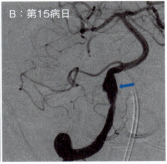

図4 椎骨動脈解離
A：右椎骨動脈 V4 segment に口径不整の拡張所見を認め，椎骨動脈解離を疑う所見である．
B：経時変化の確認のため，第15病日に再度行った血管撮影．矢印の部位で血管の膨隆を認める．解離部の血管が動脈瘤化した（解離性動脈瘤）所見である．
(A，B：右椎骨動脈造影/頭蓋内・正面)

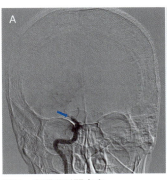 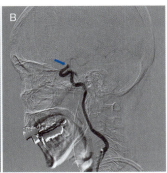

図5 内頸動脈閉塞症
A，B：右内頸動脈の先端に造影の途絶を認め，途絶部以遠が完全に描出されない．正面像では途絶部先端が凹状に見え，この部位に血栓が存在することが示唆される．
(A：右内頸動脈造影/頭蓋内・正面，B：右内頸動脈造影/頭蓋内・側面)

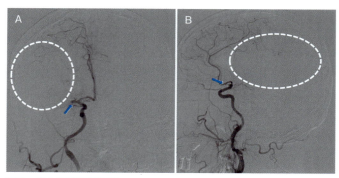

図6 中大脳動脈閉塞症
A，B：右中大脳動脈近位部から造影の途絶を認める．この例でも同様に途絶部が凹状を呈し，血栓の存在が示唆される．また，右前大脳動脈は描出されているが，右中大脳動脈領域が無血管領域として描出されていない．
（A：右総頸動脈造影/頭蓋内・正面，B：右総頸動脈造影/頭蓋内・側面）

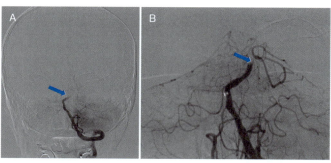

図7 脳底動脈閉塞症
A：左椎骨動脈からの造影．途中まで造影剤が上行しているが閉塞部位は判然としない．
B：カテーテルを遠位まで誘導し再度行った撮影．矢印の部分で閉塞していることが判明した．
（A：左椎骨動脈造影/頭蓋内・正面，B：脳底動脈造影/頭蓋内・正面）

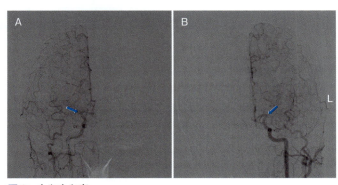

図8 もやもや病
A, B:両側内頸動脈が頭蓋内途中で途絶し(矢印),動脈輪周囲の毛細血管が拡張してもやもやとみえる.
(A:右内頸動脈造影/頭蓋内・正面, B:左内頸動脈造影/頭蓋内・正面)

(木村龍太郎)

7-G SPECT 検査

【脳卒中急性期に行う各種検査】

●ここがPOINT！
1. ダイアモックス負荷試験は急性期に行わない．
2. 3D-SSPなどの統計画像は参考程度に，元の画像を必ず見ること．

はじめに
- CT・MRIによるperfusion imageが可能になり，緊急時のPET/SPECTは行われなくなった．しかし，PET/SPECTで知ることができる，重要な脳卒中の病態がある．

血行力学的脳虚血の病態
- 主幹動脈の狭窄があっても神経細胞死に至らぬよう，側副血行や脳血管の拡張などの代償機構がある．この病態を^{15}O標識ガスPETにより分類したのがPowersの論文である（図1）．
- 脳血流CBF（cerebral blood flow）は，^{15}O-CO$_2$ PETで測定する．脳灌流圧CPP（cerebral perfusion pressure）の低下とともに脳血流は低下するが，軽度の場合は自動調節能の範囲内でCBFは維持される．
- 脳血管床CBV（cerebral blood volume）は^{15}O-CO PETで測定する．CPPが低下した時，CBFが低下しないよう血管が拡張し脳血管床が増加する．この機構を血管性代償と呼び，この代償で灌流圧の

便利メモ①
脳血流と二酸化炭素濃度
CO$_2$減少などアルカローシスで脳血流は減少する．
- PaCO$_2$が1 mmHg上昇すると，脳血流は6%程度増加
- PaCO$_2$が1 mmHg低下すると，脳血流は3%程度減少

呼吸管理が必要な重症脳卒中で，PaCO$_2$を30～35 mmHg程度に軽度な過換気状態にすると，脳圧が25～30%程度低下することができる．

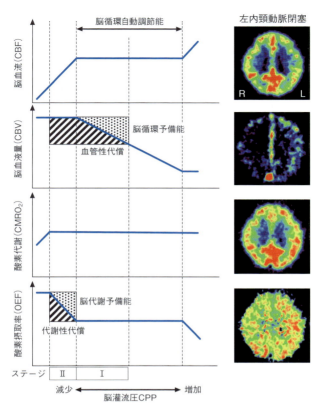

図1 Powers の分類
(Powers, 1991 を一部改変．PET 画像提供：東京医科歯科大学脳神経機能外科・成相直先生より)

低下があってもCBFが低下しない範囲を脳循環予備能と呼ぶ．血管性代償が限界に達すると，脳循環予備能は喪失し，CBFは低下する．
● 酸素代謝 $CMRO_2$ (cerebral metabolism ratio of oxygen) は^{15}O-O_2 PET で測定する．脳循環予備能は喪失しCBFが減少しても，$CMRO_2$は維持される．これは酸素摂取率 OEF (oxygen extraction fraction) の上昇による．この代謝性代償で$CMRO_2$は維持される

> **便利メモ ②**
>
> **過灌流の予見**
>
> 内頸動脈に高度の狭窄があると,内頸動脈内膜剝離術やステント術の後に,過灌流になり,脳出血やけいれんを惹起することがある.側副血行が不十分で手術側の脳血流が少ない場合,術後に脳血流が急激に増加するために起こる.術前に SPECT で確認すると予見できる.

範囲を脳代謝予備能と呼ぶ.しかし,OEF が限界に達し脳代謝予備能が喪失すると,$CMRO_2$ も減少し,脳梗塞となる.OEF は $CMRO_2$/(CBF×動脈血中酸素量)で計算する.

血行力学的脳虚血の重症度

- 血行力学的脳虚血の重症度は,脳循環予備能が喪失するまでをステージⅠ,脳循環予備能の喪失から脳代謝予備能の喪失までをステージⅡと分類される(図1).ステージⅡ,すなわち CBF が $CMRO_2$ に比べて減少し,OEF が上昇した状態を貧困灌流 misery perfusion と呼ぶ.貧困灌流は,近い将来脳梗塞に至る可能性が高い状態で,バイパス術など血行再建が考慮される.

- 以上は ^{15}O 標識ガス PET によって測定できるパラメータであるが,SPECT では acetazolamide 負荷時の脳血流と安静時脳血流を用いて,脳循環予備能=(負荷時脳血流−安静時脳血流)/安静時脳血流を測定する.脳循環予備能で安静時脳血流が維持されているのがステージⅠ,脳循環予備能も安静時脳血流も低下している場合をステージⅡと考える.JET 研究では,SPECT で決定したステージⅡでのバイパス術の有効性が証明された(図2).

- ただし,acetazolamide 負荷は脳卒中急性期には実施してはいけない.保険適応はないが,^{123}I-iomazenil SPECT を神経細胞残存のバイオマーカーとして用い,脳血流 SPECT と併用して OEF 類似の画像を作成する手法もある.

統計画像だけを見るな

- SPECT の評価法として統計画像が頻用されている.多くの場合,本来の統計ではなく,健常者データベースと1人の被験者の

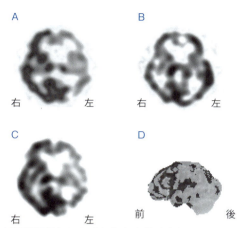

図2 左内頸動脈閉塞および左中大脳動脈狭窄の50歳代男性の^{123}I-IMP SPECT画像

手術前の画像（A）では，左前頭葉〜側頭葉の脳血流が低下している．浅側頭動脈-中大脳動脈吻合術後の画像（B）では，（A）での血流低下域の脳血流が増加している．術前のダイアモックス負荷画像（C）では，（A）と比べ左右差が増強している．（A）と（C）を用いたSEE-JET解析（D，左大脳半球）では，図1のステージIIに該当する領域が黒で提示されている．

画像を比較するjackknife検定である．通常，1例と複数を比較する統計を用いるであろうか．

- 統計画像の落とし穴にはまらないためにも，普段から，統計処理前の元画像を見るようにしたい．そうすれば，統計画像がなくても読影することができるようになる．ただし，通常の画像は主観的な読影になりがちである．客観性のある統計画像を読影の参考にすることは正しい使用法である．

文献

- Mishina M J. *Nippon Med Sch* **75**：68, 2008
- Powers WJ. *Ann Neurol* **29**：231, 1991
- JET study group. 脳卒中の外科 **30**：434, 2002
- Laffey JG, et al. *N Engl J Med* **347**：43, 2002
- Stocchetti N, et al. *Chest* **127**：1812, 2005

〔三品雅洋〕

8-A 抗凝固薬

【脳卒中慢性期の治療選択】

●ここがPOINT！

1. 脳卒中慢性期の抗凝固療法の適応は，心原性脳塞栓症，深部静脈血栓を有する脳梗塞，トルソー症候群などである．
2. DOACは，非弁膜症性心房細動および深部静脈血栓症に適応がある．
3. 機械弁と僧帽弁狭窄症に伴う心房細動にはワルファリンを使用する．DOACの適応はない．
4. 抗凝固薬（ワルファリン，DOACともに）は，適切な投与量とアドヒアランスが大事である．
5. 抜歯，白内障手術，出血時の対応が容易な体表の小手術，観察のみの内視鏡検査，内視鏡的粘膜生検時は至適治療域にコントロールしたワルファリン，DOACの内服継続が望ましい．

はじめに

- 脳梗塞に使用される抗凝固薬は，注射薬では，低分子ヘパリン，未分画ヘパリン，アルガトロバンがあり，経口薬では，ワルファリンと2011年からDOAC（direct oral anticoagulant；直接経口抗凝固薬）と総称される直接型トロンビン阻害薬（ダビガトラン）や

便利メモ ①

「弁膜症性」と「非弁膜症性」の違い

- 「弁膜症性」：機械弁およびリウマチ性僧帽弁疾患（主に僧帽弁狭窄症）のことを指す．多くの心臓弁膜症（大動脈弁狭窄症・閉鎖不全症，僧帽弁閉鎖不全症など）は含まれないことに注意．DOACの適応がないことにも注意．
- 「非弁膜症性」：僧帽弁修復術（僧帽弁輪縫縮術や僧帽弁形成術）やリウマチ性以外の原因による弁疾患．生体弁は，2020年改訂版 不整脈薬物治療ガイドラインから非弁膜症性と定義された．

直接型第Ⅹa因子阻害薬(リバーロキサバン,アピキサバン,エドキサバン)の4種類が臨床使用可能となった.

- 慢性期の抗凝固療法の対象となる疾患は,①心原性脳塞栓症,②深部静脈血栓を伴う脳梗塞,③脳静脈洞血栓症(☞総論6-D),④トルソー症候群に伴う脳梗塞などである(☞各論6-I).本項では,慢性期の脳梗塞症例の抗凝固療法について概説する.

ワルファリン

- ワルファリンは,非弁膜症性心房細動(☞便利メモ①)に限らず,機械弁,心筋症などを含め,あらゆるタイプの心房細動に適応がある.また,心内血栓が見つかった症例や高度に腎機能が低下した症例(クレアチニンクリアランス15 mL/min 未満)にも用いるこ

表1 ワルファリンの薬効に影響を与える因子

因 子	内 容
薬剤	NSAIDS(↑),抗菌薬(↑),抗てんかん薬(↑↓),抗真菌薬(↑)
食品	納豆(↓),クロレラ(↓),青汁(↓)
遺伝的要因	CYP2C9,VKORC1

表2 ワルファリンとDOACの比較①

	ワルファリン	DOAC
投与量	個人差が大きい	固定用量
頭蓋内出血の頻度	0.7〜0.85%/年	0.23〜0.5%/年
大出血の頻度	3.09〜3.57%/年	2.13〜3.6%/年
モニタリング	PT-INRによる定期的な血液モニタリングが必要	薬効,アドヒアランスを評価する適切な指標がない
食事の影響	ビタミンK含有食品(納豆,クロレラ,青汁など)	ない
薬物相互作用	非常に多い	少ない(ベラパミル,アミオダロン,アゾール系抗真菌薬,マクロライド系抗菌薬など)
導入に要する時間	長い	短い
周術期管理	煩雑	簡便

表3 ワルファリンとDOACの比較②

	ワルファリン	ダビガトラン	リバーロキサバン	アピキサバン	エドキサバン
●抗凝固作用					
半減期	40時間	12〜17時間	5〜9時間	〜12時間	10〜14時間
用量	PT-INRで調整	150 mg×2回/日	15 mg×1回/日	5 mg×2回/日	60 mg×1回/日
低用量		110 mg×2回/日	10 mg×1回/日	2.5 mg×2回/日	30 mg×1回/日
中和薬	ビタミンK プロトロンビン複合体製剤	イダルシズマブ	なし	なし	なし
減量基準	・70歳以上では, PT-INR 1.6〜2.6 ・70歳未満は, PT-INR 2.0〜3.0	なし	Ccr 50 mL/min 未満	1. 80歳以上 2. 60 kg未満 3. Cr 1.5 mg/dL以上 上記の2つ以上を満たす時	1. 60 kg未満 2. Ccr 50 mL/min 未満 3. P糖蛋白阻害薬併用 上記の1つ以上を満たす時
腎機能による禁忌		Ccr 30 mL/min 未満	Ccr 15 mL/min 未満	Ccr 15 mL/min 未満	Ccr 15 mL/min 未満
1カ月のコスト（3割負担）	数百円程度	4,000円から5,000円程度			
特徴	人工弁, 僧帽弁狭窄症, 心内血栓症例では, ワルファリンを選択	150 mg×2回/日は, DOACの中で唯一, ワルファリンよりも虚血性脳卒中を有意に減少	剤形が最も小さい. 細粒がある	腎機能低下例においても出血が少ない	出血が少ない OD錠がある

とができる.

• 非弁膜症性心房細動患者を対象に脳梗塞の予防を目的として行われた大規模臨床試験のメタアナリシスによると，ワルファリン療法はプラセボと比べて脳梗塞発症を1/3にまで減少させる.

• しかし，①食事や数多くの併用薬の影響受けやすい，②定期的な凝固能検査による用量調節が必要，③効果発現に時間を要する，④頭蓋内出血の発現率が高いなどのデメリットがある（表1〜3）.

<ワルファリンの使用方法の実際>

• 目標PT-INR値がCHADS2スコアと年齢，疾患によって異な

> **便利メモ ②**
>
> ### TTR (Time in Therapeutic Range) とは
> ワルファリン投与中に PT-INR が治療域内に入る時間の割合のこと．DOAC の臨床試験ではワルファリンは概ね 55%〜65% にコントロールされていた．TTR 40% 以下では，無治療よりも脳卒中イベントを増加させる可能性がある．

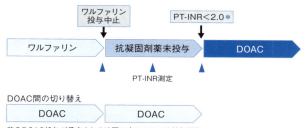

図1 ワルファリンから，DOAC への切り替え
　＊リバーロキサバン，エドキサバンでは，治療域以下（70歳未満では，PT-INR 2.0 以下，70歳以上では PT-INR 1.6 以下）

ることに注意する．

> CHADS₂スコア1点，2点：年齢によらず PT-INR 1.6〜2.6
> CHADS₂スコア3点以上：70歳未満は PT-INR 2.0〜3.0，70歳以上は 1.6〜2.6
> 機械弁置換術後および心房細動を伴うリウマチ性僧帽弁狭窄：PT-INR 2.0〜3.0

- 導入は 1〜2 mg で行い，安定したと考えられる維持期においても，1カ月に1度程度の PT-INR の測定を行い，必要な調整を行う．その場合は，0.25〜0.5 mg 単位で調整することが多い．
- ワルファリンの TTR（time in therapeutic range，☞便利メモ②）が 70% 以上あれば，DOAC にあえて変更する必要はないかもしれないが，TTR が 60% を下回る場合や脳内出血の既往例，管理に不安がある症例は DOAC への切り替えを考慮する（図1）．

DOAC

- 臨床試験の結果から,ワルファリンと同程度あるいはそれ以上に脳卒中または全身性塞栓症の発症を抑制し,安全性に関しては,ワルファリンと比べて頭蓋内出血が少ないことが示されている.
- さらに,ワルファリンと比較すると,①食事制限は不要,②併用薬の影響は少ない,③効果発現が早いなどのメリットも有する(表2).DOACの導入に当たっては,年齢,体重,腎機能(クレアチニン,クレアチニンクリアランス)を確認のうえ,適切な用量を選択する(表3).
- 2020年改訂版 不整脈薬物治療ガイドラインでは,DOACが使用可能な心房細動患者では,ワルファリンよりもDOACが推奨された.DOAC間の優劣については,現時点では明確なエビデンスはないが,各々の臨床試験の結果,剤型などを考慮して選択する.
- DOACの半減期はワルファリンと比較すると短いため,飲み忘れが即,イベント発症に繋がる可能性があり,アドヒアランスを良好に維持することが大事である.また,不適切な低用量も同様に気をつけなければならない(☞便利メモ③).

<DOACのモニタリングの実際>

- DOACはワルファリンのPT-INRのようにモニタリングのための確立されたマーカーは,現時点ではない.そのため,DOACの効果判定ではなく,副作用や用量設定の妥当性を確認するための採血となる.DOACの出血イベントは,開始後2週間以内に多いと報告されている.

> **便利メモ ③**
>
> PASTA study (Prospective Analysis of Stroke patients Taking Anticoagulants) では,抗凝固薬内服中の脳梗塞発症例のうち,低用量DOACの処方例の約35%が不適切低用量であった.

- 投与開始後,1 カ月以内に下記を含めた採血を行うとともに,安定期でも 3〜4 カ月ごとに採血を行う.もちろん,出血イベントや心血管イベント発症時や感染症等で全身状態が不良の際は,以下①〜④のチェックを行う.

> ① 貧血:ヘモグロビン
> ② 体重
> ③ 腎機能:クレアチニン,クレアチニンクリアランス
> ④ APTT, PT-INR, D-dimer

抜歯・内視鏡・手術などの際の対処法

- エビデンスレベルが高いものはないが,ガイドライン(2020 年改訂版 不整脈薬物治療ガイドライン,抗血栓薬服用者に対する消化器内視鏡診療ガイドライン 直接経口抗凝固薬(DOAC)を含めた抗凝固薬に関する追補 2017)および各施設の取り決めなどを参考にする.

❶抜歯,白内障,術後出血の対応が可能な体表の小手術(ペースメーカ植え込み術を含む)

- 原則,休薬せずに継続投与する.INR が治療域にコントロールされたワルファリンや DOAC 継続投与下で行うことを推奨されている.

❷消化管内視鏡手技

- 詳細は,「抗血栓薬服用者に対する消化器内視鏡診療ガイドライン 直接経口抗凝固薬(DOAC)を含めた抗凝固薬に関する追補 2017」を参照のこと.大まかにまとめると,

  ①通常の消化器内視鏡および出血低危険度内視鏡(粘膜生検,消化管ステントなど)は休薬なく施行可能である.ただしワルファリンの場合は,PT-INR が治療域にあることを確認する.DOAC の場合は,血中濃度のピーク期(服薬から 0.5〜4 時間)を避けることが望ましい.

  ②出血高危険度内視鏡(ポリペクトミー,粘膜切除術,胃瘻造設術など)は,ワルファリンの場合は,PT-INR が治療域であればワルファリン継続下あるいは非弁膜症性心房細動の場合に

はDOACへの一時的変更も考慮される．ヘパリン置換は行わない．DOACの場合は，処置当日の朝から内服を中止し，翌朝より再開する．

③抗血小板薬および抗凝固薬の併用患者における出血高危険度内視鏡については，抗血小板薬の休薬が可能となるまでの延期が推奨されるが，延期困難な場合には抗血小板薬をアスピリンまたはシロスタゾールの単独投与に切り替え，PT-INRを治療域に保ったワルファリン継続下あるいはヘパリン置換を考慮する．または非弁膜症性心房細動の場合にはワルファリンからDOACへの一時的変更も考慮してよい．DOACの場合は処置当日の朝から中止し，翌朝より再開する．

ただし，今後の新たなエビデンスの集積によっては内容に変更が生じうることには留意する必要がある．

❸大手術

2020年改訂版 不整脈薬物治療ガイドラインでは，ワルファリンおよびDOAC休薬期間中のヘパリン置換は不要であるが，弁膜症性心房細動ではヘパリン置換を考慮するべきであるとされ，また血栓塞栓症が非常に高い非弁膜症性心房細動（3カ月以内の脳梗塞の既往や$CHADS_2$スコアが非常に高い）ではヘパリン置換を考慮してもよいとされた．今後のエビデンスのさらなる蓄積が待たれる．

文 献

- Jan S, et al. *Europace* **23**：1612, 2021
- Douketis JD, et al. *JAMA Intern Med* **179**：1469, 2019

（須田　智）

【脳卒中慢性期の治療選択】
抗血小板療法 8-B

●ここがPOINT！
① 非心原性脳梗塞の再発予防は，抗凝固療法ではなく抗血小板療法が第一選択薬であり，アスピリン75～150 mg/日，クロピドグレル75 mg/日，シロスタゾール200 mg/日，プラスグレル3.75 mg/日が用いられている．

② 脳梗塞慢性期における抗血小板薬2剤併用は，単剤と比較して，脳梗塞再発抑制の有効性は示されておらず，むしろ出血性合併症を増加させるため，基本的には単剤投与が原則となる．

③ 出血時の対処が容易な処置・小手術（抜歯，白内障手術など）の際は，抗血小板薬の内服続行が勧められる．

はじめに

- 脳梗塞の再発予防は，抗血栓療法と危険因子の管理が重要である．抗血栓療法は，病型に応じた適切な選択が必要であり，心原性脳塞栓症以外に分類される非心原性脳梗塞においては，抗血小板薬が第一選択薬となる．
- 慢性期における抗血小板薬は，出血合併症，特に脳出血発症に注意を払い，安全性を重視した薬剤を選択することが大切である．
- 現在，本邦において脳梗塞に適応のある抗血小板薬は，アスピリン・クロピドグレル・シロスタゾール・プラスグレル・チクロピジンの5剤であるが，慢性期管理における有効性と安全性を念頭に置いた選択のポイントを以下にまとめた．

各抗血小板薬のエビデンス

❶ アスピリン

- 本邦の脳卒中治療ガイドライン，米国のAHA（American Heart Association）のガイドライン，欧州のESO（The European Stroke Organisation）のガイドラインすべてにおいて，アスピリンは脳卒

中予防における単剤療法として高い推奨を得ている．

- アスピリンの有効性は，様々な臨床試験・メタ解析により報告されているが，近年では，2009年にATT（Antithrombotic Trialists' Collaboration）から発表されたアスピリンとコントロールとのランダム化比較試験のメタアナリシスの結果があり，アスピリンは脳梗塞再発を平均22％減少させている．
- 一方，出血性脳卒中を平均1.67倍増加する傾向を示しており，アスピリンの再発予防は，出血合併症の観点からは注意を要する．

❷ クロピドグレル

- 脳梗塞（発症後1週間以上6カ月以内），心筋梗塞，動脈硬化性末梢血管疾患を有する19,185例を対象としたランダム化比較試験であるCAPRIE（Clopidogrel versus Aspirin in Patients at Risk of Ischaemic Events）試験では，アスピリンと比較して心血管イベント発生率は7.3％少なく，頭蓋内出血および消化管出血の発生率も低いことが示されている．

❸ チクロピジン

- 本邦で非心原性脳梗塞例を対象とし，クロピドグレル（75 mg/日）とチクロピジン（200 mg/日）の有効性と安全性を検討した二つの臨床第Ⅲ相試験の統合解析の結果，脳梗塞既往例において，クロピドグレルはチクロピジンに比し，有意に有害事象が少なかったことが報告されている．そのため，チクロピジンを再発予防薬として新規処方されることはほとんどない．

❹ シロスタゾール

- 日本人の非心原性脳梗塞を対象に，シロスタゾール（200 mg/日）の脳梗塞再発予防効果を，CSPS（Cilostazol Stroke Prevention Study）ではコントロールと，CSPS2ではアスピリン（81 mg/日）と比較している．
- CSPSではコントロールに比し41.7％，CSPS2ではアスピリンに比し25.7％の有意な脳梗塞再発抑制を認めた．さらに，CSPS2では入院を要する頭蓋内外出血が54.2％有意に減少した．
- 高リスク非心原性脳梗塞患者に対し，アスピリンもしくはクロ

ピドグレルにシロスタゾールを加えた併用療法とアスピリンもしくはクロピドグレルの単剤療法を比較したCSPS.com（Cilostazol Stroke Prevention Study for Antiplatelet Combination）が2019年発表された．高リスク者とは，頸部または頭蓋内血管に50％以上の狭窄，あるいは2つ以上の動脈硬化危険因子を有する，のいずれかに該当する患者とされる．結果は，1.4年間（中央値）の観察期間中，併用療法は単剤療法に比し，脳梗塞再発予防効果に優れ，安全性は同程度であることが示された．

❺プラスグレル

・虚血性脳血管障害患者におけるプラスグレルの脳心血管系イベント抑制効果を，クロピドグレルと比較検討した，PRASTRO（Comparison of PRAsugrel and clopidogrel in Japanese patients with ischemic STROke trial）試験がある．

・PRASTRO-Ⅰ/Ⅱ/Ⅲ試験の併合解析では，脳梗塞，心筋梗塞，その他の血管死を含む虚血性脳心血管系イベントの発生はプラスグレル群45例（3.4％），クロピドグレル群58例（4.3％）であった（HR 0.77，95％CI 0.52〜1.14）．脳卒中再発のリスクが高い虚血性脳血管障害患者において，クロピドグレル群に比べてプラスグレル群では虚血性脳心血管系イベントの発生が抑制されたことが示された．

抗血小板薬の使い分け

❶アスピリン

・他剤に比べて薬価が圧倒的に低いことが最大の特徴である．また，再発予防における多くのエビデンスを有することから広く使用されている薬剤であり，脳梗塞初回発症の場合には，まずアスピリンの適応を考慮する．

・他方，クロピドグレル・シロスタゾールより出血合併症が多く，消化管出血既往例・頭蓋内出血既往例については，アスピリン以外の選択を検討する．

❷クロピドグレル

・クロピドグレルは冠動脈領域で多くのエビデンスを有し，脳梗

塞再発予防効果においても広く用いられている.
- クロピドグレルの代謝には,遺伝子多型が存在するCYP2C19の関与が大きいが,日本人の約15〜20%はCYP2C19活性が著しく低下していると指摘されている.そのため,十分な血小板凝集抑制作用が発揮されない可能性がある.

❸ シロスタゾール
- 出血合併率の低さが特徴である.脳出血・微小出血合併例や他の抗血栓薬との併用が必要な症例に適している.ラクナ梗塞は微小出血合併が多くみられ,シロスタゾールがよい適応となる.
- また,シロスタゾールは抗血栓作用以外に血管拡張作用も併せもち,頭蓋内外狭窄病変を有する症例の有用性が示唆されている.
- 一方,服用方法が1日2回であること,頭痛・動悸の副作用が比較的多くみられることが,忍容性の低下を招く.副作用に対しては,半量から緩徐に導入することが経験的にしばしば用いられる.

❹ プラスグレル
- 2021年12月に,虚血性脳血管障害(大血管アテローム硬化または小血管の閉塞に伴う)後の再発抑制(脳梗塞発症リスクが高い場合に限る)が効能・効果に追加された.
- プラスグレルもクロピドグレル同様,急性冠症候群などの虚血性心疾患で,経皮的冠動脈形成術後の抗血栓療法として広く臨床の場で使用されているが,脳梗塞の病型分類にTOAST分類を使用し,高血圧,脂質異常症,糖尿病,慢性腎臓病,最終発作前の脳梗塞既往のいずれかを有することを確認し,これら発症リスクの高い非心原性脳梗塞患者への適応を考慮する.
- クロピドグレルに比し,CYP2C19による遺伝子多型の影響が少なく,血小板凝集抑制作用に個体差が生じにくい.

抗血小板薬の併用療法

- アスピリンとクロピドグレルの併用を,クロピドグレル単剤と比較したMATCH[*1]や,アスピリン単剤と比較したCHARISMA[*2]試験,SPS3[*3]で,いずれも単剤を上回る有効性が認められず,

むしろ出血合併症が多くなることが示されている．
- アスピリンとシロスタゾールの併用は，TOSS[*4]及びCATHARSIS[*5]試験によってアスピリン単剤と比較され，TOSS2によってアスピリンとクロピドグレルの併用と比較されているが，いずれも症例数が少なく，その有効性と安全性については明確となっていない．
- ただし，前述のCSPS.comの結果より，シロスタゾールの副作用（頭痛・動悸）の影響を受けない高リスク非心原性脳梗塞患者の再発予防には，アスピリンもしくはクロピドグレルにシロスタゾールを加えた併用療法も考慮される．
- 現時点では，脳梗塞慢性期における長期併用療法の有意な脳梗塞再発抑制効果は実証されてない．したがって，抗血小板薬内服中の再発例には，他の抗血小板薬への変更をまず基本とする．それでも再発を抑制できない例や単剤では不十分と考慮されるハイリスク例など限られた症例には，リスクとベネフィットを考慮した上で，シロスタゾールを含む併用療養を検討する必要がある（☞便利メモ）．

[*1] MATCH（Management of ATherothrombosis with Clopidogrel in High-risk patients）
[*2] CHARISMA（Clopidogrel for High Atherothrombotic Risk and Ischemic Stabilisation, Management and Avoidance）
[*3] SPS3（Secondary Prevention of Small Subcortical Strokes）
[*4] TOSS（Trial of cilOstazol in Symptomatic intracranial arterial Stenosis）
[*5] CATHARSIS（Cirostazol-Aspirin Therapy Against Reccurrent Stroke with Intracranial artery Stenosis）

> **便利メモ**
>
> 脳梗塞ないし一過性脳虚血発作の既往のある患者を対象に，1年以上にわたる抗血小板薬2剤併用療法の有効性と安全性を，単剤療法と比較検討した7つのランダム化比較試験のメタアナリシスが発表された．その結果，1年間以上の長期併用は単剤と比較して，再発予防効果に有意差はなく，クロピドグレル単剤と比較して有意に脳出血を増加させることが明らかとなった．したがって，抗血小板薬長期併用は漫然と行わないことが大切である．

> **Pitfall**
>
> **抗血小板薬の中止・休薬について**
>
> 本邦の歯科三学会合同による「抗血栓療法患者の抜歯に関するガイドライン2020年版」や，日本消化器内視鏡学会の「抗血栓薬服用者に対する消化器内視鏡診療ガイドライン」等では，出血時の対処が容易な処置・小手術時は，抗血小板薬の内服続行が勧められている．出血高危険度の消化管内視鏡治療の場合は，血栓塞栓症の発症リスクが高い症例では，アスピリンまたはシロスタゾールへの置換を考慮してもよい．
>
> 出血のリスクを考慮することも大切であるが，他方，不用意な抗血小板薬の中止による血栓塞栓症の発症を回避することも検討すべきである．

文献

- Baigent C, et al. *Lancet* **373**：1849, 2009
- CAPRIE Steering Committee. *Lancet* **348**：1329, 1996
- Uchiyama S, et al. *J Neurol* **256**：888, 2009
- Gotoh F, et al. *J Stroke Cerebrovasc Dis* **9**：147, 2009
- Shinohara Y, et al. *Lancet Neurol* **9**：959, 2010
- 日本脳卒中学会．脳卒中治療ガイドライン 2021, p.84-87
- Lee M, et al. *Ann Intern Med* **159**：463, 2013
- Toyoda K, et al. *Lancet Neurol* **18**：539, 2019
- Takanari K, et al. *J Atheroscler Thromb* **30**：222, 2023
- Takanari K, et al. Cerebrovasc Dis：1, 2023

（村賀香名子）

【脳卒中慢性期の治療選択】
高血圧 8-C

●ここが POINT！

❶ 降圧療法は脳血管障害の再発を有意に抑制する．脳卒中再発予防のため，血圧は一般に 130/80 mmHg 未満を目標とする．

❷ 両側内頸動脈高度狭窄や主幹動脈閉塞の症例，血管未評価の症例では，血圧は 140/90 mmHg 未満を目指す．

❸ 脳出血・くも膜下出血の症例では，130/80 mmHg 未満を目標とし，再発リスクの高い症例では 120/80 mmHg 未満を目標としてもよい．

❹ 無症候性の脳血管障害では，積極的な降圧療法を考慮してもよい．

❺ 後期高齢者では 140/90 mmHg を目標とし，可能であれば 130/80 mmHg 未満を考慮する．

❻ めまい，ふらつき，気力低下，神経症候の増悪などの症状は，降圧による循環不全の可能性があるため，降圧薬の減量や変更を行う．

降圧の目標

❶ 降圧療法は脳血管障害の再発を有意に抑制する．脳卒中再発予防のため，降圧目標は一般に 130/80 mmHg 未満とする．

- 疫学的に高血圧は脳卒中および脳卒中を含めた心血管イベントの最大の危険因子であり，脳卒中の再発予防おいても降圧療法は有意に抑制する．脳卒中再発予防と降圧療法に関するランダム化比較試験のメタ解析では，降圧療法により脳卒中再発が 27% 減少したことが報告されている．また，PROGRESS では，収縮期血圧 9 mmHg，拡張期血圧 4 mmHg の降下で再発は 28% 抑制された．

- 発症 1 ヵ月以後の慢性期脳卒中において，診察室での血圧が 140/90 mmHg 以上では治療を開始し，一般に血圧 130/80 mmHg

表1 脳卒中慢性期における降圧目標（収縮期/拡張期 mmHg 未満）

降圧治療対象		降圧目標		降圧薬
		診察室血圧	自宅血圧	
脳梗塞 　両側頸動脈高度狭窄あり 　主幹動脈閉塞あり 　脳血管未評価	140/90 以上	140/90※	135/85	Ca 拮抗薬 ACE 阻害薬 ARB 利尿薬
脳梗塞 　両側頸動脈高度狭窄なし 　主幹動脈閉塞なし		130/80	125/75	
脳出血 くも膜下出血 無症候性脳血管障害		130/80 厳格群 120/80	125/75 厳格群 120/75	
75 歳以上の高齢者		140/90 忍容性が あれば 130/80	135/85 忍容性が あれば 130/80	

［補足　図の根拠］
脳ガ：脳卒中治療ガイドライン 2021〔改訂 2023〕
高ガ：高血圧治療ガイドライン 2019
脳梗塞：脳ガ p.99, 127　高ガ p.97
脳出血・くも膜下出血：脳ガ p.153　高ガ p.99
高齢者：高ガ p.143
家庭血圧：高ガ p.40
※灌流障害を有する場合は症例毎に検討.

を目標とする.
- 脳梗塞再発予防の抗血栓薬内服中の患者では，降圧療法により脳出血の発症率が有意に減少した.

❷灌流障害を有する症例では，過度の降圧に注意する.
- 主幹動脈閉塞による灌流障害を有する症例では，過度の降圧に注意が必要である．両側内頚動脈の 70％以上の高度狭窄を有する TIA または脳卒中症例では，収縮期血圧 150 mmHg 未満で再発リスクが優位に増加する報告（J カーブの存在）があるため，症例ごとに降圧管理が必要である.

- 一側の内頸動脈閉塞や脳底動脈閉塞などの症例の場合，血圧低下による灌流障害の増悪と，抗血栓薬内服による出血リスクを考慮し，症例毎に検討することが必要である．PET による脳血流検査が灌流障害の評価に有用となりえる．

❸ 脳出血・くも膜下出血の症例では，130/80 mmHg を目標とし，再発リスクの高い症例では 120/80 mmHg 未満を目標としてもよい．

- 高血圧性脳出血症例においては，血圧コントロール不良例で再発が多い．拡張期血圧 90 mmHg 以上では再発率が高く，収縮期血圧 120 mmHg 以上であれば，再発予防に降圧療法が有効とされる．
- MRI T2*画像で検出される微小出血（microbleeds, MBs）は脳出血再発リスクとして重要である．アミロイドアンギオパチーに関連した脳出血の発症も，降圧療法により著明に抑制される．
- くも膜下出血の慢性期の血圧管理に関するエビデンスはなく，脳出血に準ずる．

❹ 無症候性の脳血管障害では積極的な降圧療法を考慮してもよい．

- 無症候性の脳梗塞，白質病変は脳梗塞発症のリスクとなる．これらの最大の危険因子は高血圧症であり，厳格な血圧管理が有効である．
- 無症候性の脳出血および微小出血では，症候性脳出血発症予防のために降圧療法を行うことは妥当である．抗血栓薬内服中の場合は特に注意する．

❺ 治療中は ADL，神経徴候の変化に注意する．

- 治療中，めまい，ふらつき，だるさ，頭重感，しびれ，脱力，気力低下，神経症候の増悪などを訴えた場合，降圧による循環不全の可能性がある．このような場合には，原因を精査するとともに血圧を確認し，降圧薬の減量や変更を行う．

治療薬選択のポイント

- 脳卒中再発予防のための降圧薬は，カルシウム（Ca）拮抗薬，アンジオテンシン変換酵素（ACE）阻害薬，アンジオテンシン II

受容体拮抗薬（ARB），利尿薬を選択する．これらの薬剤は，過度の降圧でなければ降圧時に脳血流を減少させない．利尿薬，β遮断薬では再発予防に否定的な報告もあり注意する．

- ARNI（アンジオテンシン受容体ネプリライシン阻害薬）についてはエビデンスに乏しいため，併存する他の病態を考慮したうえで選択することが望ましい．
- 糖尿病においてはインスリン抵抗性の改善が報告されているACE阻害薬，ARBが推奨される．β遮断薬は糖新生を抑制するだけでなく，低血糖からの回復を抑制するため，控えることが望ましい．慢性腎臓病でも腎保護効果が報告されているACE阻害薬，ARBが推奨される．

> **便利メモ**
>
> **画像検査により偶発的に発見される脳血管障害リスク**
> - 無症候性脳血管障害は，CTやMRIで偶発的に発見される無症状病変である．その約8割は穿通枝のラクナ梗塞であり，他に大脳白質病変，T2*強調MRIで認める脳微小出血（nicro bleeds，MBs），無症候性脳出血がある．これらは脳血管障害発症リスクを約10倍高めるが，その危険因子は，持続する高血圧である．24時間を通じた降圧，早朝の血圧管理が重要である．
> - 無症候性頸動脈狭窄や未破裂脳動脈瘤もまた，脳血管障害発症の高リスク群であり，降圧治療を行う．無症候性頸動脈狭窄例では降圧治療前に外科的治療の適応の有無を評価する．
> - 無症候期では，脳血管障害の病態や治療に対する患者の不安が大きいため，十分なインフォームド・コンセントが必要である．

文献
- 日本脳卒中学会．脳卒中治療ガイドライン2021〔改訂2023〕
- 日本高血圧学会．高血圧治療ガイドライン2019，高血圧診療ガイド2020

（高橋史郎）

【脳卒中慢性期の治療選択】
脂質異常症 8-D

●ここがPOINT！
1. スタチン系薬剤が非心原性脳梗塞・TIAの再発予防に勧められる．
2. LDLコレステロール100 mg/dL未満の目標値が，非心原性脳梗塞・TIAの再発予防に妥当である．ただし，冠動脈疾患を合併している場合には70 mg/dL未満の目標を考慮してもよい．
3. スタチン系薬剤で脂質異常症治療中の脳卒中既往症例に対して，エイコサペンタエン酸（EPA）製剤の併用が，脳卒中再発予防に妥当である．

はじめに
- 脳梗塞発症とLDLコレステロールを解析した久山町研究では，アテローム血栓性脳梗塞，ラクナ梗塞の発生率はLDLコレステロールの上昇とともに有意に増加した．

脳卒中再発予防における脂質管理
- 欧米において発症6ヵ月以内の脳卒中または一過性脳虚血発作既往症例を対象に，スタチン系薬剤の脳卒中再発予防効果を検討したSPARCL試験では，アトルバスタチン80 mg/日投与が，プラセボ群と比較して脳卒中再発を有意に低下させた．この試験の中で，スタチンによる脳出血リスクが懸念されたが，スタチン使用と脳出血の関係に関するメタ解析ではスタチン使用は脳出血を増加させなかったと報告されている．
- 日本人の非心原性脳塞栓症患者を対象に，通常量スタチン使用による脳卒中再発予防効果を検討したJ-STARS試験では，プラバスタチン10 mg/日投与が，アテローム血栓性脳梗塞の発症リスクを67％抑制することを示した（☞便利メモ）．
- 「動脈硬化性疾患予防ガイドライン2022」において，アテロー

> **便利メモ**
>
> ### J-STARS 試験
> **(Japan Statin Treatment Against Recurrent Stroke)**
>
> 本研究は日本人におけるスタチンの脳卒中再発予防効果を検討した試験である．1カ月～3年以内の非心原性脳梗塞既往症例（血清 LDL コレステロール 180～240 mg/dL）を対象とし，プラバスタチン 10 mg/日投与を行った．4.9 年の追跡調査にて，アテローム血栓性脳梗塞発症リスクを 67％有意に低下（ハザード比 0.33，95％CI 0.15～0.74）させることを示した．しかしながら，脳出血を含めその他の脳卒中病型は，プラバスタチン内服による発症リスク低減を認めなかった．

ム血栓性脳梗塞の既往がある二次予防には，より積極的な治療が必要と考え，LDL コレステロール 100 mg/dL 未満の目標値が示されている．また，冠動脈疾患とアテローム血栓性脳梗塞を合併する場合にはより高リスクと考え，LDL コレステロール 70 mg/dL 未満を管理目標値としている．

- 脳梗塞及び TIA 発症後の患者を対象に，厳格な脂質管理の効果を検討した TST 試験では，LDL コレステロール 70 mg/dL 未満のコントロール群では，LDL 90～110 mg/dL を目標とした標準治療群と比較して，心血管イベントの発生が有意に低下した．ただし，脳梗塞や TIA のみの発症率に有意差はなく，今後のエビデンスの蓄積が求められる．
- 本邦で行われた JELIS のサブ解析では，低用量スタチン系薬剤内服中の脂質異常症患者において，EPA 製剤併用により脳卒中既往症例の脳卒中再発リスクを 20％低減した．

文 献

- 日本脳卒中学会．脳卒中治療ガイドライン 2021
- 日本動脈硬化学会．動脈硬化性疾患予防ガイドライン 2022
- Imamura T, et al. *Stroke* **40**：382, 2009
- Amarenco P, et al. *N Engl J Med* **382**：9, 2020
- Hosomi N, et al. *EBioMedicine* **2**：1071, 2015
- Tanaka K, et al. *Stroke* **39**：2052, 2008

（高橋康大）

【脳卒中慢性期の治療選択】
糖尿病 8-E

●ここがPOINT！
❶糖尿病症例は脳血管障害のリスク管理の対象となるため血糖コントロールを考慮する．
❷2型糖尿病を合併した脳梗塞患者の血圧は130/80 mmHg未満のコントロールを目標とする．
❸2型糖尿病を合併した脳梗塞患者ではスタチン（HMG-CoA還元阻害薬）による脂質管理が勧められる．
❹2型糖尿病を合併した脳梗塞患者の糖尿病治療薬として，脳梗塞の再発二次予防効果が期待できるピオグリタゾンの投与を考慮してもよい．

チェックポイント
❶糖尿病は脳梗塞発症を2～3倍増加する重要な危険因子である．
• 複数の大規模試験にて血糖コントロールを強化しても標準治療群と心血管死亡リスクに有意差を認めず，強化療法群で重症低血糖のリスクを認めた結果となっている．
• 高齢者や血管合併症の進行した症例に薬物療法による厳格な血糖コントロールを行えばイベントリスクが逆に上昇する可能性があるため，患者の状態に応じた適切な血糖コントロールが勧められる．
❷UKPDS38では血糖のコントロールに加えて血圧を厳格にコントロールした群で致死的，非致死的脳卒中が44％減少した．その他の研究結果からも糖尿病患者においてはより厳格な降圧目標が望ましく，130/80 mmHg未満が推奨される．
❸複数の大規模試験にて糖尿病患者におけるスタチン投与は脳卒中発症を低下させており，スタチンによる脂質管理が勧められる．
❹PROactive（PROspective pioglitazone Clinical Trial In macro Vas-

cular Events）研究およびそのサブ解析でインスリン抵抗性改善薬ピオグリタゾン治療は脳梗塞発生を有意に抑制し，脳卒中再発率を低くした．
- 糖尿病を発症していないがインスリン抵抗性を有する患者における IRIS（Insulin Resistance Intervention after Stroke）試験およびそのサブ解析で，ピオグリタゾンは脳梗塞再発予防効果を認めた．
- ピオグリタゾンは糖尿病患者においても脳梗塞再発予防効果が期待され，心不全などの使用禁忌を認めなければ投与が勧められる．

❺ DPP-4 阻害薬は複数の研究でプラセボに対する脳卒中予防の非劣性が示されているが，メタ解析においては脳卒中発症予防効果を認められなかった．
- SGLT2 阻害薬は CVD-REAL 2 研究において，従来の糖尿病治療薬と比較して脳卒中のリスク低下と相関を示したが，メタ解析においては脳卒中発症予防効果を認められなかった．
- 長時間作用型 GLP-1 受容体作動薬は三大新規血糖降下薬の主要心血管イベントに対するメタ解析において脳卒中リスクを低下させていた．GLP-1 受容体作動薬は脳梗塞の二次予防においても有用である可能性がある．

文献
- 日本脳卒中学会．脳卒中治療ガイドライン 2021
- 日本糖尿病学会．糖尿病診療ガイドライン 2016
- Hansson L, et al. *Lancet* **351**：1755, 1998
- Kearney PM, et al. *Lancet* **371**：117, 2008
- Zinman B, et al. *N Engl J Med* **373**：2117, 2015

（水越元気）

【脳卒中慢性期の治療選択】
心房細動　8-F

●ここがPOINT！

❶心房細動を伴う脳梗塞の再発予防は，先行した脳梗塞の病型を問わず，抗凝固療法が第一選択である．抗血小板薬の単独投与は行わない．

❷経口抗凝固薬にはビタミンK拮抗薬（VKA）であるワルファリンと，直接阻害型経口抗凝固薬（DOAC）の2種があり，症例に応じて使い分けるが，原則としてDOACを優先する．

❸$CHADS_2$スコアは簡便な心房細動の脳梗塞リスク評価であるが，低リスク例ではCHA_2DS_2-VAScスコアを併用する．

❹DOACの減量基準は遵守する．可能な限り標準量を投与する．

❺ワルファリンでは1〜2カ月に1回の定期採血が不可欠であるが，DOAC投与例でも最低年2回は凝固能，腎機能および貧血の監視を行うことが望ましい．

❻二次予防の症例では，アブレーション後に洞調律に戻ったとしても，抗凝固療法は原則継続する．

❼抗血栓療法での出血リスクが高い症例では，カテーテルによる左心耳閉鎖，胸腔鏡による左心耳切除術も可能である．

はじめに

・抗血栓療法には抗血小板療法と抗凝固療法があるが，心房細動症例では左房内血栓の主成分がフィブリン血栓と想定されるため，抗凝固療法が第一選択となる．両療法の詳細については前項を参照されたい．

・心原性脳塞栓症は最重症の脳梗塞病型であり，たとえ他の脳梗塞病型を発症した場合でも，心房細動合併例では将来的に心原性脳塞栓症を再発する危険性が高く，再発予防療法として極力抗凝固療法を実施すべきである．

・本項では，非弁膜症性心房細動を合併した脳梗塞症例の二次予

表1 CHADS$_2$スコアとCHA$_2$DS$_2$-VASc スコア

	CHADS$_2$ スコア	CHA$_2$DS$_2$-VASc スコア
C：うっ血性心不全	1	1
H：高血圧	1	1
A：年齢65歳以上		1
A：年齢75歳以上	1	+1
D：糖尿病	1	1
S$_2$：脳卒中，TIAの既往	2	2
V：動脈硬化病変の合併（心筋梗塞，末梢動脈疾患，大動脈粥腫）		1
Sc：女性（単独では加算しない）		1
合　計	6	9

防を前提に解説する．

心房細動に関わるスコア

❶CHADS$_2$スコアとCHA$_2$DS$_2$-VAScスコア（表1）
・世界的に最も普及している脳梗塞リスクスコアである．CHA$_2$DS$_2$-VAScスコアは主に一次予防対象の低リスク症例を細分化する目的で開発された．

❷HAS-BLEDスコア（表2）
・抗凝固療法にともなう出血リスクを評価するために提唱されたものであるが，ワルファリン療法を前提としているためDOAC投与については適合しない面もある．

抗凝固薬の選択

・心房細動合併脳梗塞では，抗凝固療法が絶対適応となる．薬剤選択にあたっては以下のような判断基準が推奨される．
・大原則としてワルファリンとDOACが同等の推奨であった場合にはDOACの投与を優先させる．
・一次予防の場合には，開発試験の組み入れ基準の違いからDOAC間でも推奨度が異なるが，再発予防の場合には全例CHADS$_2$スコアが2点以上となるため，どのDOACも投与可能である．

表2 HAS-BLED スコア

	HAS-BLED スコア
H：高血圧（収取期血圧 160 mmHg 以上）	1
A：腎機能障害/肝機能障害	各1
S：脳卒中の既往	1
B：出血の既往または出血傾向	1
L：PT-INR 不安定	1
E：年齢 66 歳以上	1
D：抗血小板薬・NSAIDs 併用/アルコール依存	各1
合　計	9

❶DOAC

- DOAC の選択にあたっては，まず症例の腎機能から評価する．
- クレアチニンクリアランスが 40 から 60 mL/min の症例では他の薬剤の処方状況により，1日1回と1日2回の薬剤のどちらが良いか検討する．夜の内服は忘れやすいので夜に DOAC 1剤のみという処方スタイルは避けるべきである．1日2回であれば，アピキサバンもしくはダビガトラン 110 mg 1日2回が適応となる．1日1回であればリバーロキサバンとエドキサバンが適応である．
- ダビガトラン以外は減量に関する基準が明確に定められている（☞**各論 8-A の表3**）ので，それに従って投与量を決定する．基準外の減量は有効性の検証がなされていないので特に二次予防の領域では行うべきではない．腎機能が良い症例では，なるべく減量基準に抵触せず，標準用量が選択できる DOAC を優先した方が良い．
- DOAC の粉砕については，リバーロキサバンの散剤以外は薬効の保証ができないため推奨されない．エドキサバンには口腔内崩壊錠も準備されている．各 DOAC の特徴については前項を参照されたい（各 DOAC の特徴☞**各論 8-A**）.
- また，DOAC のモニタリングの方法は確立していない．薬剤濃度は終日変動するため内服からの経過時間によって結果が異な

り，さらに薬剤，試薬によっても数値が乖離するからである．PT-INR はワルファリン治療に特化した指標なので DOAC では用いるべきではない．腎機能や凝固能，貧血の監視については少なくとも年2回は実施する必要がある．

❷ワルファリン

- ワルファリン投与の場合には，PT-INR による定期的モニタリングが欠かせない．日本循環器学会のガイドラインにおいて，一次予防については年齢に関わらず目標治療域 1.6〜2.6 が提唱されたが，二次予防については従来通りの 70 歳未満 2.0〜3.0，70 歳以上 1.6〜2.6 が踏襲された．実際には，まず 2.0 を目指してコントロールし，1.8 を下回らないようにするとよい．
- 投与量の増減については，0.5 mg 錠を有効に活用して1回に 0.25〜0.5 mg 単位で行うのが安全で，1日おきに内服量を変える処方スタイルもあるが，混乱しやすいので勧められない．
- 検査間隔は発症から1年間は月1回，それ以降コントロールが安定している症例は2カ月に1回まで延長可能であるが，それ以上採血間隔を開けるのは危険である．
- 採血の際には，凝固能だけでなく貧血の監視も欠かさず行う．また年1回は便潜血の監視も忘れずに．高齢者では消化管悪性腫瘍の発生も看過できない．

❸抗凝固薬の中和療法（☞総論 1-G）

- ワルファリンの中和には第Ⅸ因子複合体製剤が，ダビガトランには特異的中和抗体であるイダルシズマブが，Xa 阻害薬にはアンデキサネット アルファがそれぞれ存在する．
- 第Ⅸ因子複合体製剤は中和前の PT-INR 値によって，アンデキサネット アルファについては Xa 阻害薬の種類と最終内服時間によって投与方法が異なるので，投与前に必ず確認すること．

合併症を有する心房細動症例

❶頭頸部主幹動脈狭窄病変合併症例

- 心房細動に加えて頭蓋内外の主幹動脈狭窄を合併している症例の抗血栓療法はしばしば議論になるところである．過去の検討で

はワルファリンはアスピリンと同等の有効性があるものの,出血合併症が増加するために推奨とならなかったが,アスピリンと遜色ない安全性をもつ DOAC であれば,心房細動と動脈硬化性疾患の双方に単剤で効果が期待できると考えられる.

❷冠動脈疾患合併例

- 特に冠動脈ステント留置症例については,十分な配慮が必要である.冠動脈ステント留置後一定期間は抗血小板薬2剤(DAPT)が原則となる.これに抗凝固療法が重なるために抗血栓薬3剤併用となり,出血リスクが極めて高くなる.この期間は厳重に出血合併症を監視するとともに,継続期間は最短とするように循環器内科医と協議する.
- 諸外国のガイドラインで主張が異なるが,最近の薬物溶出性ステントの場合,DAPT 継続はステント留置後半年以内,アスピリンを終了し1剤とした後1年をめどに抗血小板薬を終了するのが一般的である.

❸慢性腎臓病合併例

- DOAC はすべて腎排泄性があり,腎機能の低下とともに半減期が延長することが想定され,トラフの血中濃度が高まることで出血合併症を増加させる危険性がある.クレアチンクリアランスが 30 mL/min を下回る症例では特に注意が必要である.
- DOAC の抗凝固作用は終日変動し一般凝固検査では評価が難しいため,高度腎機能障害例では,モニタリングができるワルファリン療法が優先される.15 mL/min 未満の症例では DOAC は禁忌となる.腎機能障害そのものが出血リスク,血栓リスクを高めるので血圧などの日常管理が極めて重要である.
- なお維持透析中の症例についてガイドライン上ワルファリンも禁忌となっているが,代替薬がない.透析症例はさまざまなイベントが多く,ワルファリン投与による生命予後改善が望めないという理由であるが,臨床現場では症例に応じて対応せざるを得ない.後述する左心耳閉鎖術・切除術の適応も検討の価値がある.

循環器的管理

❶心拍コントロール

- 以前は心房細動の心拍コントロールにはジギタリス製剤が使用されることが多かったが,現在は心不全のない頻拍症例では β 遮断薬（β1 選択性の高いもの）またはカルシウム拮抗薬が第一選択とされる.両薬剤でコントロール不良の場合にのみ,ジギタリス製剤の追加を検討する.
- 心拍数としては,安静時で 60〜80/分をめざす.

＜処方例＞

> ビソプロロール　2.5〜5.0 mg　1 日 1 回
> ベラパミル　120〜240 mg　分 3
> アテノロール　25〜50 mg　1 日 1 回

❷薬理学的除細動療法

- 脳卒中専門医の扱う範囲を超えるため,不整脈専門医にコンサルトする.特有の副作用もあるので,脳卒中医が処方することは慎むべきである.

❸電気的除細動療法

- DC ショックによる心房細動停止措置であるが,アブレーションの普及とともにその必要性は低下していると考えられる.

❹左心耳閉鎖術

- 出血高リスク症例,薬剤抵抗性の脳梗塞再発例でカテーテルによる左心耳閉鎖術がわが国でも実施可能となっている.

❺左心耳切除術

- 脳梗塞リスクは高いものの抗凝固療法に伴う出血リスクが極めて高かったり,実際に出血を繰り返す症例では,胸腔鏡下左心耳切除術の適応について検討する.左心耳切除術後は抗血栓療法の中止が可能である.

（長尾毅彦）

【脳卒中慢性期の治療選択】
左心耳閉鎖術と卵円孔閉鎖術　8-G

●ここがPOINT！
❶心房細動に伴う心原性脳塞栓症，卵円孔開存症に伴う奇異性脳塞栓症においてカテーテルを用いた経皮的左心耳閉鎖術，経皮的卵円孔閉鎖術が保険収載された．

❷経皮的左心耳閉鎖術は非弁膜症性心房細動症例で長期的抗凝固療法を中止可能な治療として注目されているが，術後短期間の抗血栓薬2剤併用中の出血性合併症の可能性やデバイス関連血栓症がこの治療の問題点である．

❸60歳未満でシャント量が多い卵円孔開存を伴う奇異性脳塞栓症の二次予防には，経皮的卵円孔閉鎖術の適応を考慮する．

はじめに
❶近年，多くの分野で内視鏡手術やカテーテル治療など，観血的治療と比べ侵襲が少ない治療法が発展している．

❷心房細動に伴う心原性脳塞栓症，卵円孔開存症に伴う奇異性脳塞栓症においてカテーテルを用いた経皮的左心耳閉鎖術，経皮的卵円孔閉鎖術が保険収載された．

経皮的左心耳閉鎖術
❶わが国の経皮的左心耳閉鎖術には閉鎖デバイスであるWATCHMAN™（Boston Scientific社）が承認されている（図1A，B）．

❷経皮的左心耳閉鎖術は非弁膜症性心房細動症例で長期的抗凝固療法を必要とするが，出血リスクなどの理由により長期的抗凝固療法は困難な症例で術後短期的な抗凝固療法であれば可能な症例に適応がある（表1）．

❸術後6週間はアスピリンとワルファリンの併用が，その後術後6カ月目までは抗血小板薬2剤併用が必要とされている．抗血

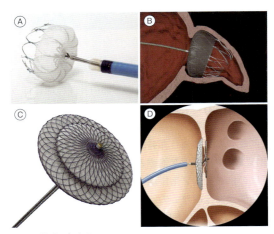

図1 治療デバイス
A, B：左心耳閉鎖 WATCHMAN™ (Boston Scientific 社)
C, D：経皮的卵円孔閉鎖デバイス AMPLATZER™ PFO Occluder (アボットメディカルジャパン合同会社)

栓薬2剤併用中の出血性合併症の可能性や術後のデバイス関連血栓症がこの治療の問題点である.

❹ デバイスの内皮化により抗凝固療法が中止できるとされている.

経皮的卵円孔閉鎖術

❶ わが国では経皮的卵円孔閉鎖術に使用されるデバイスとして，AMPLATZER™ PFO Occluder (アボットメディカルジャパン合同会社) が薬事承認されている (図1C, D). 形状記憶合金のワイヤーを編み込んだ自己展開式の閉鎖機器であり卵円孔開存部に合わせてサイズを選択する.

❷ 多施設共同研究の結果によるとシャント量が多いあるいは心房中隔瘤を伴う卵円孔開存による脳梗塞において，カテーテル閉鎖術群は薬物治療単独群と比べ再発率が少なく，二次予防におけるカテーテル閉鎖術の有用性が報告されている.

❸ 一方，奇異性脳塞栓症の二次予防おいてカテーテル閉鎖術群は

表 1 Watchman 植え込み適応/除外基準

Watchman 植え込み適応基準
- CHADS$_2$ または CHA$_2$DS$_2$-VASc スコアに順じ脳卒中及び全身性塞栓症のリスクが高く,長期的に抗凝固薬が推奨される非弁膜症性心房細動患者
- 以下の出血要因の1つまたは複数に適合するため長期的抗凝固療法の代替治療を考えるべき患者
- HAS-BLED スコア≧3
- 転倒による外傷への治療歴が複数かいる
- びまん性能アミロイド血管症
- 抗血小板薬の2剤以上の併用が長期(1年以上)必要な状態
- 出血学術研究協議会のタイプ3に相当する大出血

Watchman 植え込み除外基準
- 心臓内(特に心房内)血栓が認められる患者
- 心房中隔欠損または卵円孔開存に対する修復治療(外科手術,デバイス留置)あるいは心房中隔の縫合閉鎖の既往がある患者
- 左心耳の解剖学的構造が閉鎖デバイスに適応しない患者
- 左心耳閉鎖術が禁忌である患者(経食道心エコーや施術に必要なカテーテル等の挿入困難例)
- 抗凝固療法,アスピリン及びチエノピリジン系薬剤の仕様が禁忌である患者

(日本循環器病学会.左心耳閉鎖システムに関する適正使用指針)

表 2 Risk of Paradoxical Embolism(RoPE)Score

患者背景
- 高血圧既往なし　　　　　　　　　　 1点　　・糖尿病既往なし　　 1点
- 脳梗塞/一過性脳虚血発作既往なし 1点　　・喫煙歴なし　　　　 1点
- 画像上皮質梗塞　　　　　　　　　　 1点

年齢
- 18-29歳 5点　・30-39歳 4点　・40-49歳 3点　・50-59歳 2点
- 60-69歳 1点　・≧70歳　0点
- 最大　　 10点　・最低　　0点

薬物治療単独群と比べて差がないという報告や,Risk of Paradoxical Embolism(RoPE)Score(表2)を用いて奇異性脳塞栓症をより層別化した上でカテーテル閉鎖術を検討することを推奨する報告もある.

❹わが国ではカテーテルを用いた卵円孔閉鎖術における診断方法や治療適応基準,治療実施体制などに関し,「潜因性脳梗塞に対

表3 卵円孔閉鎖術の適応

必須条件
- 卵円孔開存の関与があり得る潜在性脳梗塞の診断基準に合致した患者
- 閉鎖術施行後一定期間の抗血栓療法施行が可能と診断される患者
- 原則として60歳未満の患者
- (女性の場合) 妊娠していない,かつ1年以内の妊娠を希望しない患者

推奨条件
- 機能的,解剖学的に高リスクの卵円孔開存を有する場合
  Ex) シャント量が多い/心房中隔瘤の合併/下大静脈弁の合併/キアリ網の合併/安静時(非バルサルバ負荷下)右左シャントを有する/長いトンネルを有する卵円孔開存
- 適切に施行された抗血栓療法中に奇異性脳塞栓症を発症した場合.

する経皮的卵円孔開存閉鎖術の手引き」が発表された.

❺60歳未満でシャント量が多い卵円孔開存を伴う奇異性脳塞栓症の二次予防には経皮的卵円孔閉鎖術の適応を考慮する(表3).

文 献

- 日本循環器病学会.左心耳閉鎖システムに関する適正使用指針.
- Søndergaard L, et al. *JACC Cardiovasc Interv* **12**:1055, 2019
- Saver JL, et al. *N Engl J Med* **377**:1022, 2017
- Kolokathis K, et al.T *Hellenic J Cardiol* **70**:46, 2023
- Kent DM, et al. *Stroke* **51**:3119, 2020
- Kent DM, et al. *Neurology* **81**:619, 2013
- 日本脳卒中学会・他.潜在性脳梗塞に対する経皮的卵円孔開存閉鎖術の手引き.2019年5月(脳卒中41:417, 2019)

(松本典子)

memo

脳卒中とてんかん　9

●ここがPOINT！
1. 脳卒中後てんかんは，脳卒中生存者の5～10％に認められ，65歳以上のてんかんの一番の原因である．
2. 脳卒中後のlate seizureは1回の発作でも，てんかんと診断できる．
3. 脳卒中後てんかんの発症予測スコアとして，SeLECTスコアとCAVEスコアがある．
4. 脳卒中後てんかん患者は，合併症を有する高齢者が多いため，副作用や薬物相互作用を考慮すると新規抗てんかん薬のメリットが大きい．

はじめに

- 脳卒中後のけいれん発作は，発症時期によって，early seizureとlate seizureに分けられる．Late seizureは，1週間以上たってから起こる発作で，一度生じると，再発率が高く，1回の発作でてんかんと考えてよい．
- 脳卒中後てんかんの発作型としては，二次性全般化発作が最も多く，単純部分発作，複雑部分発作が続く．なかには非けいれん性てんかん重積状態（☞便利メモ①）を呈する症例もある．
- 脳卒中後てんかんは，脳卒中生存者（Stroke survivors）（☞便利メモ②）の5～10％に合併するとされ，今後，患者数の増加が予想

便利メモ①

非痙攣性てんかん重積状態（nonconvulsive status epilepticus：NCSE）は，原因不明の意識障害として，診断・治療が遅れることが多い．共同偏視の有無，眼瞼や口唇のぴくつきなどにも注意する必要がある．また，画像所見と意識障害の程度に不一致が認められる場合なども，非けいれん性てんかん重積を疑い，積極的に脳波検査を行うべきである．

> **便利メモ ②**
>
> 　急性期の診断，治療，ケアの進歩により，脳卒中は，日本人の死亡原因の第4位になっている．脳卒中生存者の割合は増加しており，身体機能などの後遺症だけでなく，てんかん，認知機能障害，うつなどの合併が問題となっている．

> **便利メモ ③**
>
> 　MRI T2*強調画像または磁化率強調画像（susceptibility weighted image：SWI）で脳表に沿った低信号所見を呈する．SeLECTスコアとCAVEスコアそれぞれに「脳表シデローシスの有無」を加えた新スコアモデルは既存スコア各々単独に対して診断精度が高いことが，本邦から発表された．

される．
- 脳卒中後てんかん発症のリスク因子として，脳梗塞後は，SeLECTスコア，脳出血後は，CAVEスコアがlate seizureの発症予測に有用である（図1）．
- SeLECTスコアは，重症度（NIHSS 4-10は1点，11以上は2点），主幹動脈病変1点，7日以内の発作3点，皮質病変2点，中大脳動脈領域1点の合計0-9点で評価する（図1A）．
- CAVEスコアは，皮質を含む出血，65歳未満，血腫体積が10 mL超える，7日以内のてんかんの4項目を各1点として，0-4点で評価する（図1B）．
- 脳表シデローシスが脳卒中後てんかん発症の最大のリスク因子であることが，最近本邦から発表された（☞便利メモ③）．

脳卒中後てんかんの診断

❶脳波検査
- 発作後の通常の脳波検査ではてんかん性放電の陽性率は低い．脳波検査を繰り返す，睡眠脳波を記録する，持続脳波モニタリングを行うなどの工夫が必要である．
- 徐波のなかでも局在的な律動的デルタ波はてんかんの存在を示

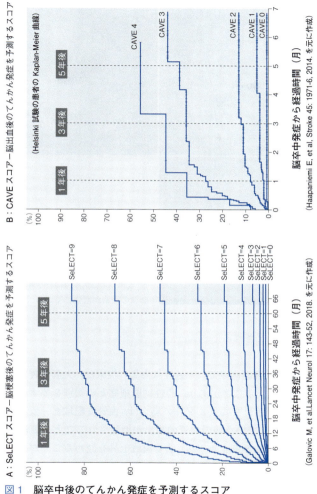

図1 脳卒中後のてんかん発症を予測するスコア
A：SeLECTスコア（脳梗塞後），B：CAVEスコア（脳出血後）

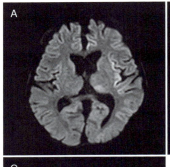
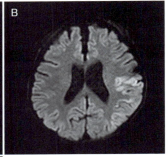
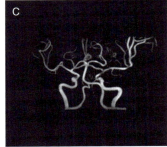

図2 MRI所見
拡散強調画像にて，視床枕，大脳皮質に高信号を認める（AとB）．また，MR angiographyにて焦点側の血管の描出が増強している（C）．

唆する所見とされる．

❷画像検査

- MRI拡散強調画像で，一過性に海馬，視床枕，大脳皮質などに高信号を呈することがあり，急性期脳梗塞との鑑別を要することがある（図2）．てんかん発作の場合は，血管支配域と一致しないこと，MRAで焦点側の血管の描出が増強されること，灌流画像 ASL（Arterial Spin Labeling）法で血流上昇を認めることがある．
- 発作後のSPECT像から発作間欠期のSPECT像を差し引いて血流の上昇域を統計解析し，その画像をMRI上に重ね合わせる subtraction ictal SPECT coregistered to MRI（SISCOM）の有用性が報告されている．

治療

- 脳卒中後てんかんの発症予防目的の抗てんかん薬投与は，その

有用性に関するエビデンスはない.
- てんかん重積状態では,脳波モニタリングのもと,ベンゾジアゼピン系薬剤から治療を開始する.非痙攣性てんかん重積状態については,診断が困難で発症時期が不明であることが多いため,時系列的な治療計画が立たないが,痙攣性てんかん重積と同様に脳波モニタリングのもと,ベンゾジアゼピン系薬剤から治療を開始する.
- 脳卒中後てんかんの発作予防の適切な治療に関しては,確固たるエビデンスは確立していない.
- 脳卒中後てんかんの患者は,高齢者が多く,合併症・併存症を有することが多い.近年,副作用や薬物相互作用が少ない新規抗てんかん薬(ペランパネル,ラモトリギン,ガバペンチン,レベチラセタム,ラコサミド)が使用できるようになった.剤型,作用点,代謝・排泄経路,副作用など薬剤ごとの特徴を知っておく必要がある.

文献
- Galovic M, et al. *Lancet Neurol* **17**:143, 2018
- Haapaniemi E, et al. *Stroke* **45**:1971, 2014
- 日本神経学会監修:てんかん診療ガイドライン 2018. 医学書院,2018

(須田 智)

memo

10-A 【脳卒中リハビリテーション】 脳卒中後のリハビリテーション治療

> ● ここが POINT！
> 急性期リハビリテーション（リハビリ）は生活の質の向上，日常生活動作（ADL）の向上と社会復帰を目指すために発症後早期から開始する．

急性期病院におけるリハビリに対する主治医の役割

障害の程度の評価

- 当科では原則発症後48時間以内にリハビリを処方している．詳細な障害の評価も重要だが，急性期では障害の大まかな評価を短時間で行うことも必要．
- 主な評価項目：基礎（背景）疾患，全身状態，意識，高次脳機能障害，麻痺および嚥下障害の程度など．

障害に応じたリハビリの処方

- リハビリは理学療法（physical therapy：PT），作業療法（occupational therapy：OT），言語聴覚療法（speech therapy：ST）に大きく分けられる．障害に応じて処方する．各種療法の大まかな内容は以下の通り（表1）．

❶理学療法（PT）：関節可動域訓練，筋力維持増強訓練，基本動作

表1 主な療法の内容

理学療法	作業療法	言語聴覚療法
関節可動域訓練	ADL評価・訓練	摂食・嚥下訓練
筋力維持増強訓練	関節可動域訓練	構音訓練
基本動作訓練	基本動作訓練	音声訓練
起立歩行訓練	協調性巧緻性訓練	失語症訓練
ADL訓練	書字訓練	高次脳機能訓練
階段昇降訓練	家事動作訓練	
呼吸機能訓練	高次脳機能訓練	
	職業的作業訓練	

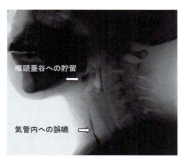

図1　実際の嚥下造影（VF）の様子

訓練などを行う．喀痰困難な患者の呼吸リハを行うこともある．絶対安静でなければ重度の脳卒中であってもベッド上での関節可動域訓練は行えるので必ずオーダーする．

❷作業療法（OT）：麻痺した上肢の評価訓練，ADL の評価訓練などを行う．具体的には巧緻運動（細かい複雑な動き）障害や失調の訓練，更衣，食事訓練などを行う．また眼球運動訓練や，失行失認などの訓練を行うこともある．

❸言語聴覚療法（ST）：失語，構音障害などの言語面の障害の評価訓練，認知機能の評価，嚥下障害の評価訓練などを行う．嚥下の評価に関しては主治医も知識を持っていることが望ましい．

- 嚥下障害は意識レベル，顔面神経麻痺，構音障害の有無から，その存在を疑うことが重要である．摂食嚥下評価の方法（☞総論3）を主治医も実践する．

- 加えてリハビリ科でも行われる嚥下のさらなる評価方法として嚥下造影（VF）（図1），嚥下内視鏡（VE）がある．両者とも食形態の決定再考や嚥下する際の動的な状況を画像評価するものである．必要時，言語聴覚士，看護師と連携し検査を行う．

リハビリを行う上でのリスクや問題点の抽出・全身管理

- 患者の状態悪化の予防，安全にリハビリを行ううえで重要である．脳卒中の障害に加え，合併症（高血圧，糖尿病，心房細動，うっ血性心不全，心内血栓，深部静脈血栓症，骨折歴など）やリハビリす

表2 当院SCUにおけるリハビリ開始・中止・再開基準

1. 全身状態,障害の増悪がない場合,原則,発症後48時間以内にリハビリテーション処方を行う
2. 全身状態,障害の増悪がある場合,(増悪停止し)24時間の状態安定を確認後,リハビリテーション処方を行う.
3. リハビリテーション開始後に全身状態 or 障害の増悪が生じた場合,療法士の判断でリハビリテーションを見合わせる or 負荷の少ない訓練(関節可動域訓練等)に切り替える.その際は主治医に報告する.(増悪停止し)24時間の状態安定を確認後,リハビリテーションを再開する.
4. その他のいったんリハビリテーションを見合わせる基準(回復を待って再開可):SBP>220 mmHg もしくは<70 mmHg,SaO₂<85%,安静時HR<40/min もしくは 130/min>

合併症に関する実施・中止・再開の基準
1. DVT(深部静脈血栓症)→実施する.
2. 心房内血栓→実施する.
3. 貧血→Hb7.0以上で実施可.輸血をしている患者,7.0未満はリハ科医に要相談.
4. 大動脈瘤,大動脈解離→SBP<140 mmHgで実施する.SBP≧140 mmHgであればいったん中止.回復を待って再開,主治医に報告・(SBP上限を)相談.
5. 感染性心内膜炎→リハ科医に要相談.
6. 未治療の重症不整脈
   手術適応のある重症弁膜症(大動脈弁狭窄症を含む)
   重症の左室流出路狭窄(閉塞性肥大型心筋症)
   →HR>140/min,HR<40/min,中等度以上の動悸・息切れ・呼吸困難・胸痛,強い疲労感,頻呼吸(30/min),があればいったん中止.回復を待って再開.

*注意:上記基準は原則であり,個々の症例に応じて検討する場合もある.

る上での全身状態も含めたリスクも評価する.

- 日本リハビリテーション学会の中止基準が参考になるので,ぜひ一度目を通してほしい(☞付録 資料13).また当院では離床開始フローシート(☞総論3)に合わせて離床を開始し,リハビリテーション科と開始・中止・再開に関する申し合わせを決めている(表2).
- とくに主治医として気をつける点としては表3に示す状況である.患者の症状が悪化せずに積極的なリハビリが行えるよう,コントロールを心がける.

表3 リハビリする上で気をつける点・リハビリスタッフからよく聞かれること

◎安静度は？ 増悪しやすい脳梗塞の病型か？
- リハビリを進めていく上での大原則は症状の悪化，梗塞の拡大・再発，脳出血の拡大，動脈瘤の再破裂等がないこと．
- 軽症例（軽症のラクナ梗塞，小出血など）では入院日は30度 HEAD UP，入院翌日に症状の悪化がなければ座位，車椅子乗車を許可としている（☞便利メモ②）
- アテローム血栓性脳梗塞，BAD，血行力学的な脳梗塞に関しては入院後も症状が悪化する例があり注意が必要．原則的に24時間のベッド上安静その後症状が悪化しないことを確認の上，第3病日から座位，立位を開始する．
- 心原性脳塞栓症に関しては脈拍，血圧低下，心不全に注意．
- その他広範囲の脳梗塞や脳出血重篤な合併症，くも膜下出血の例では全身状態，神経症状を見ながら慎重な対応が必要．

◎糖尿病；血糖値以外にも神経障害での起立性低血圧の合併もある．

便利メモ ①

AVERT trial

2015年に LANCET に発表された高頻度高負荷の超早期リハビリと3カ月後の機能予後に関する5カ国多施設共同試験．約2,000名の患者を超早期群と通常群に分けて比較．予後良好群（mRS：0-2）は超早期群（24時間以内開始群）で有意に少なかった．早期からのリハビリテーション開始は運動機能，ADL の回復に有効であるが，臨床医はあくまで原疾患の病状や，併存疾患，基礎疾患等を考慮し，リスク管理の上安全にリハビリを開始するべきである．

便利メモ ②

体位に関するガイドラインでの強い推奨は示されていない．2017年に報告された約1万人の急性期脳卒中患者の体位とその後の転帰に関しての検討が参考になる．本検討では軽症例（中央値：NIHSS 4点）の脳卒中患者では入院当日から30度 HEAD UP しても仰臥位でも3カ月後の転帰は変わらないことが示されている．

表4 Brunnstromの運動検査による回復段階（Brunnstrom stage：Brs）

上肢
stage Ⅰ：随意的な筋収縮なし．筋緊張は低下．
stage Ⅱ：随意的な筋収縮または連合反応が出現．痙縮が出現．
stage Ⅲ：共同運動による関節運動が明確にあり．
stage Ⅳ：共同運動から逸脱し以下の運動が可能．
　　　　　手背を腰部につける．上肢を肘関節進展位で前方水平まで挙上．
　　　　　肘関節屈曲90度で前腕を回内・回外．
stage Ⅴ：共同運動から比較的独立し以下の運動が可能．
　　　　　上肢を肘関節伸展位かつ前腕回内位で側方水平位まで挙上．
　　　　　上肢を肘関節伸展位のまま前上方へほぼ垂直位まで挙上．
　　　　　肘伸展位で前腕を回内・回外．
stage Ⅵ：各関節が自由に分離．ほぼ正常の協調性．

手指
stage Ⅰ：随意的な筋収縮なし．筋緊張は低下．
stage Ⅱ：随意的な筋収縮がわずかにあり．痙縮が出現．
stage Ⅲ：手指の集団屈曲は可能だが随意的には伸展不能．鉤握りはできるが離せない．
stage Ⅳ：横つまみをした後，母指で離すことが可能．狭い範囲での半随意的な手指進展．
stage Ⅴ：対向つまみが可能．集団進展が随意的に可能．
stage Ⅵ：筒握りや球握りを含むすべてのつまみや握りが可能．各手指の運動が分離．

下肢
stage Ⅰ：随意的な筋収縮なし．筋緊張は低下．
stage Ⅱ：随意的な筋収縮または連合反応が出現．痙縮が出現．
stage Ⅲ：座位や立位にて股関節・膝関節・足関節が同時に屈曲．
stage Ⅳ：共同運動から逸脱し，以下の運動が可能．
　　　　　座位にて膝を90度以上屈曲し足部を床上で後方へ滑らす．
　　　　　足部を床から持ち上げずに足関節を随意的に背屈する．
stage Ⅴ：共同運動から比較的独立し以下の運動が可能．
　　　　　立位にて股関節伸展位で荷重されていない状態で膝屈曲だけを屈曲する．
　　　　　立位にて踵を前方に少し振り出し，膝関節伸展位で，足関節だけを背屈する．
stage Ⅵ：各関節運動が分離し，以下の運動が可能．
　　　　　立位にて骨盤挙上による可動域を超えて股関節を外転する．
　　　　　座位にて内側および外側ハムストリングスの相反的な活動により，足関節の内反・外反を伴って下腿の内旋・外旋をする．

（Brunnstrom S. *Phys Ther* **46**：357, 1966；日本脳卒中学会脳卒中ガイドライン委員会訳より）

回復期リハビリテーション病院への情報提供

- リハビリはほぼ全ての患者で適応になる．急性期病院では不十分なリハビリしか行えない場合もあり，回復期リハビリテーション病院に転院することも多い．
- 転院依頼の際には医師の診療情報提供書が判断材料の多くを占める．病名・病型や薬剤選択の理由はもちろんのこと，障害の程度に関してNIHSS・mRS以外にも評価方法としてのブルンストロームの片麻痺の回復段階（Brs；表4）は評価記載できるようにする．
- また病前のADLや家族背景，生活環境なども記載し，個々の患者のその後の社会復帰・在宅療養への移行がイメージしやすい情報提供を心がける．

文献

- 日本脳卒中学会．脳卒中治療ガイドライン2021．p.4-5, 48-49
- 厚生労働省：平成28年国民生活基礎調査の概況
- 日本リハビリテーション医学会．リハビリテーション医療における安全管理・推進のためのガイドライン2006
- Bernhardt J, et al. *Lancet* **386**：46, 2015
- Anderson CS, et al. *N Engl J Med* **376**：2437, 2017

（大内崇弘）

> memo

10-B 【脳卒中リハビリテーション】 脳梗塞後の栄養の開始時期とその内容

> ● **ここがPOINT！**
> ❶ 脳卒中患者の早期栄養開始に伴う転帰改善効果はいまだ示されていない．
> ❷ 実臨床では，低栄養による体重減少，筋力減少がリハビリ介入時の阻害因子となっている．
> ❸ 入院早期に嚥下スクリーニングを行うことで経口摂取の開始時期は早くなる．

はじめに

- 脳卒中後急性期に栄養の介入をする目的は，低栄養に陥ることによる感染リスクの増加や体重や筋力低下によるリハビリの阻害となることを防ぐことである．実際にICU入室患者，外傷患者を対象とした試験では，早期の経腸栄養開始が感染症発生や死亡率を減らすことが報告されている．
- 早期開始のリスクとして嘔吐，下痢，誤嚥性肺炎などがあげられるため，リスクマネジメントも重要となる．栄養の介入は具体的には早期の経口摂取と経腸栄養からなるが，現場では嚥下スクリーニングを取り入れることで，早期開始を目指す施設が多い．
- 現時点で早期介入による転帰改善効果は示されていないが，当院で実際に行っているスクリーニング方法は他項（☞総論3）で記載しており，ここでは当院で検討している経管栄養投与方法を紹介する．

経管栄養投与方法について

- 経腸栄養投与による合併症で多いものとして下痢，嘔吐がある．これらを避けるためにゆっくり，希釈したものを投与することが推奨されている．
- しかしながら，脳卒中患者はもともと胃腸機能が保たれている方が多く，長期経腸栄養患者とは異なる．さらに，脳卒中の急性

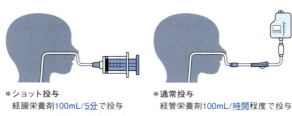

*ショット投与
経腸栄養剤100mL/5分で投与

*通常投与
経管栄養剤100mL/時間程度で投与

図1 経腸栄養の投与方法

期は点滴治療に加えて,頻回な画像検査,リハビリ療法に費やす時間が必要であり,経腸栄養に割ける時間は短い.

- そこで,当院では経腸栄養のショット投与の有効性を検討している(図1).後ろ向きデータの結果は2021年脳卒中学会総会で報告しており,通常投与と比較して差がない結果であった.現在,多施設共同研究で有用性を検討している.ショット投与の普及により,少しでも患者の時間の有効利用ができるようにと考えている.

(鈴木健太郎)

> **memo**

11-A 【Q and A】 透析患者の急性期治療での注意点は？

> ● ここが POINT！
> ❶ 脳血管障害の急性期管理において透析患者は細かな臨床的な配慮が必要である．
> ❷ 発症後 24 時間以内の透析は避ける．
> ❸ 患者の透析記録を早期に入手し，患者状態を把握し自施設の腎臓内科医や血液浄化スタッフとの円滑な連携を心がける．
> ❹ 透析患者に対して，エダラボン，DOAC は禁忌．tPA を用いた血栓溶解療法は可能．
> ❺ 抗凝固薬としてワルファリンの使用は禁忌だが，特定の症例に対して使用することがある．

はじめに

- 透析患者の脳血管障害の特徴として脳出血が多いことが以前から知られているが，近年脳梗塞も増加している．とくに透析後 6 時間以内の発症が多い．

透析患者を診療する際の注意点

＜脳出血・脳梗塞に共通する注意点＞

❶ 初療時の体重測定

❷ 透析病院への診療情報提供書の依頼

- 透析記録上の「ドライウエイト」「週毎の透析回数と曜日」の確認．

❸ 自施設での腎臓内科医へのコンサルテーション

- 当直中であっても透析可能日を確認するために早い方が望ましい．

❹ 内服管理

- 透析患者は普段の内服薬剤の種類および量も多い．経口摂取可能な場合はなるべく内服中断期間を最小限にすべきである．
- 経口摂取できない場合は胃管からの薬剤投与を行うべきである．

❺ 輸液管理

- 輸液の過剰投与によるうっ血性心不全を防ぐためにも，輸液の

種類およびその投与速度に気をつける必要がある.
- 初療開始時と透析記録上ドライウエイトとの体重差,入院時血清カリウム濃度を確認して,適切な輸液の種類(1号液あるいは生理食塩水または細胞外液)を選択する.透析可能日を確認した上で輸液投与量を適宜調節する.
- 入院時および24時間以内に胸部X線を実施し入院時と比較し心拡大の有無について確認しておくとよい.

脳出血

❶血圧管理
- 脳出血急性期において血圧管理が重要である点は透析患者でも変わらない.降圧薬の非経口投与(塩酸ジルチアゼムあるいは塩酸ニカルジピンの静注投与)により,収縮期血圧を160 mmHg(平均血圧130 mmHg)以下に保つことが推奨される.
- 透析患者の血圧調節は非透析患者に比べてその変動が大きいことに注意する.過度の降圧による脳虚血のリスクを回避するために前値の80%を目標として投与流量を普段よりも低流量で開始し慎重に降圧するように心がける.

❷脳浮腫管理
- 透析患者では尿排泄が期待できず,グリセロール投与は体液量の過剰負荷になるために除水による排泄ができる透析中の投与が望ましい.

❸透析管理
- 24時間以内は血腫増大スクが高いため,可能なら血液透析を避ける.
- 透析は溶質除去と除水により頭蓋内圧亢進が増強するために,頭蓋内圧への影響が極力少ない方法(持続血液透析濾過など)が選択できる場合は検討する.

脳梗塞

❶抗血栓療法
- 主に抗血小板薬あるいは抗凝固薬が選択される.抗血小板薬は透析患者に対して非透析者と同用量での投与が可能である(表1).

表1 脳血管障害で使用する薬剤の腎機能低下時の投与量

	一般名	商品名	Ccr (mL/分) >50	Ccr (mL/分) 10〜50	Ccr (mL/分) <10 または透析	透析性
抗血小板薬	アスピリン	バイアスピリン	100 mg	腎機能正常者と同量を慎重投与		○
	硫酸クロピドグレル	プラビックス	50〜75 mg	腎機能正常者と同じ		×
	シロスタゾール	プレタール	200 mg	腎機能正常者と同じ		×
抗凝固薬	オザグレルナトリウム	カタクロット キサンボン	80〜160 mg	40〜80 mg	20〜40 mg	不明
	アルガトロバン	ノバスタン スロンノン	60 mg×2日+20 mg×5日	腎機能正常者と同じ		×
	ヘパリンナトリウム	ヘパリン	適量(APTTで測定)	腎機能正常者と同じ		×
	ワルファリンカリウム	ワーファリン	適量(PT-INRで測定)	腎機能正常者と同量を慎重投与(INRは1.6〜2.0程度で)		×
血栓溶解薬	アルテプラーゼ	アクチバシングルトバ	34.8万 IU/kg	腎機能正常者と同じ		×

	一般名	商品名	eGFR (mL/min/1.73 m²) >30 (※)	eGFR (mL/min/1.73 m²) <30 または透析	透析性
脳保護薬	エダラボン	ラジカット	30 mg×2回/日	禁忌	×

※ 30≦eGFR (mL/min/1.73 m²)<50 の時には投与開始後,血液検査を頻回に行いクレアチニンの上昇がないかチェックする.

- 一方で心原性脳塞栓症に対して,DOAC (direct oral anticoagulant) は透析患者には禁忌である.
- 経口抗凝固薬で使用可能な薬剤はワルファリンであり,血液透析患者における心血管合併症の評価と治療に関するガイドライン」では"有益と判断される場合にはPT-INR<2.0に維持するこ

表2 心房細動合併の維持透析症例でワルファリンを考慮すべき症例

- 既知の左房内血栓
- 機械弁
- 僧帽弁狭窄症
- 過去の一過性虚血発作または脳梗塞
- カテーテルアブレーション周術期

とが望ましい（2C）"と，記載がある．
- 2020年に改訂された不整脈薬物治療ガイドラインでは具体的な症例に対してワルファリンの使用を推奨している（表2）．
- 静注抗凝固薬としてはヘパリン，アルガトロバンが透析患者に対して使用可能である．

❷血栓溶解療法
- 発症4.5時間以内の超急性期脳梗塞患者に対し，tPAによる血栓溶解療法が行われている．透析患者に対しても同様に施行することができる．
- しかし透析直後の発症の場合，ヘパリンを使用した透析直後の場合APTTが延長している場合があり，前値の1.5倍（目安として40秒）ではtPA投与の適応外に該当するために慎重に検討すべきである．

❸血管内治療
- 透析患者に対して非透析患者と同様に施行できる．

文献

- Onoyama K, et al. *Jpn Heart J* **27**：685, 1986
- 血液透析患者における心血管合併症の評価と治療に関するガイドライン．透析会誌 **44**：337, 2011
- 日本循環器学会・他．不整脈薬物治療ガイドライン（2020改訂版）
- 峰松一夫・他．rt-PA（アルテプラーゼ）静注療法適正治療指針（第二版）（2016年9月一部改訂）．脳卒中 **39**：43, 2017

（藤澤洋輔）

11-B 【Q and A】脳出血の既往がある脳梗塞患者に対する注意点は？

●ここが POINT！
1. 脳出血既往のある超急性期脳梗塞患者に対する tPA は**禁忌**である．脳主幹動脈閉塞時は血管内治療を考慮する．
2. 再発予防として抗血栓療法（抗凝固薬，抗血小板薬）を行う場合は，抗血栓薬の選択は，抗凝固薬ではワルファリンより DOAC が推奨されている．
3. 慢性期はリスク管理が重要．出血予防のためには血圧管理がとくに重要で，140/90 mmHg 未満を目標とする．

超急性期の治療

- まず，患者の既往に非外傷性頭蓋内出血がある場合や，来院時に撮影した頭部画像で頭蓋内に出血を認めた場合は，tPA 静注療法の適応外である．
- 微小脳出血（cerebral microbleeds：CMBs）（☞便利メモ）（図1）の存在は，tPA 静注療法の禁忌とはならない．
- 血管内治療に関しては脳出血の既往は適応外とはならないため，脳主幹動脈閉塞時は可能な施設であれば血管内治療を考慮する．また，可能な施設への転院を検討する．

便利メモ

Cerebral microbleeds（CMBs）

頭部 MRI 検査の T2*強調画像や磁化率強調画像において径5mm 以下の点状～小斑状の低信号域として見られ，無症候性の微小脳出血を示す．大脳基底核などの穿通枝領域に認められる深部型と大脳皮質・皮質下に認められる脳葉型があり，両者が混在するものは混合型と呼ばれる．深部型は高血圧症によるものが多く，脳葉型はアミロイドアンギオパチーや高血圧症が原因とされている．CMBs は認知機能低下の原因となり，また脳出血の危険因子でもあるため注意が必要である．

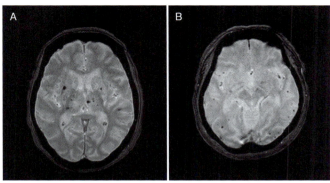

図1 Cerebral microbleeds（CMBs）の分布
A：深部型CMBs，B：脳葉型CMBs

どの抗血栓薬を使用するか

❶抗凝固薬
- 心房細動患者を対象とした大規模臨床試験結果から，DOACの頭蓋内出血の発現率はワルファリンに比べて有意に少ないことが報告されている．
- そのため脳卒中ガイドライン2015においても，"頭蓋内出血を含めた重篤な出血合併症は，ワルファリンに比較して，ダビガトラン（プラザキサ®），リバーロキサバン（イグザレルト®），アピキサバン（エリキュース®），エドキサバン（リクシアナ®）で明らかに少ないので，これらの薬剤の選択をまず考慮するよう勧められる（グレードB）"と明記されている．
- また，2016年9月よりダビガトランの特異的中和剤イダルシズマブ（プリズバインド®）が国内で発売された．
- 以上のことから，抗凝固薬はワルファリンよりもDOACが優先して勧められる．なお，ダビガトランは6カ月以内の出血性脳卒中患者に対しては禁忌であるため注意する．

❷抗血小板薬
- ラクナ梗塞とアテローム性血栓性脳梗塞の再発予防には，抗血

小薬が適応となる．
- シロスタゾール（プレタール®）は出血性合併症が少なく，誤嚥性肺炎の予防効果もある．クロピドグレル（プラビックス®）は副作用発現率が低く，動脈硬化が進行したハイリスク例での再発予防が期待できる．そのため，抗血小板薬はアスピリンよりシロスタゾール，クロピトグレルの使用が勧められる．

慢性期治療のポイント

- 脳梗塞の再発予防については，脳出血の既往もしくはCMBs合併例ではとくに血圧管理が重要で，血圧は140/90 mmHg未満にすることが勧められる．ただし，主幹動脈閉塞例や両側頸動脈高度狭窄例での降圧は慎重に行う必要がある．

文 献

- Hata J. et al. *J Neurol Neurosurg Psychiatry* **76**：368, 2005
- 日本脳卒中学会．脳卒中治療ガイドライン 2015．p.115-122

（岨　康太）

memo

【Q and A】 11-C
心房細動合併例に対する頸動脈狭窄例の抗凝固薬使用の注意点は？

●ここがPOINT！
心房細動を合併する無症候性頸動脈狭窄例を認めた場合，基本的には抗凝固薬（ワルファリンもしくはDOAC）で予防するが，頸動脈狭窄に伴う脳梗塞再発のリスクが高いと判断する場合，短期間での抗血小板薬併用を考慮する．

はじめに
- 心房細動を合併する頸動脈狭窄例に対する対応は，明確なエビデンスは存在しないが，抗凝固薬単剤の投与を原則とする．

シチュエーション別の当施設での処方例
❶心房細動が合併する無症候性頸動脈狭窄例
- 無症候性頸動脈狭窄例に対する抗血小板薬の予防的投与の有用性を示す報告はなく，基本的には抗凝固薬単剤投与が有効と考える．
- 当施設ではDOACの通常用量単剤を基本としている．

❷心房細動が合併する症候性頸動脈狭窄例
- 症候性であっても，心房細動合併例では抗凝固薬が優先される．
- 抗血小板薬の併用に関しては，狭窄の程度や性質により症例ごとに検討する必要がある．

（外間裕之）

memo

11-D 【Q and A】冠動脈疾患合併例に対する心原性脳塞栓症の抗凝固薬使用の注意点は？

●ここがPOINT！
① 冠動脈疾患を合併する心原性脳塞栓症では，急性期には抗凝固薬と抗血小板薬の多剤併用療法を行うが，適切な時期に抗凝固薬単剤に切り替える．
② 多剤併用療法中は高血圧などの出血リスク因子のコントロールに留意する．

チェックポイント

❶ 心原性脳塞栓症の原因となりうる心疾患は，非弁膜症性心房細動（nonvalvular atrial fibrillation：NVAF）の頻度が最も高い．本邦における心房細動患者の10～15％に冠動脈疾患の合併があり，冠動脈疾患患者の8.3％で心房細動を合併すると報告されている．

❷ 超急性期の心原性脳塞栓症ではtPA静注療法の適応を考慮するが，冠動脈疾患合併例では抗血小板薬を内服していることが多く，tPA静注療法の慎重投与例にあたる．

❸ 冠動脈疾患合併例に対する心原性脳塞栓症の二次予防は抗血小板薬と抗凝固薬を併用しなくてはならない場合が多く，出血性合併症をいかに防ぐかを考えて治療をすることが大切である．

❹ 冠動脈ステント留置術後の心原性脳塞栓症では一般にある一定期間，抗凝固薬と抗血小板薬2剤（DAPT）の3剤を使用することが多いが，国内では今のところ統一されたガイドラインは示されていない．

❺ 冠動脈疾患合併例で抗血小板薬を内服している場合，心房細動を伴う心原性脳塞栓症に対する抗凝固薬については可能ならDOACを選択する．

❻ このように抗血栓薬をPCI後半年から1年を目安に，適切な時期に抗凝固薬単剤へ変更することに加え，血圧コントロールや

ワルファリン内服中の PT-INR のコントロールなど，出血リスクとなり得る要因に関しても適切なコントロールを行うことに留意し，治療を行うことが大切と考えられる．

文 献
- Atarashi H, et al. *J Cardiol* **57**：95, 2011
- Akao M, et al. *J Cardiol* **61**：260, 2013
- Goto K, et al. *Am J Cardiol* **114**：70, 2014

（鈴木静香）

11-E 【Q and A】 DOAC内服中の血栓溶解療法と血管内治療を行う際の注意点は？

●ここがPOINT！

❶DOAC内服患者に対するtPA静注療法の適応は，「rt-PA（アルテプラーゼ）静注療法 適正治療指針 第三版」に準じる．

❷本邦のアンケート調査におけるDOAC内服患者に対する血行再開通療法（tPA静注療法および血管内治療）による症候性頭蓋内出血リスクは低い（2%）．

❸DOAC内服後，4時間以内に発症した脳梗塞に対する血行再開通療法では，頭蓋内出血のリスクが上昇する可能性があるため，tPA使用は適応外となる．

はじめに

❶DOAC内服患者に対するtPA静注療法は臨床所見や血液検査などから適応を判断し，PT-INR>1.7またはaPTTの延長（前値の1.5倍［目安として約40秒］を超える）が認められた場合は適応外となる．

- DOACの最終服用後4時間以内であることが確認できた場合には凝固マーカーの値にかかわらず適応外となる．ただし，中和剤使用後はtPAの投与を考慮できる．
- 抗凝固療法を実施しており，PT-INRが3.0を上回る場合は血栓回収デバイスが使用禁忌となり，血管内治療は適応外となる．

❷2015年，「DOAC内服患者に対する急性期血行再開通療法の安全性」に関して当科から各施設にアンケート調査を実施した．結果，NIHSSスコアが4点以上悪化した症候性頭蓋内出血はわずか2例（2%）であった．

- またDOAC内服患者のアンケート結果と，当院におけるワルファリン内服患者，抗凝固薬を内服していない患者の頭蓋内出血のリスクを比較すると，図1のとおり無症候性，症候性問わず頭

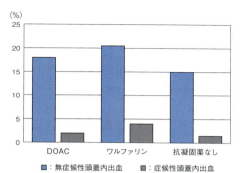

図1 治療24時間後の頭蓋内出血の割合の比較
(NOAC, ワルファリン, 抗凝固薬なし, の3症例)

蓋内出血を増加させない結果であった. 本検討のみでなく, 海外からも同様の報告を認めている.

- また出血リスクは, ①投与前収縮期血圧（≧140 mmHg）, ②入院時血糖高値（≧200 mg/dL）であった. 少数例の検討ではあるが, DOAC内服から4時間以内に発症した症例では, 頭蓋内出血を有意に多く認めた. この結果はDOAC内服後1～4時間で最高血中濃度に達することが原因と思われる.

当院での診療

- DOAC内服患者において頭蓋内出血を有意に増加させたデータはなく, 抗血栓薬を内服していない症例や抗血小板薬を内服している症例と同様に,「rt-PA（アルテプラーゼ）静注療法 適正治療指針 第三版」に従って臨床所見や血液検査などから治療適応を判断する.

- ダビガトランの中和剤であるイダルシズマブに加え, 2022年にはアピキサバン, リバーロキサバン, エドキサバンの中和剤であるアンデキサネットアルファが承認された（☞総論 1-G）. 2017年11月に「抗凝固療法中患者への脳梗塞急性期再開通治療に関する推奨」が発表され, その中でダビガトラン内服中の脳梗塞に対する静注血栓溶解療法施行の指針が言及されている.

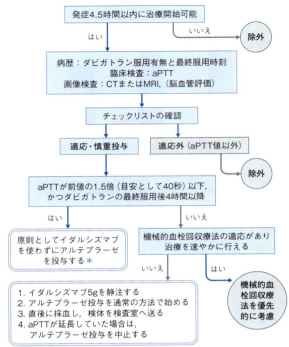

図2 ダビガトラン内服中の脳梗塞に対する静注血栓溶解療法施行の指針

＊腎機能，ダビガトラン最終服薬からの時間，出血既往などを総合的に考慮したうえで，イダルシズマブの使用の有益性が危険性より高いと判断した場合は，投与を考慮する．

アルテプラーゼを投与せずに，機械的血栓回収療法を優先的に考慮することも，あり得る．

- ダビガトランに関しては図2のように使用する．主幹動脈閉塞があり，機械的血栓回収療法の有効性と危険性を総合的に判断した上で適応があれば，機械的血栓回収療法を優先的に考慮し，主幹動脈閉塞がなければ従来の抗血栓薬による治療を第一選択として行っている．

文 献

- K. Suzuki, et al. *J Neurol Sciences* **379**：207, 2017
- David JS, et al. *Circulation* **132**：1261, 2015
- Purrucker JC, et al. *Stroke* **47**：1127, 2016
- Leticia CR, et al. *Stroke* **46**：3536, 2015
- 日本脳卒中学会. 抗凝固療法中患者への脳梗塞急性期再開通治療に関する推奨：7-8

（西　佑治）

11-F 【Q and A】認知症患者が脳卒中を発症した際の注意点は？

●ここがPOINT！
1. 脳卒中で入院した際には家族などから必ず「発症前の認知症」および「抗認知症薬内服」の有無を確認する．
2. 発症前に認知症があると，入院中に認知症の悪化や廃用およびせん妄が予測される．

はじめに

- 本邦では，2013年に，認知症患者数は462万人とされており，脳卒中発症患者が既に認知症を認めている可能性も十分に考えられる．両者の併発率に関する報告は少ないが，2011年のカナダの9,304名の急性期脳卒中患者を対象にした調査では，発症前に認知症が認められたのは9.1％であり，非認知症患者と比べ高齢（平均年齢81 vs 70歳），重症度が高い，心房細動罹患率が高い（22.8％ vs 15.3％）という特徴を有していることが報告されている．

認知症確認チェック表

- 脳卒中患者が到着すると，一連の病歴聴取を素早く行うが，その際「発症前の認知症」の有無を確認することが重要である．これはその後の脳卒中治療に関わる患者の理解力を把握しておくためであるが，内服薬も素早くチェックし抗認知症薬（ドネペジル，ガランタミン，リバスチグミン，メマンチン）があれば，カルテに「認知症あり」と記載して情報共有する．
- また家族からの情報によるIQCODE（Informant Questionnaire on Cognitive Decline in the Elderly）は10年前と比較した現在の認知機能を26項目で評価するもので，病前の認知機能の評価に役立つ．
- さらに，3分程度で施行できる認知症簡易テストとしてMini-Cogがある（☞便利メモ）．結果は，教育歴や言語，文化，検者の職種に依存しない．

> **便利メモ**
>
> **Mini-Cog**
> 認知症スクリーニング検査として Mini-Cog が便利である．
> 3 単語を覚える（桜，猫，電車など）（点数なし），時計描画（11 時 10 分の絵がきちんと描ける：2 点），3 単語の再生（3 点），5 点満点で 2 点以下で認知機能障害が疑われる．

＜チェックリスト＞

① 処方内容確認
② 家族に IQCODE 質問票記載
③ 認知症スクリーニング検査（Mini-Cog など）

治療に認知症を考慮する必要があるか？

- 発症前に認知症があると，入院中認知症の悪化や廃用が予測されるため，非認知症患者以上に長期臥床を避け，早期リハビリテーションを心がける．
- tPA 静注療法の慎重投与の項目に「認知症」はなく，tPA の効果・副作用は認知症の有無で差はないことが示されている．

認知症患者に合併しやすいせん妄

- 認知症患者が身体疾患の加療のため入院しなければならない場合，せん妄を高率に合併する．認知症患者はせん妄を併発しやすいが（背景因子），そこに身体疾患である脳卒中（直接因子）が加わり，さらに SCU や ICU 入院（環境因子）により高頻度にせん妄を認める（認知症 vs 非認知症：86.1% vs 63.4%，RR 1.4）．
- せん妄とは，意識障害を伴う急性の精神症状で，注意の集中や維持が困難となる状態である．症状の持続する認知症とは異なり，症状は変動する．認知症との鑑別は重要であり（表 1），この鑑別のためにも脳卒中発症前の認知機能の評価は必要である．
- せん妄の多くは可逆性であり，適切な対応により数日から数週間で改善するが，治療介入しなければ，永続的な脳障害や死亡の転帰の可能性もある．

表1 せん妄とアルツハイマー型認知症の鑑別の要点

	せん妄	アルツハイマー型認知症
発症様式	急激（数時間〜数日）	潜在性（数か月〜数年）
経過と持続	動揺性，短時日	慢性進行性，長時間
初期症状	注意集中困難，意識障害	記憶障害
注意力	障害される	通常正常である
覚醒水準	動揺する	正常
誘因	多い	少ない

（認知症疾患診療ガイドライン2017より）

＜せん妄の処方例＞

❶糖尿病合併なし

①経口可能

> クエチアピン　12.5〜50 mg　1日1回　就寝前
> オランザピン　2.5〜5 mg　1日1回　就寝前

②経口不可

> ハロペリドール1A＋生食100 mL 静注（30分かけて）（注1）
> オランザピン 口腔内崩壊錠　2.5〜5 mg　1日1回　就寝前

❷糖尿病合併あり

①経口可能

> リスペリドン　0.5〜2 mg　1日1回　就寝前
> ペロスピロン　4〜8 mg　1日1回　就寝前（注2）

②経口不可

> ハロペリドール1A＋生食100 mL 静注（30分かけて）（注1）

注1：日中の不穏が強い場合は持続投与（3A/24時間），QTc＞500 msecは避ける（FDAのブラック・ボックス・ウオーニング）
注2：リスペリドンは半減期が長いため，腎機能障害がある場合は，鎮静作用は少なくなるがペロスピロンを使用する．
※せん妄の程度や目的により使い分けが必要である．

（石渡明子）

【Q and A】
どのような脳梗塞・脳出血患者が急性期に外科治療となるのか？ 11-G

●ここが POINT！

❶脳出血急性期：部位に関係なく，血腫量 10 mL 未満の小出血または神経学的所見が軽度な症例は手術適応とならない．深昏睡（Japan Coma Scale：JCS で 300）の症例に対する血腫除去は科学的根拠がない．

❷被殻出血，皮質下出血，小脳出血：血腫量によって，血腫除去術を考慮することがある．

❸視床出血・脳幹出血：血腫除去術を行うことは限られる．血腫の脳室内穿破を伴う場合，脳室拡大の強いものには脳室ドレナージ術を考慮する．

❹脳室内出血：急性水頭症を来しているものには脳室ドレナージを考慮する．

❺脳梗塞急性期：開頭外減圧療法，頸動脈内膜剥離術，頸部頸動脈血行再建術（血管形成術/ステント留置術），バイパス術が考慮されることがある．開頭外減圧療法には適応基準が示されている．その他の外科治療は，勧告を行うための十分な資料がないのが現状であり，個々の症例においてチームでの適応の判断が必要となる．

はじめに

脳卒中診療において，外科治療の介入が必要な患者がいる（☞便利メモ①）．本項では，脳出血，脳梗塞において，外科的治療が

便利メモ ①

脳出血急性期の早期手術の有用性を検討した国際多施設 randomized controlled trial（RCT）に，STICH と STICH II があり，その他の RCT も含めたメタアナリシスでは，脳内出血に対する外科的治療の有効性が限定的だが認められた．しかし，依然として適応は不明確であるのが現状である．

必要と考えられる状態と，そのコンサルトのタイミングについて概説する．

脳出血急性期

以下の状況を認めた際は，速やかに脳神経外科にコンサルトを行うこと．

❶被殻出血（図1）

血腫量31 mL以上，血腫による圧迫所見が高度な症例で手術を考慮する．意識レベルがJCS 20〜30の症例では定位的脳内血腫除去術が勧められる．

❷視床出血

血腫除去術は，科学的根拠が無いため勧められない．血腫の脳室内穿破を伴う場合，脳室拡大の強いものには脳室ドレナージを考慮する．

❸皮質下出血

脳表からの深さが1 cm以下のものでは，特に手術の適応を考慮する．被殻出血，視床出血と比べると高血圧性の頻度は低く，出血原因を検索する必要性がある．若年では脳動静脈奇形（arteriovenous malformation：AVM），高齢者では脳アミロイドアンギオ

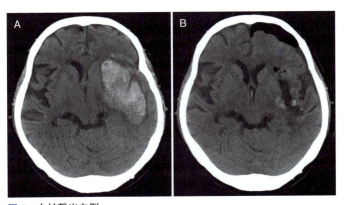

図1　左被殻出血例
（A：搬送時の頭部CT，血腫量約67 mL，B：血腫除去術後）

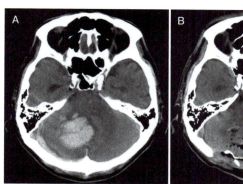

図2 小脳出血例
(A：4×4.5 cm の血腫を認め，脳幹は圧迫されている，B：開頭血腫除去術後，脳幹の圧迫は軽減している)

パチー（cerebral amyloid angiopathy：CAA）の可能性があるため，血管撮影やMRIなどで評価し，それらを考慮した上で血腫除去を検討する必要がある．

❹小脳出血（図2）

血腫の最大径が3 cm以上で神経学的症候が増悪しているもの，脳幹を圧迫し閉塞性水頭症をきたしている場合には，手術を考慮する．

❺脳幹出血

手術治療の無効性が確認されており，血腫除去術は勧められない．脳室内穿破が主体で，脳室拡大の強いものは，脳室ドレナージ術を考慮する．

❻脳室内出血

脳血管の異常による可能性が高く，血管撮影などによる出血源検索が必要である．急性水頭症が疑われる症例には脳室ドレナージ術を考慮する．血腫除去を目的とする血栓溶解療法を考慮してもよい（☞便利メモ②）．

脳梗塞急性期

広範囲の梗塞巣を認める症例では，必要時に開頭外減圧療法を

> **便利メモ ②**
>
> Gaberel らは，メタアナリシスにおいて脳室内血栓溶解療法（tPA あるいはウロキナーゼ）の有効性を示した．脳室内出血に対する血栓溶解療法の有効性を示すため，CLEAR III 試験，MISTIE 試験が進行中である．

施行するかどうかの方針を，入院時に家族と相談し決めておく必要がある．

＜開頭外減圧療法＞

保存的治療で脳ヘルニアの進行が防げないと判断した場合，救命的治療として開頭外減圧療法が考慮される．できるだけ早期の施行が望ましく，脳外科へのコンサルトは可及的速やかに行う必要がある．

①テント上

中大脳動脈灌流域を含む一側大脳半球梗塞（図3）において次頁の適応基準を満たしていれば，発症48時間以内に硬膜形成を伴う外減圧術が強く勧められる（グレードA）．

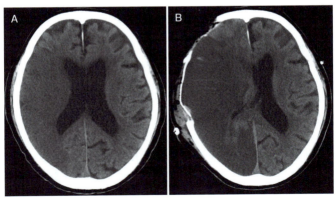

図3　右内頸動脈閉塞症例
（A：右大脳半球に広範な梗塞巣を認め，浮腫性変化を認める，B：浮腫の増悪を認め，開頭外減圧療法を施行後）

※適応基準[注]（☞便利メモ③）

① 年齢：18〜60歳の症例
② NIH stroke scale（NIHSS）scoreが15より高い症例
③ NIHSS scoreの1aが，1以上の症例
④ CTにて，中大脳動脈領域の脳梗塞が，少なくとも50％以上あるか，MRI拡散強調画像にて脳梗塞範囲が145 cm^3を超える症例
⑤ 症状発現後48時間以内の症例

便利メモ③

3つの大規模ランダム化比較試験，French DECIMAL, German DESTINY, Dutch trial HAMLETのプール解析から，上述[注]の適応基準を満たす症例での硬膜形成を伴う外減圧術の有効性が報告された．発症48時間以内の外減圧術は，患者の1年後の生存率とmodified Rankin Scale（mRS）を改善した．

②テント下

小脳梗塞においては，画像検査にて水頭症を認め，これによる混迷など中等度の意識障害がある症例では，脳室ドレナージ術を考慮する．また，画像検査にて脳幹部圧迫を認め，これにより意識障害が出現した場合は，速やかに開頭外減圧療法を検討する（グレードC1）．

文献

- Mendelow AD, et al. *Lancet* **365**：387, 2005
- Mendelow AD, et al. *Lancet* **382**：397, 2013
- Gaberel T, et al. *Stroke* **42**：2776, 2011
- Mattle HP, et al. *Stroke* **42**：2999, 2011
- Mould WA, et al. *Stroke* **44**：627, 2013
- Vahedi K, et al. *Stroke* **38**：2506, 2007
- Juttler E, et al. *Stroke* **38**：2518, 2007
- Hofmeijer J, et al. *Lancet Neurol* **8**：326, 2009
- Vahedi K, et al. *Lancet Neurol* **6**：215, 2007

（齊藤智成）

11-H 【Q and A】 心臓内血栓があったときの対応は？

●ここが POINT！
❶ 治療の基本は抗凝固療法である．非弁膜症性心房細動に伴う左心房内血栓にはワルファリンあるいは直接阻害型経口抗凝固薬（direct oral anticoagulants：DOAC）を使用する．弁膜症性心房細動，左心室内血栓ではワルファリンを使用する．
❷ 抗凝固療法により血栓の形状や可動性が変化するため，適宜フォローアップをすることが望ましい．
❸ 抗凝固療法による治療中に血栓が増大する症例では，抗凝固療薬の変更や外科的治療を考慮する．

はじめに

- 心臓内血栓は左心房内血栓，左心耳内血栓，左心室内血栓など，左心系に形成されることが多い．右心房内血栓，右心室内血栓など右心系の血栓形成は悪性腫瘍や心筋症などの基礎疾患を有する症例で認めることがあるが，稀である．
- 心臓内血栓の診断や経過観察には心臓超音波検査，造影CT検査などを用いる（図1）．

左心房内血栓，左心耳内血栓

- 左心房内血栓あるいは左心耳内血栓を合併する心疾患には，心房細動，僧帽弁狭窄症，機械弁術後などがあるが，脳梗塞症例で最も多く遭遇するのは非弁膜症性心房細動である．
- 治療は抗凝固療法にて開始とする．非弁膜症性心房細動では，DOACあるいはワルファリンを使用する．DOACは腎機能低下例では使用することができないため，ワルファリンを用いる．
- 心臓内血栓合併例におけるDOACの血栓縮小効果については一定の見解が得られていない．DOACにより血栓が縮小・消失した報告が散見されるが，ワルファリンとDOACの血栓縮小効果

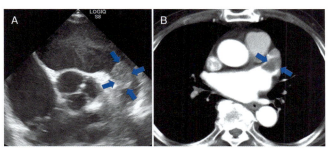

図1 左心耳内血栓
A：経食道心臓超音波検査；左心耳内に血栓を認める（矢印）．
B：胸部造影CT検査；縦隔条件　左心耳内に血栓を認める（矢印）．

を比較検討した研究はなく，今後の検討が望まれる．
- 抗凝固療法による治療中に血栓が増大する症例では，抗凝固薬の変更や外科的治療も検討する．
- 心房細動に対する心臓手術として，肺静脈の電気的な隔離と左心耳切除を行うメイズ手術が知られている．左心房内血栓に対する心房細動手術は，不整脈非薬物治療ガイドラインではクラスⅡaの適応である．

左心室内血栓

- 左心室内血栓合併例では，ワルファリンによる抗凝固療法を選択する．DOACは保険適用がなく，有効性も示されていない．
- 基礎疾患として心筋梗塞や心筋症などの心疾患を合併することが多く，それらの評価も重要である．
- 心臓超音波検査や造影CT検査，冠動脈造影検査などの従来の検査法で診断が困難な左心室内血栓の検出や血栓形成の原因となる基礎心疾患の評価に造影心臓MRI検査が有用であることが報告されている．
- 抗凝固療法中に血栓が増大する症例では，出血性合併症に配慮しながらワルファリンのコントロール目標を上げる．外科的治療の有用性も報告されている．

文 献

- Candelaresi P, et al. *Eur Heart J Case Rep* **4**：1, 2020.
- Ohtsuka T, et al. *J Am Coll Cardiol* **62**：103, 2013.
- Robinson AA, et al. *JAMA Cardiol* **5**：685, 2020.
- Lintingre PF, et al. *JACC Cardiovasc Imaging* **13**：1135, 2020.
- Bolcal C, et al. *J Card Surg* **34**：216, 2019.

（徳元悠木）

memo

【Q and A】 CEA か CAS か 11-I

●ここが POINT！
❶CEA，CAS にはそれぞれメリット，デメリットがあるため，それら理解して治療法を選択する．
❷狭窄部位，狭窄率，プラーク性状，アクセスルートなどを事前評価して，より適切な治療方針を選択する．

CEA と CAS の適応
- 症候性病変の場合は NASCET 法で 50％以上，無症候性病変の場合は 70％以上の場合，治療適応を考慮する．
- 現在のわが国のガイドラインでは CEA が第一選択であり，CEA の高リスク因子を有する症例に関しては CAS を行うことが推奨されている．

CAS と CEA のメリット・デメリット
❶CEA
＜メリット＞
- 不安定プラーク病変，全周性の石灰化を有する病変の治療に適する．
- 早期治療が必要な症候性病変に対しては CEA が CAS よりも安全とされる．

＜デメリット＞
- 全身麻酔が必要．
- C2 以上の高位病変や鎖骨以下の低位病変では治療が困難である．
- CAS と比較して周術期の心筋梗塞や創部の血腫形成が多い．
- 神経損傷のリスクがある．

❷CAS
＜メリット＞
- 局所麻酔下での治療が可能で，CEA と比較して低侵襲である．

＜デメリット＞
- 抗血小板薬 2 剤使用が必要である．
- カテーテルのアクセスルートが確保できない患者には施行できない．
- CEA と比較して周術期塞栓症の合併率が高い．

治療選択に必要な術前検査

❶頭部 MRI/MRA/CTA
- 術前の脳血管障害の有無や頭蓋内血管，側副血行路の評価を行う．

❷頸部 MRA
- 頸動脈狭窄率やプラーク性状を評価する．プラーク評価は一般的には black blood 法が用いられる．T1 強調画像での高信号は不安定プラークの指標となる．

❸頸部 CT
- 石灰化の有無，全周性などの石灰化の程度を評価する．

❹頸動脈エコー
- プラークの性状判断や可動性プラークや浮遊血栓などの可動性病変の評価を行う．
- 狭窄部の収縮期最高血流速度（peak systolic velocity：PSV）≧200 cm/sec が≧NASCET 法 70％狭窄，PSV≧150 cm/sec が≧NASCET 法 50％狭窄の診断基準とされている．

❺脳血管造影検査
- 正確な狭窄率や狭窄長を測定するとともに，アクセスルートの評価，側副血行路や他の脳血管障害合併の評価をする．

❻SPECT
- 脳循環予備能を評価する．脳循環予備能高度低下例では術後の過灌流症候群を発症するリスクがある．

❼心エコー
- 耐術能評価および周術期の心合併症予測のスクリーニングとして行う．

まとめ

- プラーク性状やリスクを評価し，症例ごとにCASとCEAを使い分けることが必要である．

文 献

- 日本脳卒中学会．脳卒中治療ガイドライン2015［追補2019対応］, p.129-132
- Brott TG, et al. *N Engl J Med* **363**：11, 2010
- Rosenfield K, et al. *N Engl J Med* **374**：1011, 2016
- Donnan GA, et. al. *Lancet* **351**：1372, 1998

（沼尾紳一郎）

memo

11-J 【Q and A】無症候性脳梗塞を認めたときの対応

●ここが POINT！
❶無症候性脳梗塞を有する症例は脳卒中および認知機能障害の高リスクである．
❷無症候性脳梗塞の最大の危険因子は高血圧であり適切な降圧治療が重要である．
❸無症候性脳梗塞に対する抗血小板療法は原則適応にならない．

はじめに
- 無症候性脳梗塞とは画像上梗塞と思われる変化があり，病巣に該当する神経症候がなく，病巣に該当する自覚症状が過去も含め認めないと定義されており，その多くが脳深部のラクナ梗塞であるが，分水嶺領域に認められることもある．
- 脳卒中の既往のない高齢者では約5人に1人で無症候性脳梗塞を認める．
- 無症候性脳梗塞を認める患者では脳卒中のリスクが約2倍高く，認知機能障害発症のリスクも2倍以上になる．

偶発的に脳梗塞を発見したら
❶神経診察を行い神経症候がないことを確認．病歴聴取で一過性脳虚血発作も含めて過去にも自覚症状が無かったことを確認．いずれも認めない場合に無症候性脳梗塞として対処する．いずれかを認めた場合には症候性脳梗塞として対応する．
（以下，無症候性脳梗塞の場合）

❷原因検索として血液検査，頸部血管エコー検査，Holter 心電図検査，経胸壁心臓超音波検査を行う．

❸最大のリスク因子が高血圧であるため，高血圧の有無を確認し，高血圧を有する症例では降圧療法を行う．そのほかに糖尿病，心房細動，脂質異常症，喫煙歴などを確認し，必要に応じ

て治療介入を行う．
❹将来的な脳卒中，認知機能障害発症のリスクが高いため MRI，場合によっては頸部エコーを含めた定期的なフォローを行う．

抗血小板療法は必要か？

- 現在無症候性脳梗塞に対する抗血小板療法による症候性脳梗塞予防のエビデンスはなく，無症候性脳梗塞を認めた段階で一律に抗血小板薬療法の開始は脳出血のリスクも高いため行わない．
- 頸動脈・頭蓋内主幹動脈狭窄などが同定された場合は症例により抗血小板療法が適応になる場合があるが，わが国での脳ドックにおける追跡調査で無症候性脳梗塞からの全脳卒中発症のうち21％で脳出血がみられた報告もあり，抗血小板療法を行う場合には十分な血圧コントロールが前提となる．

文 献

- Gupta A, et al. *Stroke* **47**：719, 2016
- Vermeer SE, et al. *Stroke* **34**：1126, 2003
- Vermeer SE, et al. *N Engl J Med* **348**：1215, 2003
- Kobayashi S, et al. *Stroke* **28**：1932, 1997
- 日本脳卒中学会．脳卒中治療ガイドライン 2021〔改訂 2023〕．p.177-179

（駒井侯太）

> 📝 **memo**

11-K 【Q and A】 脳アミロイド血管症に対する注意点は？

●ここがPOINT！
1. 脳アミロイド血管症（cerebral amyloid angiopathy：CAA）は高齢者の皮質下（脳葉型）出血の原因となる．
2. CAAに対する抗血栓薬やtPAは禁忌ではないが，出血リスクが高いため，適応は慎重に判断する必要がある．

チェックポイント

- CAAは髄膜や皮質の血管にアミロイドが沈着する疾患である．沈着により障害された血管はフィブリノイド壊死，微小動脈瘤などを示し，出血の原因となる．
- 頭部MRIのT2*強調画像または磁化率強調画像（susceptibility weighted imaging：SWI）で，皮質・皮質下に多発する微小出血や，円蓋部主体の脳表ヘモジデローシスを検出することが診断において重要であり，診断基準としてmodified Boston Criteriaが広く用いられている（図1，表1）．
- 高血圧を合併する例では，降圧療法を行うことで脳出血の危険度が減少する．

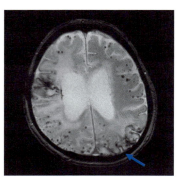

図1 脳アミロイド血管症の画像所見（T2*強調画像）
多発する微小出血と脳表ヘモジデローシス（矢印）を認める．
右側頭部から生検が施行されている．

表1 CAA診断基準(modified Boston Criteria)

Definite CAA	剖検で以下を示す. 1. 脳葉,皮質または皮質下出血 2. CAAを示す高度な病理変化 3. 他の脳出血の原因がない
Probable CAA with supporting pathology	臨床データと病理組織(吸引血腫または皮質生検組織)が以下を示す. 1. 脳葉,皮質または皮質下出血 2. CAAを示す病理変化(程度は問わない) 3. 他の脳出血の原因がない
Probable CAA	臨床データとMRI/CTが以下を示す. 1. 脳葉,皮質,または皮質下に限局する多発性出血(脳内出血または微小出血)(小脳出血はあってもよい)あるいは上記に限局する単発性出血と脳表ヘモジデローシス 2. 55歳以上 3. 他の脳出血の原因がない
Possible CAA	臨床データとMRI/CTが以下を示す. 1. 脳葉,皮質,または皮質下に限局する単発性出血(脳内出血または微小出血)(小脳出血はあってもよい)あるいは上記に限局する脳表ヘモジデローシス 2. 55歳以上 3. 他の脳出血の原因がない

- CAAにおいて抗血栓薬およびtPA使用と脳出血に関連を認めた報告はあり,わが国のガイドラインではその使用にあたってはリスク・ベネフィットを十分考慮することとされている.
- CAAに関連する脳出血では,血腫吸引術を考慮しても良いが,十分なエビデンスは確立していない.

文献

- Arima H, et al. *Stroke* **41**:394, 2010
- Greenberg SM, et al. *Stroke* **49**:492, 2018
- 日本脳卒中学会. 脳卒中治療ガイドライン2021. p.233

(古寺紘人)

11-L 妊婦の脳血管障害の特徴とその対応

【Q and A】

> ● ここが POINT！
> ❶ 脳卒中は妊産婦死亡原因の第2位であり，妊娠高血圧症候群がリスク因子である．
> ❷ わが国では頻度・死亡率ともに出血性脳卒中が多く，痙攣合併時には子癇との鑑別が重要．
> ❸ 脳梗塞は産褥期に多く，胎盤早期剝離や子宮内出血の恐れがあるため tPA は慎重に．

❶ 疫学
- 妊産婦の脳卒中はわが国の妊産婦死亡原因の第2位である．
- 欧米と異なり頻度・死亡率ともに出血性脳卒中が多く，妊娠脳卒中全国調査では妊娠高血圧症候群合併率は出血性脳卒中全例の26％，出血性脳卒中死亡例の57％に認められた．
- 妊娠後期〜産褥期に発症しやすく，脳内出血，くも膜下出血，もやもや病，脳動静脈奇形（arteriovenous malformation：AVM）出血，脳梗塞，脳静脈洞血栓など多彩な病態がある．

❷ 脳出血
- ほとんどが片側発症で皮質下に比べて被殻・視床・小脳・橋が多い．
- 痙攣合併時には子癇との鑑別は容易ではなく，重症子癇に脳出血を伴うこともある．
- HELLP症候群や播種性血管内凝固症候群合併時には治療や妊娠終了の有無について産婦人科医と連携をとる．

❸ くも膜下出血
- 妊娠後半に多く，主原因は脳動脈瘤破裂である．
- 治療原則は「非妊娠時と同様に検査治療を行う」こと．

❹ 脳梗塞
- 発症時期は産褥期に多く，血圧はかならずしも高血圧を示すと

は限らない．
- 発症 4.5 時間以内の超急性期に遺伝子組み換え型組織プラスミノゲンアクチベータ（rt-PA）による血栓溶解療法が選択肢になるが，胎盤早期剝離や子宮内出血の恐れがあるため産婦人科医と協議する必要がある．

❺ 脳静脈血栓症
- 産褥期に好発し，感染，急速遂娩，帝王切開がリスク因子
- 予後は比較的良好で死亡率は低い．

❻ もやもや病
- 妊娠後期に出血発症ではじめて診断された場合は予後不良
- 分娩時の血圧上昇や過換気による脳虚血のリスクを避けるため帝王切開が選択されることが多い．

❼ 脳動静脈奇形（arteriovenous malformation：AVM）
- 妊娠により出血率は上昇する．
- 妊娠前期〜中期の破裂は母胎救命が優先され，妊娠後期の破裂の場合は緊急帝王切開で胎児を娩出し，出血に対する急性期治療を行う．

文献
- 産婦人科の実際 **67**（1）：35，2018
- 日本妊娠高血圧学会．妊娠高血圧症候群の診療指針 2015-Best Practice Guide-．2015，p.169-173

（本　隆央）

> memo

11-M 【Q and A】 島皮質に梗塞を認めたときの特徴

●ここが POINT！
1. 島皮質のみの梗塞は血管支配の観点から，非常に稀である．
2. 島皮質梗塞は転帰不良因子と報告されており，また，自律神経，心血管イベント，嚥下機能障害，高血糖などの症候と関連があると報告されている．

チェックポイント

- 島皮質の梗塞による症状として，優位側では失語，劣位側では半側空間無視が一般的である．島皮質梗塞では，心臓における自律神経，心血管イベント，嚥下機能障害などと関連があると報告されている．

- 解剖学的には，島皮質は中大脳動脈（Middle Cerebral Artery，以下 MCA）から灌流されている．細かく言えば，島皮質は MCA の M2 の穿通枝から灌流されており，さらに遠位の末梢枝は前頭葉，側頭葉，頭頂葉も灌流している．よって，血管支配の観点から，内頸動脈から M2 での閉塞による島皮質のみの梗塞は非常に稀と考えられる．

- 発症早期の DWI で梗塞容積が小さくても，島皮質内の梗塞範囲の割合が 25％を超えると，フォローアップの MRI で MCA 領域の梗塞巣が拡大するといった，percent insular ribbon infarction（PIRI）スコア用いた報告があり，最終的に島皮質のみに梗塞巣を残すことは稀と考えられる．

- このため，上述の他の症状に関する過去の報告では，広範な MCA 梗塞で島皮質を含む群と含まない群の比較の報告が多く，純粋な島皮質梗塞の障害以外の影響もあると思われる．

- 過去の報告では，島皮質梗塞は転帰不良因子であり，軽症から中等症の症例のうち，右島皮質梗塞群で転帰不良が多い，あるいは，左右差はないと報告されている．

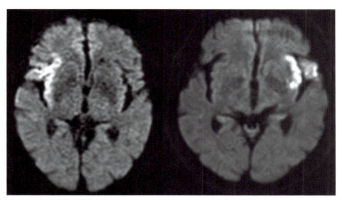

図1 島皮質の脳梗塞

基底核	島皮質	弁蓋部	大脳皮質
M1	M2	M3	M4

図2 MCAの区分ごとの血管支配領域
(Raghu ALB, et al. *Postgrad Med J* **95**：497, 2019)

- 心臓に関する自律神経の報告では，左島皮質刺激で副交感神経優位となる報告や，左島皮質梗塞で副交感神経が障害されて交感神経優位となるといった報告がある．右島皮質を含む梗塞では心血管死が多いといった報告が散見されるが，左右差なしの報告や左島皮質を含む梗塞の方が多いといった報告もあり，一定していない．また，新規発症の心房細動との関連も報告されている．
- その他にも高血糖，嚥下機能障害，感染，疼痛，味覚障害，体性感覚，めまいなど，さまざまな症候との関連が報告されている．

文 献

- Raghu ALB, et al. *Postgrad Med J* **95**：497, 2019
- Sposato LA, et al. *Stroke* **47**：2959, 2016

- Kamalian S, et al. *Stroke* **44**:3084, 2013
- Vassilopoulou S, et al. *JSCD*:104529, 2020
- Oppenheimer SM, et al. *Neurology* **42**:1727, 1992
- Oppenheimer SM, et al. *Clin Auton Res* **6**:131, 1996

(沓名章仁)

【Q and A】
抗血小板薬と抗凝固薬の使い分けに迷ったら？ 11-N

●ここがPOINT！
❶抗血小板薬を使用する場合：アテローム血栓性脳梗塞，ラクナ梗塞，ステント留置後，塞栓源不明の脳梗塞．
❷抗凝固薬を使用する場合：
　①直接経口凝固薬（DOAC）は非弁膜症性心房細動（NVAF）による心原性脳塞栓症，奇異性脳塞栓症，静脈血栓塞栓症（VTE）合併時．
　②ワルファリン：NVAF以外の心原性脳塞栓症，腎機能障害などでDOACが使用できない時．

チェックポイント

❶塞栓源不明の脳梗塞：心原性が非常に疑わしい症例
- 高度のもやもやエコー，左房拡大（≧40 mm），胸部X線で心陰影が拡大，BNP高値などの検査結果を総合的に判断し，心原性が非常に疑わしい場合はワルファリンを考慮しても良い．

❷心房細動を合併するアテローム血栓性脳梗塞
- 原則として当科では，急性期はDOAC1剤とし，抗血小板薬の併用を検討している．動脈硬化リスクの管理が重要．

❸経皮的頸動脈ステント留置術後や頭蓋内ステント留置術後
- 原則として当科では，急性期はDOACと抗血小板薬の併用とし，慢性期は症例のリスクを考慮し，可能であればDOAC単剤に．

❹VTEを合併するアテローム血栓性脳梗塞あるいはラクナ梗塞
- 急性期は抗血小板剤1剤とDOACを併用．慢性期はDOAC単剤で，3カ月後に再評価し，DVTのリスクが高くなければ抗血小板薬に変更し，継続．出血のリスクが高いようであれば，抗血栓薬の中止を検討．

文 献

- 日本循環器学会・他. 2020年JCSガイドライン フォーカスアップデート版 冠動脈疾患患者における抗血栓療法. 2020
- 日本循環器学会・他. 肺血栓塞栓症および深部静脈血栓症の診断, 治療, 予防に関するガイドライン（2017年改訂版）. 2018

（中上　徹）

> **memo**

血管性認知症の特徴とは？ 11-o

●ここがPOINT！
① 血管性認知症の診断基準は多数あるが診断一致率は十分ではなく，簡便な方法としてHachinskiの虚血スコアがある．
② 抗認知症薬の効果は限定的であり，使用する場合は副作用に留意する．

はじめに

- 血管性認知症（VaD）とは，脳血管障害に関連して出現した認知症の総称である．

診断の流れ

- 代表的な診断基準にはICD-10，DSM-5，ADDTC，NINDS-AIRENといった4つがある．それぞれ一長一短で，世界で最も使用されているのはNINDS-AIREN（1993）の国際的診断基準である．しかし，診断一致率は十分ではない．
- 簡便な方法としてHachinskiの虚血スコア（1974）を紹介する．これは臨床症候のみからADと鑑別する目的で作られたが，症候の理解に役立つため，有用である．

表1 Hachinskiの虚血スコア

特徴	得点	特徴	得点
急激な発症	2	感情失禁	1
段階的な増悪	1	高血圧の既往	1
動揺性の経過	2	脳卒中の既往	2
夜間の錯乱	1	アテローム硬化症の合併の証拠	1
人格が比較的保たれている	1	局所神経症状	2
抑うつ	1	局所神経徴候	2
身体的訴え	1	計	

※得点7以上：血管性認知症の可能性が高い．
※得点4以下：変性疾患による認知症の可能性が高い．

(Lobo A, et al. *Neurology* 54（Suppl 5）: S4, 2000)

血管性認知症の症候
- Hachinski のスコアで提示されたもの以外に不安定歩行，頻回な転倒などがある．

神経心理学的検査
- 速度，実行機能や視覚記憶の障害が大きいがエピソード記憶の障害は顕著ではない．
- AD と比較すると注意力／遂行機能障害が強い．

VaD の画像所見
- 形態画像での脳卒中の証拠は重要である．

診断後の治療 （提案できるのは以下である）

❶危険因子の管理：VaD の危険因子である運動不足，喫煙，肥満，高血圧，糖尿病，脂質異常症への介入である．つまり，身体運動，禁煙，体重管理，降圧療法が推奨される．ただし，高血圧については降圧目標値のコンセンサスは得られていない．

❷抗血小板薬：これは認知症一次予防のエビデンスは乏しい．虚血性脳卒中後の認知症予防のためには考慮してもよい．

❸現在発売されている抗認知症薬 4 種：VaD に対し一定の効果を示す可能性があるが，これは高頻度に併存する AD への効果とも考えられる．使用する場合の注意点としては，易怒性を増すケースがあること，消化器症状や不整脈を引き起こすことである．加えて保険適応はない．

❹アマンタジン：VaD の意欲・自発性低下の改善．ただし，腎排泄薬物であるため高齢者への投与には注意を要する．精神症状や消化器症状といった副作用が出現する．1 日 1 回 50 mg から開始し，必要に応じ投与間隔をあける．

文 献
- Sachdev P, et al. *Alzheimer Dis Assoc Disord* **28**：206, 2014
- Pendlebury ST, et al. *Stroke* **43**：464, 2012
- Sachdev PS, et al. *Neurology* **62**：912, 2004
- Looi JC, et al. *Neurology* **53**：670, 1999

（山崎明子）

COLUMN ①

脳卒中診療の面白さ

はじめに

「脳の血管が閉塞あるいは破れて起こる脳の病気で高齢者に多く，後遺症を残す治らない病気」．これが自分の医学生の時に思っていた脳卒中に対するイメージであった．

学生の時から心臓という臓器に興味があり，心疾患が発症の原因となりうる脳梗塞を診療する脳神経内科に初期研修でローテーションした．実際にチームの一員として診療に関わってみて，興味深いやりがいのある分野であると感じ入局を決めた．

まだまだ日々勉強中の身であり書き尽くせないところがあるが，自分が思う脳卒中診療の面白さを述べてみたいと思う．

脳という臓器の面白さ

脳には部位ごとに局在する神経機能がある．そのため，障害部位により多彩な症状がみられる．また，例えば，優位半球が異なることがあるなど，個人差があることも興味深い．加えてトレーニングを積むと，神経診察により脳の障害部位を推測することができるようになり，その後行う頭部MRIや脳血管造影などの画像検査所見を予測できるようになる．自分の成長を実感する場面でもあり，脳卒中診療の面白さのひとつであると感じている．脳はミクロとマクロ両面で未知な点も多く残された臓器であり，その不思議さと浪漫に興味を掻き立てられる．

病態の多様性

例えば，脳梗塞は脳の血管が閉塞して起こる疾患であるが，発症機序により臨床的な特徴や治療も異なっている．脳梗塞では心疾患を原因とする心原性脳塞栓症，粥状硬化によっておこるアテ

ローム血栓性脳梗塞，200-300μmの小血管の閉塞でおこるラクナ梗塞，大動脈原性脳梗塞，卵円孔開存などの右左シャント疾患が関連する奇異性脳塞栓症，悪性腫瘍が関連するトルソー症候群などが知られる．脳出血については，原因として高血圧性が多いがそれ以外にも脳動静脈奇形，アミロイドアンギオパチーなどの原因がある．

また，そのほか特殊な原因として本態性血小板血症やプロテインCやS欠乏症など血液疾患に伴う脳梗塞や，血管炎や膠原病に伴うもの，CADASIL，CARASILやFabry病など遺伝性のもの，それらの原因が複数関係することもある．心腎脳関連という言葉があるように脳卒中の原因や病態は多岐にわたり，全身の疾患とつながっている．特に，脳梗塞を診ることは全身を診ることにつながると日々実感し，難しいが面白いと感じている．

治療～血栓回収療法～

急性期脳梗塞に対する血栓回収療法は標準治療となりつつあり，一昔前であれば寝たきりになるであろう患者が歩いて退院する姿を見ることができた際には感動を覚える．例えば，共同偏倚，意識障害，半身麻痺，失語で緊急搬送された患者が血管内治療の結果，歩いて後遺症なく自宅退院するという嬉しい経験もした．

急性期脳梗塞に対する血栓回収療法により，自分の手で患者を救うことができるのは医師として大変やりがいがあることで，脳卒中診療の中でも一つの大きな魅力だと感じている．

新しい技術と脳卒中診療

今後は新しい技術が医療に導入されることで，さらに脳卒中診療が発展する時代になると考えられる．

例えば，AIによるデータ解析や，遠隔ロボットシステム，遺伝子解析技術の向上による遺伝要因の追及によるオーダーメイド医

療への展望などが挙げられる.

　巨大企業のヘルスケア分野への参入も今後の脳卒中診療を面白くする要素と感じたので,執筆時の具体例として,その一例を挙げる.

　心房細動に伴う脳梗塞は重症な症例が多く,心房細動は脳卒中診療において対策すべき疾患のひとつである.近年では潜在性心房細動を発見し治療することが脳卒中発症予防において重要と考えられている.貼付型や植込み型心電計も利用されているが,Apple社がApple Watch®の光学式心拍センサーを用いて心房細動を検出できるアプリケーションを開発し,わが国でも2021年1月から利用可能になった.このように汎用性が高い機器を脳卒中診療に取り入れ企業と協力して得たデータを活用することも面白いのではないかと思う.例えば,不整脈を発症した症例の発症前心電図をフーリエ解析し大量にAIに深層学習させることで,AIが心電図波形を解析し,脳梗塞の原因となる不整脈を事前に予測あるいは検出できるようになるかもしれない.

自分の夢と課題

　脳卒中診療に携わり初めて主治医として受け持った症例は,30歳代前半に発症した若年性脳梗塞の症例であった.非侵襲的な一般的検査に加え,脳血管造影検査や経食道心エコー検査,眼底検査,遺伝子検査,腎機能障害もあり腎生検など多くの検査を受けて頂いたが,なぜ若くして脳梗塞になったのか,明確な答えを出すことができなかった.何か原因はあるはずなのに見つけてあげられず,悔しい気持ちともに忘れられない1例となった.

　一昔前と比べると飛躍的に進歩している脳卒中診療だが,脳の分野はまだわかっていないこと,達成できていないことも多い.これら未知のことを解明することは簡単ではないと思うが,脳卒中診療の面白さとも言えるのではないだろうか.

（髙橋瑞穂）

脳卒中・循環器基本法について

脳卒中・循環器基本法の成立の経緯

　脳卒中，心臓病，その他の循環器（以下，循環器という）は，国民の死亡原因及び介護の原因疾患として主要なものであり，国民の生命及び健康にとって重大な問題である．しかし，わが国における脳卒中及び心臓病に対する政策は，2006年に立法化された「がん対策基本法」と比較して大きく遅れていた．2008年，日本脳卒中協会は，脳卒中対策の一環として2008年より「脳卒中対策基本法」の法制化を目指して活動をはじめた．東日本大震災や政権交代などの影響や個別疾患に対して基本法を作ることへの批判があったが，日本循環器学会と協力のうえ，心疾患を合わせた包括的な基本法の法制化への取り組みを継続した．こうして10年の経緯を経て，2018年12月，「健康寿命の延伸等をはかるための脳卒中，心臓病，その他の循環器病に係る対策に関する基本法」（以下，脳卒中・循環器病対策基本法）が成立し，2019年12月に施行された．

循環器病対策推進基本計画

　脳卒中・循環器病対策基本法に基づき，循環器病対策推進基本計画（以下，基本計画）が2020年10月に閣議決定された．各都道府県はこの基本計画に基づいて対策推進協議会を設置し，地域の実情に応じた計画（都道府県循環器病対策推進計画）を策定する．

　基本計画はすくなくとも6年ごとに見直され，初回の基本計画は2020年度から2022年度までの3年程度の実行期間を目安に定めている．

　基本計画では，「1．循環器病の予防や正しい知識の普及啓発」，

「2. 保健,医療及び福祉に係るサービスの提供体制の充実」,「3. 循環器病の研究推進」の3つの目標を掲げ,「2040年までに3年以上の健康寿命の延伸,年齢調整死亡率の減少」を目指して,予防や医療,福祉サービスまで幅広い循環器病対策を総合的に推進する.これらを実施するための基盤として,「循環器病の診療情報の収集・提供体制の整備」を行い,循環器病の実態解明を目指す.

基本計画の策定により,循環器病の全体的な治療水準が向上し,急性期の医療体制及び慢性期や維持期の療養環境の整備が進むことを期待する.

文献/URL

- 厚生労働省.健康寿命の延伸をはかるための脳卒中,心臓病その他の循環器病に係る対策に関する基本法.2018.
  https://www.mhlw.go.jp/web/t_doc?dataId=80ab6708&dataType=0&pageNo=1
- 厚生労働省.循環器病対策推進基本計画.2019.
  https://www.mhlw.go.jp/content/000688359.pdf
- 厚生労働省循環器病対策推進基本計画案 概要.2020.
  https://www.mhlw.go.jp/content/000690495.pdf
- 峰松一夫.血栓止血誌 **30**:862,2019.

(吉村隼樹・青木淳哉)

脳卒中当直の心構え

●ここが POINT！
❶搬送依頼や急変時など，患者に接する前に予めどう動くかある程度決めておき，周囲と共有する．
❷自施設で tPA 投与や血管内治療など，どこまで対応可能かを把握し，必要に応じて drip & ship も考慮する．
❸バイタルや症状変化は，必ず自身の目で確認する．

日中業務との大きな違い
- 医療スタッフの人数が少ない．
- 可能な検査が限られている．
- 救急外来と病棟対応を行わなければならない．

救急外来
- 当直では，日中と比べて医療スタッフの数は少なく，可能な検査も限られている．患者情報や身体診察，限られた検査結果から迅速に脳卒中様を呈する疾患を鑑別しなければならない．そのため，より一層の時間短縮の工夫と医療スタッフとの協力が重要となる．
- 搬送依頼を受けたら，その場で病棟看護師や検査室など，各部署へ連絡し，受け入れ体制が整うかを確認する．受け入れ可能となれば，予めどう動くかある程度決めておき，各部署と共有し，受け入れ準備を始める．また血管内治療も考慮される場合は，血管内治療班の救急当番医にも一報し，情報を共有することで治療介入までの時間を短縮する．
- 病着後は看護師と協力して初療を行い，脳出血であれば脳神経

外科当直医に連絡し，手術適応の判断やその後のバックアップを依頼する．脳梗塞であれば発症時間や既往等の禁忌事項を確認しtPA投与や血管内治療の準備を行い，早期治療介入を行う．
- 当院では，当直医は2人体制としており，情報収集や指示出しを行う医師と診察や検査を行う医師で役割分担し，治療までの時間短縮に努めている．複数人での当直では正確な状況把握のためにも情報共有を徹底することも重要となる．
- 自施設で，tPA投与や血管内治療など，どこまで対応可能かを把握し，血栓回収などの治療介入ができなければ，Drip & Shipも考え，搬送先の候補を押さえておく必要がある．

病棟業務
- 脳卒中患者は，入院後も全身状態には注意が必要である．病棟からバイタルや症状の変化の連絡が入ったら，すぐにベッドサイドに向かい，必ず自身の目で症状を確認する．
- 必要に応じて画像評価や追加治療を行う．特に集中治療室がない病院では，tPA投与後は自分でこまめに観察する必要があり，また広汎な脳梗塞や脳出血の場合は，急変の可能性も高く，常にバイタルや症状の変化には注意する．
- 当直に入る前に，入院患者の病状を把握し，ある程度起こりうることを予想し準備しておく．不明点があれば必ず主治医に確認し，急変時対応等を予め病棟看護師とも共有しておく．

おわりに
- 当直は制限の多い状況下で迅速な対応を要するが，決して煩雑になってはならない．当直に限ったことではないが，指示や説明は曖昧な点が残らないよう的確に行うよう心掛ける．
- 日中と異なる環境でも適切な医療が提供できるよう，日頃から意識して脳卒中診療に臨むことが重要である．

> **便利メモ**
> - 当直帯に MRI 施行可能かの情報が得られない症例などで主幹動脈閉塞が疑われる場合,MRI にこだわることなく CTA などの代替検査を検討する.
> - ガイドライン改訂により治療可能時間が変更されるため,適宜確認が必要である.

文 献

- 日本脳卒中学会.脳卒中治療ガイドライン 2015. p.50
- Tekle WG, et al. *Stroke* **43**:1971, 2012
- Martin-Schild S, et al. *J Emerg Med* **41**:135, 2011

〈寺門万里子〉

開業医による脳卒中診療

はじめに

- 脳梗塞をいかに予防するかは開業医にとって最も大切な仕事で，介護等が必要となる片麻痺や寝たきり老人を増やさないためにきわめて重要である．また開業医は，その脳梗塞後遺症による血管性認知症や血管性パーキンソン症候群や脳卒中後うつ病などの管理も大切である．

高齢者脳卒中患者による認知症

- アルツハイマー型認知症を含む他のタイプの認知症の合併にはコリンエステラーゼ阻害薬等の抗認知症薬を投与し，うつ状態などの精神症状の合併には抗うつ薬を投与する．
- 血管性認知症の場合は misery perfusion が関与していると考えられるため，SPECT 等で境界域の血流低下がないかを検討したり，頸動脈エコーや頭部 MRA にて主幹動脈の高度狭窄や閉塞病変がないかを検討することが肝要で，血圧の下げすぎにも注意する．

脳卒中患者による脳卒中後うつ病，脳血管性パーキンソン症候群，脳卒中後てんかん

- 高齢の脳梗塞患者では，脳の脆弱性もあるので薬物療法は低用量から開始して増量には慎重を期すことが大切である．ベンゾジアゼピン系薬剤は副作用の問題があり，脳梗塞等の身体疾患のある高齢者では避けることが原則である．
- 多発性脳梗塞患者においてよく遭遇するのは片麻痺等の歩行障害だけでなく，小刻み歩行や突進現象が出現する脳血管性パーキンソン症候群である．とくに基底核中心の多発性ラクナ梗塞患者

には多く認められる症状で特発性パーキンソン病と違い振戦が少なく，歩行障害が強い．

- 治療には脳循環改善作用も有する抗パーキンソン病薬である塩酸アマンタジン（シンメトレル® 100 mg/2x 朝，夕食後）を用いることが多い．150 mg 以上使用するとせん妄，幻覚，妄想等精神症状が出現することがあるので注意し，高齢者や腎機能障害患者では少量を使用する．
- 脳卒中後てんかんは脳卒中後の 3.3%〜13% にてんかん発作を合併する．この多くは大脳皮質を含む大きな脳梗塞で，中大脳動脈領域や前大脳動脈領域での頻度が高く，アテローム血栓性脳梗塞よりも心原性脳塞栓症で起こりやすい．
- 最も高頻度にみられる脳卒中後てんかん発作は脳卒中の病巣を焦点とする症候性局在関連てんかんであり，前頭葉，側頭葉，頭頂葉，後頭葉などそれぞれ合致する神経症状を示す．治療は「脳卒中とてんかん」の項目を参照（☞**各論** 9）．

おわりに

- 開業医の外来に来院する脳梗塞患者の慢性期マネージメントについて現在知りうるところを述べた．高血圧，脂質異常，糖尿病等の生活習慣病のコントロールが大切であるが，心房細動や認知症，脳梗塞後のうつ状態やパーキンソン症候群による歩行障害等は高齢者脳梗塞ではかならずと言っていいほど合併してくるので，これに対する対処を考えておくことが高齢者脳梗塞の慢性期マネージメントには大切である．

（神谷達司）

memo

資料編 付録

資料1 NIHSS (National Institutes of Health Stroke Scale)

1a	意識レベル	0：覚醒 1：軽い刺激で覚醒	2：繰り返しの刺激, 強い刺激で覚醒 3：反射による動き以外は無反応
1b	意識レベル 質問（今の月, 年齢）	0：両方に正答 1：1つに正答	2：両方とも正答できない
1c	意識レベル 命令（目：開閉, 手：握る・開く）	0：両方とも正確に行う 1：片方のみ正確に行う	2：両方とも正確に行えない
2	最良の注視	0：正常 1：部分的注視麻痺	2：完全注視麻痺
3	視野	0：視野欠損なし 1：部分的半盲	2：完全半盲 3：両側性半盲（皮質盲含む全盲）
4	顔面麻痺	0：正常 1：軽度の麻痺	2：部分的麻痺 3：完全麻痺
5a	運動 左上肢	0：10秒間保持可能 1：10秒以内に下垂 2：10秒以内に落下	3：重力に抗する動きがない 4：まったく動かない UN：検査不能 （理由：　　　　　　　　　　）
5b	運動 右上肢	0：10秒間保持可能 1：10秒以内に下垂 2：10秒以内に落下	3：重力に抗する動きがない 4：まったく動かない UN：検査不能 （理由：　　　　　　　　　　）
6a	運動 左下肢	0：5秒間保持可能 1：5秒以内に下垂 2：5秒以内に落下	3：重力に抗する動きがない 4：まったく動かない UN：検査不能 （理由：　　　　　　　　　　）
6b	運動 右下肢	0：5秒間保持可能 1：5秒以内に下垂 2：5秒以内に落下	3：重力に抗する動きがない 4：まったく動かない UN：検査不能 （理由：　　　　　　　　　　）
7	四肢失調	0：なし 1：1肢のみ存在	2：2肢に存在 UN：検査不能 （理由：　　　　　　　　　　）
8	感覚	0：正常 1：軽度から中等度の障害	2：重度の障害, 完全脱失
9	最良の言語	0：正常 1：軽度から中等度の失語	2：重度の失語 3：無言, 全失語
10	構音障害	0：正常 1：軽度から中等度	2：重度 UN：検査不能 （理由：　　　　　　　　　　）
11	消去現象と注意障害	0：異常なし 1：軽度から中等度, あるいは1つの感覚に関する消去現象	2：著しい半側注意障害. あるいは2つ以上の感覚に関する消去現象

合計：　　　点

資料2 tPA適応表

(日本脳卒中学会. 静注血栓溶解(rt-PA)療法 適正治療指針 第三版. 2019年3月)

適応外(禁忌)	あり	なし
発症ないし発見から治療開始までの時間経過		
発症(時刻確定)または発見から4.5時間超	☐	☐
発見から4.5時間以内でDWI/FLAIRミスマッチなし,または未評価	☐	☐
既往歴		
非外傷性頭蓋内出血	☐	☐
1ヵ月以内の脳梗塞(症状が短時間に消失している場合を含まない)	☐	☐
3ヵ月以内の重篤な頭部脊髄の外傷あるいは手術	☐	☐
21日以内の消化管あるいは尿路出血	☐	☐
14日以内の大手術あるいは頭部以外の重篤な外傷	☐	☐
治療薬の過敏症	☐	☐
臨床所見		
クモ膜下出血(疑)	☐	☐
急性大動脈解離の合併	☐	☐
出血の合併(頭蓋内,消化管,尿路,後腹膜,喀血)	☐	☐
収縮期血圧(降圧療法後も185 mmHg以上)	☐	☐
拡張期血圧(降圧療法後も110 mmHg以上)	☐	☐
重篤な肝障害	☐	☐
急性膵炎	☐	☐
感染性心内膜炎(診断が確定した患者)	☐	☐
血液所見(治療開始前に必ず血糖,血小板数を測定する)		
血糖異常(血糖補正後も<50 mg/dL,または>400 mg/dL)	☐	☐
血小板数100,000/mm^{3}以下(肝硬変,血液疾患の病歴がある患者)	☐	☐
※肝硬変,血液疾患の病歴がない患者では,血液検査結果の確認前に治療開始可能だが,100,000/mm^{3}以下が判明した場合にすみやかに中止する		
血液所見:抗凝固療法中ないし凝固異常症において		
PT-INR>1.7	☐	☐
aPTTの延長(前値の1.5倍[目安として約40秒]を超える)	☐	☐
直接作用型経口抗凝固薬の最終服用後4時間以内	☐	☐
※ダビガトランの服用患者にイダルシズマブを用いて後に本療法を検討する場合は,上記所見は適応外項目とならない		
CT/MR所見		
広汎な早期虚血性変化	☐	☐
圧排所見(正中構造偏位)	☐	☐

(資料2 つづき)

慎重投与（適応の可否を慎重に検討する）	あり	なし
年齢 81歳以上	☐	☐
最終健常確認から4.5時間超かつ発見から4.5時間以内に治療開始可能でDWI/FLAIRミスマッチあり	☐	☐
既往歴		
10日以内の生検・外傷	☐	☐
10日以内の分娩・流早産	☐	☐
1ヵ月以上経過した脳梗塞（とくに糖尿病合併例）	☐	☐
蛋白製剤アレルギー	☐	☐
神経症候		
NIHSS値26以上	☐	☐
軽症	☐	☐
症候の急速な軽症化	☐	☐
痙攣（既往歴等からてんかんの可能性が高ければ適応外）	☐	☐
臨床所見		
脳動脈瘤・頭蓋内腫瘍・脳動静脈奇形・もやもや病	☐	☐
胸部大動脈瘤	☐	☐
消化管潰瘍・憩室炎，大腸炎	☐	☐
活動性結核	☐	☐
糖尿病性出血性網膜症・出血性眼症	☐	☐
血栓溶解薬，抗血栓薬投与中（とくに経口抗凝固薬投与中）	☐	☐
月経期間中	☐	☐
重篤な腎障害	☐	☐
コントロール不良の糖尿病	☐	☐

＜注意事項＞ 一項目でも「適応外」に該当すれば実施しない．

資料3 tPA換算表

(日本脳卒中学会. 静注血栓溶解(rt-PA)療法 適正治療指針 第三版. 2019年3月)

40〜51 kg

製剤:600万単位製剤3本
　　　(または1,200万単位1本+600万単位1本)を添付の溶解液30 mLで溶解

体重 (kg)	総量 (mL)	急速 静注 (mL)	持続 静注 (mL)
40	**23.2**	**2.3**	**20.9**
41	23.8	2.4	21.4
42	24.4	2.4	22.0
43	24.9	2.5	22.4
44	25.5	2.6	22.9
45	**26.1**	**2.6**	**23.5**
46	26.7	2.7	24.0
47	27.3	2.7	24.6
48	27.8	2.8	25.0
49	28.4	2.8	25.6
50	**29.0**	**2.9**	**26.1**
51	29.6	3.0	26.6

52〜69 kg

製剤:2,400万単位製剤1本
　　　(または1,200万単位2本)を添付の溶解液40 mLで溶解

体重 (kg)	総量 (mL)	急速 静注 (mL)	持続 静注 (mL)
52	30.2	3.0	27.2
53	30.7	3.1	27.6
54	31.3	3.1	28.2
55	**31.9**	**3.2**	**28.7**
56	32.5	3.3	29.2
57	33.1	3.3	29.8
58	33.6	3.4	30.2
59	34.2	3.4	30.8
60	**34.8**	**3.5**	**31.3**
61	35.4	3.5	31.9
62	36.0	3.6	32.4
63	36.5	3.7	32.8
64	37.1	3.7	33.4
65	**37.7**	**3.8**	**33.9**
66	38.3	3.8	34.5
67	38.9	3.9	35.0
68	39.4	3.9	35.5
69	40.0	4.0	36.0

(資料3 つづき)

70〜86 kg

製剤：2,400万単位製剤1本＋600万単位1本
（または1,200万単位2本＋600万単位1本）を添付の溶解液50 mLで溶解

体重 (kg)	総量 (mL)	急速静注 (mL)	持続静注 (mL)
70	**40.6**	**4.1**	**36.5**
71	41.2	4.1	37.1
72	41.8	4.2	37.6
73	42.3	4.2	38.1
74	42.9	4.3	38.6
75	**43.5**	**4.4**	**39.1**
76	44.1	4.4	39.7
77	44.7	4.5	40.2
78	45.2	4.5	40.7
79	45.8	4.6	41.2
80	**46.4**	**4.6**	**41.8**
81	47.0	4.7	42.3
82	47.6	4.8	42.8
83	48.1	4.8	43.3
84	48.7	4.9	43.8
85	**49.3**	**4.9**	**44.4**
86	49.9	5.0	44.9

87 kg〜

製剤：2,400万単位製剤1本＋1,200万単位1本
（または2,400万単位1本＋600万単位2本）を添付の溶解液60 mLで溶解

体重 (kg)	総量 (mL)	急速静注 (mL)	持続静注 (mL)
87	50.5	5.1	45.4
88	51.0	5.1	45.9
89	51.6	5.2	46.4
90	**52.2**	**5.2**	**47.0**
91	52.8	5.3	47.5
92	53.4	5.3	48.1
93	53.9	5.4	48.5
94	54.5	5.5	49.0
95	**55.1**	**5.5**	**49.6**
96	55.7	5.6	50.1
97	56.3	5.6	50.7
98	56.8	5.7	51.1
99	57.4	5.7	51.7
100〜	**58.0**	**5.8**	**52.2**

※各規格の添付溶解液

600万国際単位：10 mL
1,200万国際単位：20 mL
2,400万国際単位：40 mL

溶解後のアルテプラーゼ濃度は60万国際単位/mL＝1,034 mg/mL

資料4 ABCD²スコアと2日以内の脳梗塞発症リスク

ABCD²スコア		
A	年齢(Age)	60歳以上=1点
B	血圧(Blood pressure)	収縮期血圧140 mmHg以上または拡張期血圧90 mmHg以上=1点
C	臨床症状(Clinical features)	片側の運動麻痺=2点 麻痺を伴わない言語障害=1点
D	持続時間(Duration)	60分以上=2点 10〜59分=1点
D	糖尿病(Diabetes)	糖尿病=1点
		合計7点

ABCD²スコアの点数による2日以内の脳梗塞発症リスク	
0〜3点	1.0%
4〜5点	4.1%
6〜7点	8.1%

(Johnston SC, et al. *Lancet* **369**:283, 2007より改変)

memo

資料5　脳卒中発症リスクと出血リスクの評価法

■ CHADS₂スコア

	危険因子		スコア
C	Congestive heart failure/LV dysfunction	心不全，左室機能不全	1
H	Hypertension	高血圧	1
A	Age≧75y	75歳以上	1
D	Diabetes mellitus	糖尿病	1
S₂	Stroke/TIA	脳梗塞，TIAの既往	2
	合　計		0〜6

TIA：一過性脳虚血発作

■ CHA₂DS₂-VASc スコア

	危険因子		スコア
C	Congestive heart failure/LV dysfunction	心不全，左室機能不全	1
H	Hypertension	高血圧	1
A₂	Age≧75y	75歳以上	2
D	Diabetes mellitus	糖尿病	1
S₂	Stroke/TIA/TE	脳梗塞，TIAの既往，血栓塞栓症の既往	2
V	Vascular disease (prior myocardial infarction, peripheral artery disease, or aortic plaque)	血管疾患（心筋梗塞の既往，末梢動脈疾患，大動脈プラーク）	1
A	Age 65〜74y	65歳以上74歳以下	1
Sc	Sex category (female gender)	性別（女性）	1
	合　計		0〜9

TIA：一過性脳虚血発作

■ HAS-BLED スコア

※出血リスクの評価法として HAS-BLED スコアが導入された．
・0点＝低リスク（1年間の大出血発症リスク：1％前後）
・1〜2点＝中等度リスク（2〜4％）
・3点以上＝高リスク（4〜6％以上）

	危険因子		スコア
H	Hypertension	（収縮期血圧≧140 mmHg）	1
A	Abnormal renal/liver function	（腎機能障害，肝機能障害　各1点）	1〜2
S	Stroke	（脳卒中）	1
B	Bleeding	（出血歴）	1
L	Labile INR	（INR≧3.5のエピソード）	1
E	Elderly	（年齢65歳以上）	1
D	Drugs/alcohol	（抗血小板薬や NSAIDs の使用とアルコール）	1
	合　計		0〜8

※変更 HAS-BLED スコア：「高血圧」を SBP 140 mmHg 以上に，「不安定な INR」を INR が 3.5 以上のエピソードに，「薬剤」を抗血小板薬の使用と置き換え．

資料6　深部静脈血栓症及び肺血栓塞栓症に対する DOAC の使用方法

経口 FXa 阻害薬であるリバーロキサバン，アピキサバン，エドキサバンは，「深部静脈血栓症及び肺血栓塞栓症の治療と発症抑制」として保険適用を有しているが，「非弁膜症性心房細動における虚血性脳卒中と全身性塞栓症の発症抑制」としての適応とは，若干異なる部分があることに注意.

＜深部静脈血栓症および肺血栓塞栓症の治療＞
- リバーロキサバン 30 mg/日 分2（3週間），以降 15 mg/日 分1
- アピキサバン 20 mg/日 分2（7日間），以降 10 mg/日 分2
- エドキサバン 60 mg/日 分1

＜減薬基準＞
- リバーロキサバン，アピキサバンでは存在しない（非弁膜症性心房細動とは異なる）
- エドキサバンは非弁膜症性心房細動と同様

＜投薬禁忌＞
- リバーロキサバン，アピキサバンともに Ccr 30 mL/min 未満（非弁膜症性心房細動とは異なる）
- エドキサバンでは Ccr 15 mL/min 未満（非弁膜症性心房細動と同様）

資料7　Fisher の CT 分類

Grade	CT 所見
I	出血なし
II	くも膜下腔にびまん性に 1 mm 以内の薄い出血あり
III	くも膜下腔にびまん性に 1 mm 以上の厚い出血あり
IV	くも膜下出血は軽度で脳内あるいは脳室内の血腫を伴うもの

資料8　Hunt and Kosnik 分類

Grade	
0	未破裂の動脈瘤
I	無症状か，最小限の頭痛および軽度の項部硬直をみる．
Ia	急性の髄膜あるいは脳症状をみないが，固定した神経学的失調のあるもの
II	中等度から強度の頭痛，項部硬直をみるが，脳神経麻痺以外の神経学的失調はみられない．
III	傾眠状態，錯乱状態，または軽度の巣症状を示すもの．
IV	昏迷状態で，中等度から重篤な片麻痺があり，早期除脳硬直および自律神経障害を伴うこともある．
V	深昏睡状態で除脳硬直を示し，瀕死の様相を示すもの．

資料9　Hunt and Hess 分類

Grade	
I	無症状か，最小限の頭痛および軽度の項部硬直をみる．
II	中等度から強度の頭痛，項部硬直をみるが，脳神経麻痺以外の神経学的失調はみられない．
III	傾眠状態，錯乱状態，または軽度の巣症状を示すもの．
IV	昏迷状態で，中等度から重篤な片麻痺があり，早期除脳硬直および自律神経障害を伴うこともある．
V	深昏睡状態で除脳硬直を示し，瀕死の様相を示すもの．

資料10　WFNS 分類

Grade	GCS score	主要な局所神経症状 （失語 or 麻痺）
I	15	なし
II	13～14	なし
III	13～14	あり
IV	7～12	有無を問わない
V	3～6	有無を問わない

資料11　頸部血管エコー　脳血管狭窄・閉塞診断基準

① 内頸動脈閉塞診断	ED ratio≧1.4：塞栓性または血栓性閉塞 EDV 0 または可動性血栓：塞栓性閉塞 内頸動脈起始部閉塞：アテローム血栓性閉塞
② 心原性脳塞栓症における閉塞診断	4.0≦ED ratio 内頸動脈閉塞 1.3≦ED ratio＜4.0 中大脳動脈水平部閉塞 ED ratio＜1.3　中大脳動脈分枝閉塞
③ 内頸動脈狭窄診断	PSV≧150 cm/S：NACSET 50％以上の狭窄 PSV≧200 cm/S：NASCET 70％以上の狭窄

資料12　せん妄とアルツハイマー型認知症の鑑別の要点

	せん妄	アルツハイマー型認知症
発症様式	急激（数時間～数日）	潜在性（数か月～数年）
経過と持続	動揺性，短時日	慢性進行性，長時間
初期症状	注意集中困難，意識障害	記憶障害
注意力	障害される	通常正常である
覚醒水準	動揺する	正常
誘因	多い	少ない

（認知症疾患診療ガイドライン 2017 より）

資料13 日本リハビリテーション学会の中止基準

積極的なリハを実施しない場合
- 安静時脈拍 40/分以下または 120/分以上
- 安静時収縮期血圧 70 mmHg 以下または 200 mmHg 以上,安静時拡張期血圧 120 mmHg 以上
- 労作性狭心症,心筋梗塞発症直後で循環動態が不良な場合
- 心房細動のある方で著しい徐脈または頻脈がある場合,著しい不整脈がある場合,安静時胸痛がある場合
- リハ実施前にすでに動悸・息切れ・胸痛のある場合
- 座位でめまい,冷や汗,嘔気などがある場合
- 安静時体温が 38.0℃以上
- 安静時酸素飽和度 90%以下

途中でリハを中止する場合
- 中等度以上の呼吸困難,めまい,嘔気,狭心痛,頭痛,強い疲労感などが出現した場合
- 脈拍が 140/分を超えた場合,運動により不整脈が増加した場合,徐脈が出現した場合
- 運動時収縮期血圧が 40 mmHg 以上,または拡張期血圧 20 mmHg が以上上昇した場合
- 頻呼吸(30回/分以上),息切れが出現した場合
- 意識状態の悪化

いったんリハを中止し,回復を待って再開する場合
- 脈拍数が運動前の 30%を超えた場合(ただし 2 分間の安静で 10%以下に戻らない時は以後のリハを中止するか,または極めて軽労作のものに切り替える)
- 脈拍が 120/分を超えた場合,1 分間に 10 回以上の期外収縮が出現した場合,軽い動悸,息切れが出現した場合

その他の注意が必要な場合
- 血尿の出現,喀痰量が増加している場合,体重増加している場合,倦怠感がある場合

*注意:上記中止基準は一般的なリハビリテーションにおける注意事項であり,脳卒中の全身管理には当てはまらない部分もあるので注意されたい.

資料14　Brunnstromの運動検査による回復段階(Brunnstrom stage：Brs)

上肢
stage Ⅰ：随意的な筋収縮なし．筋緊張は低下．
stage Ⅱ：随意的な筋収縮または連合反応が出現．痙縮が出現．
stage Ⅲ：共同運動による関節運動が明確にあり．
stage Ⅳ：共同運動から逸脱し以下の運動が可能．
　　　　　手背を腰部につける．上肢を肘関節進展位で前方水平まで挙上．
　　　　　肘関節屈曲90度で前腕を回内・回外．
stage Ⅴ：共同運動から比較的独立し以下の運動が可能．
　　　　　上肢を肘関節伸展位かつ前腕回内位で側方水平位まで挙上．
　　　　　上肢を肘関節伸展位のまま前上方へほぼ垂直位まで挙上．
　　　　　肘伸展位で前腕を回内・回外．
stage Ⅵ：各関節が自由に分離．ほぼ正常の協調性．

手指
stage Ⅰ：随意的な筋収縮なし．筋緊張は低下．
stage Ⅱ：随意的な筋収縮がわずかにあり．痙縮が出現．
stage Ⅲ：手指の集団屈曲は可能だが随意的には伸展不能．鉤握りはできるが離せない．
stage Ⅳ：横つまみをした後，母指で離すことが可能．狭い範囲での半随意的な手指進展．
stage Ⅴ：対向つまみが可能．集団進展が随意的に可能．
stage Ⅵ：筒握りや球握りを含むすべてのつまみや握りが可能．各手指の運動が分離．

下肢
stage Ⅰ：随意的な筋収縮なし．筋緊張は低下．
stage Ⅱ：随意的な筋収縮または連合反応が出現．痙縮が出現．
stage Ⅲ：座位や立位にて股関節・膝関節・足関節が同時に屈曲．
stage Ⅳ：共同運動から逸脱し，以下の運動が可能．
　　　　　座位にて膝を90度以上屈曲し足部を床上で後方へ滑らす．
　　　　　足部を床から持ち上げずに足関節を随意的に背屈する．
stage Ⅴ：共同運動から比較的独立し以下の運動が可能．
　　　　　立位にて股関節伸展位で荷重されていない状態で膝屈曲だけを屈曲する．
　　　　　立位にて踵を前方に少し振り出し，膝関節伸展位で，足関節だけを背屈する．
stage Ⅵ：各関節運動が分離し，以下の運動が可能．
　　　　　立位にて骨盤挙上による可動域を超えて股関節を外転する．
　　　　　座位にて内側および外側ハムストリングスの相反的な活動により，足関節の内反・外反を伴って下腿の内旋・外旋をする．

(Brunnstrom S. *Phys Ther* **46**：357, 1966；日本脳卒中学会脳卒中ガイドライン委員会訳より)

索 引

あ
- アイウエオチップス……………15
- アミロイドアンギオパチー……292
- アンデキサネット アルファ
  ……………………56, 268, 299

い
- イダルシズマブ…………268, 299
- 一過性黒内障……………………65
- 一過性全健忘……………………161
- 一過性脳虚血発作………………63
- 院内発症…………………………74

う
- ウィリス動脈輪閉塞症…………197
- 植込み型心電図記録計…………130

お
- オンデキサ………………………56

か
- 開頭外減圧療法…………………308
- 可逆性脳血管攣縮症候群
  ……………………144, 160, 178
- がん関連血栓症…………………188
- 眼球運動障害……………………21
- 眼球頭位反射……………………21
- 感染性心内膜炎…………………202
- 感染性脳動脈瘤…………………204

き
- 奇異性脳塞栓症…………………123
- 急性散在性脳脊髄炎……………147
- 胸部大動脈解離…………………224

く
- くも膜下出血……………………58

け
- 経口避妊薬………………………167
- 茎状突起…………………………175
- ケイセントラ……………………55
- 経腸栄養投与……………………286
- ケイツー N………………………54
- けいれん発作……………………161
- 血管内治療………………………41
- 血管内リンパ腫…………………156
- 血栓溶解療法……………………32
- 言語聴覚療法……………………280
- 原発性中枢神経系血管炎………194

こ
- 抗 MOG 抗体関連疾患…………146
- 抗認知症薬………………………302
- 抗リン脂質抗体症候群…………137
- 骨髄増殖性腫瘍…………………172

さ
- 作業療法…………………………280
- 左心耳切除術……………………270
- 左心耳閉鎖術………………270, 271
- 左心房内血栓……………………310

し
- 視床出血…………………………306
- 視神経脊髄炎……………………145
- 視神経脊髄炎関連疾患…………145
- 失語症……………………………25
- 失神………………………………161
- 若年性脳梗塞の特徴……………137
- 小脳出血…………………………307
- 神経サルコイドーシス…………149
- 神経ベーチェット病……………150
- 真性多血症………………………172
- 心臓内血栓………………………310
- 深部静脈血栓症…………………231

せ
- 潜因性脳卒中……………………129
- せん妄……………………………303

そ
- 塞栓源不明脳塞栓症……………129

た
- ダイアモックス負荷試験………240
- 大動脈解離…………………12, 191

大脳膠腫症（gliomatosis cerebri）
.... 155
多発性硬化症.................. 144
ち
中大脳動脈閉塞症.......... 238
つ
椎骨動脈解離.................. 237
て
転移性脳腫瘍.................. 157
と
トルソー症候群......... 188, 211, 212
な
内頸動脈閉塞症.............. 237
に
二次性中枢神経血管炎...... 194
妊娠高血圧症候群.......... 320
認知症.......................... 302
の
脳アミロイドアンギオパチー関連炎症
.... 143
脳アミロイド血管症........ 318
脳幹出血........................ 307
脳血管アミロイドアンギオパチー
.... 52
脳血管撮影.................... 234
脳血管攣縮...................... 60
脳室内出血.................... 307
脳出血.................. 51, 292, 305
脳循環予備能................. 241
脳静脈洞血栓症............. 167
脳卒中後てんかん.......... 275
脳代謝予備能................. 242
脳底動脈閉塞症.............. 238
脳動脈解離.................... 134
脳表シデローシス.......... 276

ひ
被殻出血........................ 306
非痙攣性てんかん重積状態...... 275
皮質下出血.................... 306
非弁膜症性心房細動........ 296
ふ
プリズバインド................ 55
プロテインC欠乏症 167
プロテインS欠乏症 167
へ
ヘルペス脳炎.................. 148
ほ
本態性血小板血症.......... 172
ま
マルベリー小体.......... 140, 187
み
ミトコンドリア病.......... 165
む
無症候性脳梗塞.............. 316
め
メイズ手術.................... 311
も
もやもや病................. 197, 239
ら
卵円孔開存症（PFO）...... 123, 271
卵円孔閉鎖術............. 127, 271
り
理学療法....................... 280
る
類もやもや病................ 197
数字
1%とろみ水テスト 91
ギリシャ
αガラクトシダーゼA遺伝子
.... 185

索引

A
ABCD^{2}スコア ... 67
ADC map ... 217
ADEM ... 147
AIUEOTIPS ... 16
ASL ... 278
ASPECTS ... 213
AT-Ⅲ欠損症 ... 167

B
BAD（branch atheromatous disease） ... 49, 119
Black Blood 法 ... 220
Blend sign ... 53
BNP ... 99, 211
Bow-hunter 症候群 ... 177
BPAS ... 222
Brunnstrom stage ... 284

C
CAA（cerebral amyloid angiopathy） ... 318
CADASIL ... 143, 182
CARASIL ... 182, 184
CAT（cancer associated thrombosis） ... 188
CCOT ... 76
Cerebral microbleeds（CMBs） ... 292
CHA$_2$DS$_2$-VASc スコア ... 104, 266
CHADS$_2$ スコア ... 104, 266
Crescendo TIA ... 64
Creutzfeldt-Jakob 病 ... 151

D
D-dimer ... 99, 189, 211
DOAC ... 244
DVT ... 231
DWI ... 217
DWI-FLAIR mismatch ... 38, 219

E
Eagle 症候群 ... 175
early CT sign ... 213
ELVO screen ... 6, 44
ESUS ... 129

F
Fabry 病 ... 140, 141, 182

H
Hachinski の虚血スコア ... 327
HAS-BLED スコア ... 104, 266
HERMES ... 42
Horner 症候群 ... 19
HTRA1 遺伝子 ... 184
Hyper dense MCA sign ... 214

I
IQCODE ... 302
IRIS pooled analysis ... 46

J
J-STARS 試験 ... 262
JAK2V617F 遺伝子 ... 172

L
Limb-shaking ... 64

M
Marchiafava-Bignami 病 ... 154
MELAS ... 152, 165
MET call ... 75
Mini-Cog ... 303
modified Boston Criteria ... 318
MOG 抗体関連疾患 ... 147
MWST ... 91

N
NIHSS ... 31
NMO ... 145
Notch3 遺伝子 ... 182

P
PCNSV ... 194
PRES ... 151, 165

R
RCVS ... 144, 160, 178
RNF213 遺伝子 ... 197
RRT ... 76
RSST ... 91

S
SAH ... 58
SKIP 研究 ... 44, 46

SSD (Spectacular shrinking deficit) ……64
SSS-TOAST 分類 ……99
Stroke mimics ……13, 159
Susac 症候群 ……142
SVS ……219
SWI ……219
Swirl sign ……53

T

T2 shine through ……217

TCD ……227
TIA ……63
TIA に特徴的ではない症状 ……65
TOAST 分類 ……99
TTR ……247

W

Wallenberg 症候群 ……22
Wernicke 脳症 ……153, 165

X

Xa 阻害薬 ……268

日本医大式
脳卒中ポケットマニュアル　第2版　　　　ISBN978-4-263-73221-2

2018年11月20日　第1版第1刷発行
2019年 5 月20日　第1版第2刷発行
2024年 3 月10日　第2版第1刷発行

　　　　　　　　　　　　　　　編　者　木　村　和　美
　　　　　　　　　　　　　　　　　　　西　山　康　裕
　　　　　　　　　　　　　　　発行者　白　石　泰　夫
　　　　　　　　　　　　　　　発行所　医歯薬出版株式会社

〒113-8612　東京都文京区本駒込1-7-10
TEL（03）5395-7640（編集）・7616（販売）
FAX（03）5395-7624（編集）・8563（販売）
https://www.ishiyaku.co.jp/
郵便振替番号 00190-5-13816

乱丁，落丁の際はお取り替えいたします．　　　　印刷・三報社印刷／製本・皆川製本所
　　Ⓒ Ishiyaku Publishers, Inc., 2018, 2024.　Printed in Japan

本書の複製権・翻訳権・翻案権・上映権・譲渡権・貸与権・公衆送信権（送信可能化権を含む）・
口述権は、医歯薬出版（株）が保有します．
本書を無断で複製する行為（コピー，スキャン，デジタルデータ化など）は，「私的使用のための
複製」などの著作権法上の限られた例外を除き禁じられています．また私的使用に該当する場
合であっても，請負業者等の第三者に依頼し上記の行為を行うことは違法となります．

JCOPY ＜出版者著作権管理機構　委託出版物＞
本書をコピーやスキャン等により複製される場合は、そのつど事前に出版者著作権管理機構
（電話03-5244-5088, FAX 03-5244-5089, e-mail:info@jcopy.or.jp）の許諾を得てください．

memo

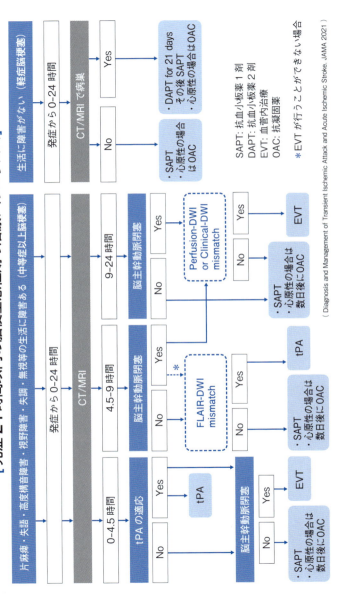